J'irai danser sur la tombe de Senghor

Blaise Ndala

J'irai danser sur la tombe de Senghor

Roman

2e tirage

Collection ertiges

 Les Éditions
L'Interligne

Catalogage avant publication de Bibliothèque et Archives Canada

Ndala, Blaise, 1972-, auteur
    J'irai danser sur la tombe de Senghor : roman / Blaise Ndala.

(Collection « Vertiges »)
Publié en formats imprimé(s) et électronique(s).
ISBN 978-2-89699-431-1 (couverture souple).--ISBN 978-2-89699-432-8
(pdf).--ISBN 978-2-89699-433-5 (epub)

I. Titre. II. Collection: Collection « Vertiges »

PS8627.D35J57 2014   C843'.6   C2014-905631-1
                                             C2014-905632-X

Les Éditions L'Interligne
261, chemin de Montréal, bureau 310
Ottawa (Ontario) K1L 8C7
Tél.: 613 748-0850 / Téléc.: 613 748-0852
Adresse courriel : commercialisation@interligne.ca
www.interligne.ca

Distribution : Diffusion Prologue inc.

ISBN : 978-2-89699-431-1
© Blaise NDALA et LES ÉDITIONS L'INTERLIGNE
Dépôt légal : troisième trimestre 2014
Dépôt légal : deuxième trimestre 2016
Bibliothèque nationale du Canada
Tous droits réservés pour tous pays

*À mes parents;
à mon oncle, Eustache Mikarabo,
pour les trois amours de sa jeunesse : la rumba, la boxe
et… l'URSS.*

« Le Rêve et l'Ombre étaient de très
grands camarades. »

Thadée Badibanga
L'éléphant qui marche sur des œufs, 1931

« Puisque ces mystères me dépassent,
feignons d'en être l'organisateur. »

Jean Cocteau
Les mariés de la tour Eiffel, 1921

PROLOGUE

COMME SOUS LE CONTRÔLE D'UNE CHAPE bienveillante, la chaleur s'était arrêtée aux portes des vestiaires. Il flottait dans la pièce peinte en vert et blanc une fraîcheur qui s'était engouffrée dans le ventre du stade à l'ouverture des portes métalliques. C'était quelques heures plus tôt, lorsque les hommes de Don King s'étaient présentés sur les lieux pour superviser les derniers réglages délégués aux Africains. Les collaborateurs du champion déchu restaient assis en demi-cercle, à l'exception du Maître lui-même et de Roy Williams, son partenaire d'entraînement avec lequel il avait passé d'interminables heures à se préparer durant les trois derniers mois. Comme le reste de l'assistance, Roy avait du mal à dissimuler sa nervosité. Et ce n'est pas son tic, ce balancement répété de la tête exécuté de gauche à droite en de vigoureuses contorsions du cou, qui était de nature à donner le change.

Autant dire qu'il régnait, dans cette partie du sous-sol faiblement éclairée du Stade du 20-Mai de Kinshasa, une ambiance de couloir de la mort. Comme si soudain chaque personne autour du Maître assistait impuissante à l'évaporation de l'énergie qui avait servi de viatique, des mois durant, à l'encontre des pronostics pour le moins inquiétants de la presse sportive américaine. Nul n'avait oublié le cinglant «Kinshasa: Chronique d'une humiliation annoncée» du *New York Post* dont le *Dallas Morning News* s'était fait l'écho: «Rendez-vous de tous les dangers pour le nouveau fort en gueule de la cause noire». Dans le même registre, une des signatures les plus respectées du pays avait publié dans le magazine *Esquire,* une semaine avant de s'envoler pour le cœur de l'Afrique, un billet qui avait fait plus que quelques vagues. Le chroniqueur avait prophétisé que le monde allait assister à la fin de la légende incarnée par le garnement qui «était entré dans l'arène avec un talent si rare et si insolent qu'il ne pouvait durer que le temps d'une comète». Entre deux échauffements, l'intéressé avait alors décroché son téléphone et appelé l'homme qui n'en loupait jamais une pour placer un mot plus haut que sa chère réputation à lui. Parlant de lui-même à la troisième personne, il avait fait savoir à son correspondant que le jour venu, devant les caméras du monde entier, «la comète» se ferait un plaisir de lui apprendre à respecter le seul mortel dont le talent inscrit dans les astres ne pouvait être associé à l'éphémère.

Alors que la fièvre médiatique atteignait son paroxysme dans l'enceinte du stade africain, le Maître n'entendait pas laisser ses amis inviter en ce lieu reclus, par leur silence et leur apathie collective, le doute et son inévitable corollaire, la peur. Dans cet espace où il s'était retiré avant le rendez-vous de toute une vie, il se devait d'opposer, aux affres de l'enfantement du prodige sportif attendu par la planète entière, une inébranlable conviction. Celle d'incarner celui qui avait volé le feu sacré. Car la flamme qui l'habitait, qu'il devait une nouvelle fois transmettre à son petit monde comme il avait toujours su le faire dans le passé, c'était sa foi en lui. Cette foi qui, au fil des ans, avait pavé la voie de sa carrière à nulle autre pareille. Une foi qu'il avait su ériger en vérité quasi irréfutable. Il était le meilleur, le plus grand, le plus redoutable, le plus redouté et le plus beau… Bref, tout ce que les gens ordinaires saluaient et proclamaient.

Qu'une partie du gotha qui s'était auto-érigé en Alpha et Oméga du noble art ait continué à lui refuser la consécration absolue et intemporelle n'ébranlait nullement ses certitudes, au contraire. Il en était même convaincu, ce mercredi 30 octobre 1974, dans la chaleur de cette nuit tropicale, sur une terre d'Afrique où il avait été accueilli en enfant du pays, il allait offrir au monde sa propre défi-nition du mot «revanche». L'ancien gamin de Louisville (Kentucky) devenu divinité du ring doutait qu'il pût exister meilleur endroit sur la planète d'où il pourrait regarder de haut l'Amérique raciste et va-t-en-guerre qui avait conspiré pour sa descente du piédestal.

Le piédestal. Y retourner. Y demeurer. Envers et contre tout.

«Qu'est-ce qui se passe, les gars? Ohé! On est au funé-rarium?» avait-t-il lancé après quelques échauffements en solitaire.

Il allait et venait sous les poutrelles surplombant leurs têtes, auxquelles était accrochée une demi-douzaine d'am-poules de faible puissance. Pour le sortir de sa torpeur, il s'était approché du groupe et avait commencé à bondir du bout des pieds comme il le faisait sur le ring, fendant l'air de ses puissants coups. Il boxait à vide, allait narguer avec punch chacun des membres de l'assistance en lui décochant un direct du gauche, qui chaque fois s'arrêtait à moins d'un centimètre du visage de la cible. Lorsqu'il avait approché la dernière personne assise près de l'issue de secours, l'homme avait reculé tout en ouvrant de grands yeux dans lesquels on lisait une panique à couper au couteau. Il s'en était ensuivi l'hilarité des Américains, habitués à ce rituel que leur réservait l'artiste dans les minutes qui précédaient chacun de ses combats. Tel n'était pas le cas du conseiller spécial de leur illustre hôte africain, lequel avait obtenu du Maître d'être témoin de ces derniers instants avant l'assaut tant attendu.

«Ah! il a la trouille, monsieur le conseiller spécial! avait commenté le Maître. J'espère que George ne va pas nous faire ce coup-là, *right*? Je ne suis pas venu sur la terre de mes racines pour le voir tomber dans les pommes au premier pas de danse, George. Je veux le voir danser; je vais le faire danser. Et quand je dis danser…»

Sous l'emprise de son magnétisme légendaire, quelques visages s'étaient détendus, mais on était loin du compte. S'il avait été convoqué, force était alors de déplorer que l'Ange de la sérénité ait décidé de prendre son temps dans les rues de Kinshasa, privant le groupe réuni autour du Maître de son précieux halo.

Drew Bundini Brown restait impassible. L'air absent, l'entraîneur originaire de Floride ressemblait à un prêtre qui se rend compte au beau milieu de l'office qu'il risque de manquer de vin pour honorer le saint-sacrement. Peut-être était-il hanté par la voix caverneuse de la voyante haïtienne qu'il était allé voir en secret dans le quartier de Brooklyn à New York. Dans son souvenir, les dernières paroles prononcées par l'octogénaire n'étaient pas de celles qui vous revigorent quand arrive l'heure H. Plus approchait le moment de vérité, moins il se sentait sûr de lui. Mais sa longue et riche expérience lui avait appris qu'un combat se gagnait – ou était perdu – bien à l'avance. Son issue était toujours scellée en amont, par une foultitude de causes dont on saisissait rarement la portée dans les minutes qui précédaient le premier coup de cloche.

«T'as la trouille toi aussi, capitaine?» lui avait alors lancé le Maître, sans s'arrêter.

Bundini n'avait pas répondu, perdu dans ses pensées et occupé à ouvrir un gros sac noir posé entre ses jambes. Angelo Dundee, le deuxième entraîneur, essuyait les verres de ses lunettes, tête baissée. De tous, il était celui qui connaissait le mieux l'adversaire du jour, pour avoir été à son service quelques années auparavant. À côté de lui, Jabir Herbert Muhammad, le directeur technique, égrenait un chapelet en dodelinant de la tête. On aurait dit un vendeur d'artisanat dans un souk déserté par les touristes. Même lui, si bavard d'ordinaire, prêt à vous balancer les vannes les plus désopilantes à la moindre occasion, semblait tétanisé par l'enjeu, à présent que le compte à rebours était amorcé.

Quant à Ron Baxter, le journaliste du *Chicago Chronicle* qui n'avait pas lâché le Maître d'une semelle depuis une semaine, il avait fini par se laisser engourdir par l'atmosphère qui l'entourait. Il repensait au pari dans lequel il s'était laissé entraîner quelques semaines plus tôt, soudain conscient qu'une défaite potentielle de l'homme en face de lui risquait de l'ébranler pour des motifs autres que pécuniaires : une part de lui se reconnaissait dans l'étrange destin de cette grande gueule que rien ni personne n'avait encore réussi à faire douter.

— T'inquiète, *Champ* ; tout est sous contrôle. On va lui faire la fête ce soir, avait répondu avec un sourire complice Rahman Ali, le frère du boxeur. On va lui montrer que t'es son maître et qu'il a eu tort de ne pas assimiler ne serait-ce que le dixième de tes leçons. Tu vois ce que je veux dire ?
— T'es trop généreux, *bro*. Vraiment trop généreux. Il n'a même pas assimilé le centième de ce qu'il m'a vu faire depuis le temps où, tout-petit, il faisait dans son froc quand il me regardait envoyer au tapis les dieux qu'il avait adorés. Tu parles d'une momie !

Pour la première fois, les visages s'étaient illuminés ; l'assistance avait communié dans un rire qui avait eu le même effet que l'apparition soudaine d'un arc-en-ciel qui tient en respect les éléments. De l'extérieur, justement, on pouvait entendre, tels des coups de canon tirés depuis un navire de guerre au large, les grondements annonciateurs d'un orage. Rien de plus commun, sur les rives du fleuve Congo rebaptisé Zaïre par le colonel-président, celui que ses compatriotes appelaient très révérencieusement « le Guide de la révolution de l'authenticité », qu'une tornade qui succède à une journée ensoleillée d'octobre. « Il ne manquait plus que ce maudit temps ! » ne put s'empêcher de pester Bundini qui s'approchait de son poulain pour lui passer une serviette blanche. Celui-ci arracha le morceau de tissu d'entre les mains de son entraîneur et, en un temps deux mouvements, le noua vigoureusement autour de son cou. Comme s'il cherchait à l'étrangler.

— Tu n'oses pas avouer que t'as peur de cette momie qui est aussi douée en boxe qu'un tétraplégique au marathon !

— Se moquer des tétraplégiques manque de classe, mon champion, avait répliqué l'entraîneur, d'une voix très douce, sans chercher à se dégager. Et ça ne te ressemble pas.

Le Maître l'avait fixé dans les yeux pendant quelques secondes, puis il avait lâché prise avant de se frapper la poitrine. Deux tapes légères en signe de contrition :

— Allah me pardonne, avait-il murmuré, en levant les yeux au ciel.

Un signe du Ciel. Un seul suffirait. Sans nuance. Sans équivoque.

Il était allé déplier le peignoir qu'il avait choisi de porter au moment de monter sur le ring. C'était une longue parure en soie blanche, décorée d'un motif noir que les autres membres du groupe, assis en retrait, ne pouvaient distinguer. Au moment où il s'était apprêté à l'enfiler, Bundini avait fait un geste de la tête pour lui signifier que ce n'était pas la bonne tenue. Le Maître avait ouvert la bouche pour parler, mais il s'était ravisé au dernier moment. Il avait tendu la main. L'entraîneur avait alors déployé un peignoir qu'il lui avait préparé pour l'occasion, blanc aussi mais orné de rayures vert-jaune-rouge aux ourlets. Les couleurs du pays hôte. Une carte du Zaïre, tricolore également, était cousue sur le revers, à hauteur du cœur. Rien de moins qu'une réplique du blouson que portait Bundini : mêmes couleurs, mêmes motifs. D'un geste de la main et souriant pour la première fois depuis leur entrée dans le stade, ce dernier avait fait remarquer cette similitude à son poulain. Sans réussir à lui soutirer le moindre signe d'emballement.

—Allez, mon champion ! Tu vas le mettre, non ? Je te l'ai choisi moi-même. Je l'ai commandé spécialement pour toi et pour cette occasion mémorable. *Go ahead, man !*

— Ah ? Et moi qui aurais parié que c'est le Guide du Zaïre en personne qui me l'offrait ! avait ironisé le Maître.

Il avait lancé un clin d'œil au conseiller spécial qui assistait à cette scène en pensant à celles dont lui-même était si souvent témoin chez lui, lorsque sa première épouse ferraillait avec leur fille de six ans. À mesure que la discussion s'enlisait entre l'entraîneur et l'athlète, le dignitaire zaïrois notait que le second était encore plus capricieux que son propre rejeton. De fait, lorsque sa fille aînée avait un faible pour une robe en particulier, toutes les tentatives de sa mère de lui en faire porter une autre se heurtaient à un mur. Un rempart que seul le père, jamais avare de compliments, réussissait à abattre. Il avait fini par vaincre ses hésitations et s'était approché des deux Américains.

— Champion, si vous permettez et sans vouloir critiquer ses goûts que je trouve d'ailleurs remarquables, avait-il balbutié dans un sourire qu'il s'était efforcé de rendre aussi naturel que chaleureux, je pense que monsieur Bundini fait davantage pencher la balance du côté du symbole que de l'esthétique. Mon avis, avec tout le respect, est que vous devriez enfiler le peignoir que vous-même avez choisi. Il est plus joli et dégage un je-ne-sais-quoi de sacerdotal… Je veux dire, quelque chose qui est en phase avec le charisme qui vous a toujours distingué.

— Avez-vous entendu ça ? avait rétorqué le Maître, surpris. J'aurais parié pourtant que l'homme de confiance du Guide choisirait les couleurs du drapeau national !

— Vous êtes un enfant de ce pays, champion, avait répondu le conseiller, toujours dans un anglais impeccable. *(Il soutenait son regard et semblait flatté par l'évocation de sa proximité avec l'un des hommes les plus puissants d'Afrique.)* Le Guide vous l'a dit de sa propre bouche et tout le monde dans ce vestiaire le sait, y compris monsieur Bundini. Dans les rues de Kinshasa, ce n'est pas « *Foreman, boma yé!* » que le peuple chante ; c'est plutôt « *Ali, boma yé[1]!* » : Ali, tue-le, achève-le ! Avez-vous besoin d'une carte du Zaïre sur votre cœur pour conquérir une nouvelle fois celui de votre peuple ? Permettez-moi d'en douter.

C'est alors qu'était intervenu Gene Kilroy, le directeur financier qui devait craindre que cette intrusion du Zaïrois ne brise l'harmonie entre l'entraîneur et son poulain. À seulement trente-cinq minutes du combat le plus important que ce dernier ait jamais disputé de toute sa carrière, tout cela ne lui semblait pas du meilleur effet :

— Permettez-moi de douter, monsieur le conseiller spécial, que votre patron aurait approuvé votre conseil s'il avait été présent. Le champion ferait bien d'accepter le cadeau que lui offre son coach.

— D'accord, les gars, avait coupé le Maître. Vous allez me laisser trancher. C'est moi le champion... Je veux dire, le vrai. Au moins ça, personne ne devrait le contester ni ici, ni en dehors de ce stade, *right* ? Et je veux continuer

---

1 - En lingala, la langue la plus parlée à Kinshasa.

à être le champion que je veux, par la grâce d'Allah le Miséricordieux; et pas le champion que les autres voudraient que je sois. Je veux continuer à choisir ce que je veux porter aujourd'hui comme demain, de même que ce que je veux manger, comment je veux le manger. Je veux avoir le dernier mot sur les noms que j'entends effacer de l'histoire de la boxe. Et je veux décider de la manière dont je vais procéder pour y arriver. Vous comprenez?

Il avait laissé choir à ses pieds le peignoir que lui avait remis son entraîneur et passé le sien par-dessus l'épaule gauche, après avoir envoyé un regard entendu à son frère qui observait la scène. Il était allé ensuite s'asseoir à la table de massage. On l'avait vu enfiler de hautes chaussures de boxe de couleur blanche et faire signe à Ferdie Pacheco, son médecin, qu'il était prêt pour le contrôle de routine. Quand celui-ci s'était éloigné au bout de quelques minutes, le Maître s'était remis sur ses pieds, allant de-ci, de-là en exécutant la fameuse danse qui avait contribué à sa légende aux quatre coins de la planète. Il semblait prendre son pied en narguant un adversaire invisible et immobile. « *Flotter comme un papillon, piquer comme une abeille. Tes mains ne frapperont pas ce que tes yeux n'ont pas vu* », scandait-il en anglais. Il avait suivi un chemin invisible en zigzaguant entre les gros piliers qui soutenaient les gradins au-dessus d'eux, puis était venu décocher un direct du droit à moins d'un centimètre de la rétine gauche de son homme de coin.

— Hé capitaine! C'est la nuit de la rumba. Qu'est-ce qu'on va danser!

Bundini restait coi.

— Je suis supposé faire la fête ? Tu n'as pas voulu de mon peignoir. Tu as rejeté mon cadeau. Si quelqu'un me l'avait dit il y a seulement une heure…

— T'inquiète, mec, lui avait répliqué le Maître. Ce soir, tu auras le plus beau cadeau que personne ne t'a jamais offert et ne t'offrira jamais de ta putain de vie. Ce soir, tu entendras ce traître de George Foreman appeler au secours les dieux d'Afrique. Mais les dieux d'Afrique ne sont d'aucun secours pour quiconque baisse sa culotte devant l'ennemi qui maltraite les filles et les fils de sa mère. Les dieux bantous sont du côté de Mohamed Ali parce que Mohamed Ali est chez lui, à Kinshasa ; et c'est lui qui ce soir aura le dernier mot, *right* ? Allez, bouge maintenant, avait-il enchaîné. *Flotter comme un papillon…*

— *Piquer comme une abeille*, avait complété Drew Bundini Brown, vaincu. Les deux hommes s'étaient alors donné l'accolade.

— *Motherfucker!* avait lancé l'entraîneur en souriant.

Dans les minutes qui avaient suivi, Mohamed Ali était passé de la détente cordiale à la concentration. Tout de blanc vêtu, il s'était retiré dans une pièce adjacente pour la prière, en compagnie de son frère et du directeur Herbert Muhammad. Vingt et une minutes le séparaient désormais de la rencontre qui devait l'opposer au champion du monde des poids lourds, George Edward Foreman. Né sous le signe du Capricorne comme lui, mais de sept ans son cadet, quarante victoires affichées au compteur – dont trente-sept par knock-out – et toujours invaincu, Big George n'avait plus grand-chose à prouver. Un prodige de la nature. Une machine au service de la douleur. Une montagne de muscles qui avait liquidé tous ses adversaires, sans exception, avant le cinquième round.

I

Baptême en eaux troubles

Loin d'Apollon[2], point de salut ?

---

2 - Dieu grec de la lumière, de la divination, de la poésie et de la musique.

1

CE QUI M'A LE PLUS DÉROUTÉ en foulant le sol de Kinshasa – Kin la belle, comme tout le monde le dit ici –, c'est à la fois l'art consommé du vice qui y prospère telle une religion et l'audace assumée des Kinois. Je devrais d'ailleurs dire leur manque absolu de gêne dans l'exercice de cet art, dans la pratique de cette religion urbaine polythéiste.

On est dans la ville des sans-lois qui assument parfaitement leur étrange condition. Une ville où se sont donné rendez-vous tous les champions du monde de la fourberie et des intrigues à te faire laminer les couilles. Des îlots d'honnêtes gens y côtoient, en effet, la crème de la pire fripouille que tu puisses imaginer. On a beau te prévenir depuis le tréfonds de ta campagne, rien n'y fait. Sitôt que tu franchis le seuil de cette ville-traquenard que l'on doit à l'ingénierie de Satan en personne, tu te fais repérer d'office, aussi facilement que si tu arborais une lampe frontale en pleine nuit. Commence alors le défilé des arnaqueurs qui viennent te susurrer à l'oreille la douce mélodie qui t'étourdira irrésistiblement, avant que tu ne te retrouves enfariné comme un idiot. Au corbeau naïf que tu incarnes, ces renards dont la seule loi est celle du cannibalisme urbain s'empresseront de piquer le morceau de pain convoité en moins de temps qu'il n'en faudrait pour reconnaître leur plumage dans la jungle kinoise. Avec un peu de chance, ils te laisseront tes deux yeux pour pleurer.

Ainsi se perpétue, depuis Dieu sait combien de lunes, la valse des vendeurs d'illusions qui n'hésitent pas à proposer de la crotte de chien qu'ils font passer pour de l'or en barre. Et le drame, foi de Modéro, c'est qu'autant de fois ils s'y essayeront, autant de fois ils y parviendront avec une facilité déconcertante qui n'aura d'égale que ta lâcheté. Car affronter un Kinois, ou rabattre son caquet, c'est plus facile à dire qu'à faire lorsque tu découvres à peine son univers. Lorsque tu pues la campagne à mille lieues à la ronde, tu es si conscient de n'avoir rien à lui opposer que c'est à peine si tu ne t'excuses pas d'être entré par effraction dans sa bulle de prédateur. D'ailleurs, pour pouvoir lui tenir tête, n'es-tu pas obligé de l'ouvrir et, du même coup, de trahir ton statut de « débarqué » ?

Puisqu'il m'était impossible de baragouiner le lingala comme un Kinois pur jus, les choses se sont corsées dès le départ. Mon accent, à tout coup, me trahissait. Sans doute me trahit-il encore aujourd'hui, mais il faut dire que j'ai eu le temps de faire mes classes. À la dure, mais je les ai faites. À l'époque, le scénario était toujours le même. Assis au marché du Rond-Point Pascal où je vendais les derniers sacs de manioc qui m'étaient restés sur les bras après moult mésaventures, j'attendais les clients, tantôt en poussant la chansonnette, tantôt en me rinçant l'œil dans la marée humaine d'où émergeaient des femmes aussi belles les unes que les autres. Arrivait une Kinoise, une Maman Moziki. Vous savez, ces femmes d'affaires protégées en haut lieu, qui en règle générale achètent en gros tout type de produit qu'elles revendent à différents détaillants aux quatre coins de la ville. Elle faisait le tour de la marchandise, s'assurait que les sacs de jute étaient bien remplis, que les cossettes de manioc étaient rangées dans les règles de l'art et pas de manière à gonfler artificiellement le contenant. Elle ordonnait que j'ouvre chaque sac afin qu'elle vérifie la qualité du produit. Une fois qu'elle était satisfaite de l'offre – je pouvais le voir à la façon dont ses yeux brillaient –, elle commençait son cinéma.

— Alors, combien vends-tu ton sac de manioc, tonton ?

Car le Kinois donne du tonton à tous les hommes, quel que soit leur âge, les femmes étant gratifiées du vocable tantine.

— Je m'appelle Modéro. Je demande un tout petit peu plus que mes voisins que vous avez approchés, madame. Pour la simple raison que mes produits sont de meilleure qualité. Vous-même venez de constater la blancheur et la solidité des cossettes que vous avez palpées. J'en ai pris soin personnellement, c'est tout dire !

— Eh ! doucement, mon petit villageois, m'interrompait-elle aussitôt. Pour qui te prends-tu ? Ou plutôt, où te crois-tu, hein ? Tu t'appelles Modéro ? On m'appelle Mère Cent-Kilos. Qu'est-ce qu'il a de si spécial, ton manioc ? Blancheur, tu as dit ? Mes dents sont blanches. Ta pourriture de manioc, c'est tout sauf blanc, ou alors tu me traites d'aveugle. J'ai de la merde dans les yeux : c'est bien ce que tu insinues ?

De la provocation, de l'intimidation ou, comme allait le dire plus tard ma patronne actuelle, « de la kinoiserie » dans toute sa splendeur. Je n'avais pas tardé à connaître leurs codes. En affaires, le Kinois te dévaluait sans ménagement pour mieux dévaluer ton produit. Et même lorsqu'il prenait plutôt le parti de te couvrir de compliments, souvent injustifiés, le but n'était autre que d'obtenir un traitement de faveur, tout aussi injustifié. Une fois qu'il avait réussi son coup, après que la marchandise eut changé de mains, tu découvrais une personne totalement différente. Elle devenait soit l'individu le plus charmant au monde, soit l'incarnation même de la goujaterie. Bien souvent, elle filait à l'anglaise, comme dirait mon patron. Cela, le temps m'a permis de le découvrir. Car il en est de la «kinoiserie» comme de la révolution de l'authenticité africaine que prône le Parti: si on vous l'explique et que vous avez l'impression d'avoir compris, c'est qu'on vous a mal expliqué. Vous devez aller au feu et y revenir pour savoir, sans l'ombre d'un doute, de quoi cette religion est le nom.

— Je ne vous traite pas d'aveugle, madame, devais-je plaider, mal à l'aise.
— Si, si. Sinon, comment peux-tu prétendre que ce manioc moisi qui vire au verdâtre est aussi blanc que mes dents? Mes dents là, que tu vois…?

Elle retroussait ses lèvres et pointait un index sur ses incisives qui avaient été blanches, fallait-il le croire, dans une autre vie.

— Vous avez tort de vous emporter, madame. Je n'ai jamais parlé de vos dents.
— Ah oui? Tu n'es pas impressionné par mes dents! Sommes-nous toujours à Léopoldville? Les Belges partis,

plus de permis de séjour pour fouler le sol de Léo et voilà ce qu'il nous en coûte ! Le premier petit fermier arrivé s'octroie le droit de t'insulter. Pourquoi, hein ? Parce qu'il a quatre couilles bien vissées entre les jambes ? Non. Parce qu'il est assis à côté de la denrée la plus convoitée de la ville. Non, mais… !

— Je ne me serais jamais permis de vous insulter, madame. J'ai reçu une éducation de…

— Tu vas la fermer, oui ? Toi, qui sors tout droit de ta forêt de je ne sais où, tu n'attends même pas de parler lingala comme il se doit avant de l'ouvrir devant une Maman Moziki ! Éducation ? Et quoi encore ? Tu ne manques pas d'air !

C'est comme cela que j'ai fait la connaissance de la toute-puissante corporation de ces dames qui font la pluie et le beau temps à Kin. Si l'on pouvait hiérarchiser la félonie des ogres kinois, ces amazones pleines aux as caracoleraient loin devant, véritables vampires nourries aux combines les plus spécieuses et cependant les plus dangereuses de Kin la belle. Celles que je croisais au marché Pascal exploitaient ma naïveté et me dépouillaient sans état d'âme. Après leur petit numéro d'intimidation, qui variait à peine d'un sujet à l'autre, elles jouaient aux clientes outrées. Elles demandaient au boy qui les accompagnait d'embarquer la marchandise dans leur véhicule. Sans daigner me regarder, elles me jetaient alors une somme dérisoire en échange de produits qui valaient le quintuple, voire plus.

Comme par hasard, il traînait toujours dans le coin un agent des forces de l'ordre armé d'un gourdin ou d'une matraque. La première fois que le sort vint cogner contre ma carapace encore fragile, je courus vers lui avant que ne disparaisse le véhicule dans lequel avait été chargé un an de mon labeur. À peine eus-je le temps de terminer la première phrase que le type me coupa la parole, sans même chercher à connaître les détails de l'affaire. Il déclara qu'il était là pour assurer l'ordre dans tout le marché ; que c'était la sécurité de tous les commerçants et de tous les clients qui fréquentaient le lieu qui l'intéressait. Il précisa qu'en revanche, les cas individuels n'étaient pas de son ressort. J'arguai que sa logique était impénétrable pour un esprit qui n'avait pas eu la chance de fréquenter une prestigieuse école de police où l'on enseignait ce principe à la fois simple et percutant. Il le prit comme un vrai compliment. Il poussa le sophisme un cran, voire deux crans plus loin. Je me fis alors dire que ma démarche auprès de lui était aussi insensée que celle d'un caporal s'adressant à notre Colonel-Guide pour se plaindre d'une solde lui permettant à peine de se payer une passe chez la pute du coin. Pas n'importe quelle péripatéticienne, précisa-t-il, celle qui galérait pour tomber sur des clients sveltes dans leurs chemises et obèses dans leurs portefeuilles, au point d'accepter des parties de *soukouss-cochon* pour une miche de pain.

Venu dénoncer l'extorsion déguisée dont je venais d'être victime, je subissais un cours d'éducation civique dont le prélude incluait la classification, sur base de critères plus ou moins clairs, des Kinoises qui avaient investi le plus vieux métier du monde : « Tu crois ainsi que le Haut commandement militaire de nos vaillantes Forces armées révolutionnaires a confié le pouvoir au Guide, pour s'occuper du sort des individus ? Sans doute ne t'intéresses-tu qu'aux chiffres inscrits sur les billets de banque. Mais si seulement tu avais appris à lire dans ton village, là-bas, dans le trou du cul du pays, tu saurais qu'il n'y a pas moins de trente-deux millions d'habitants sur ce vaste territoire grand comme quatre-vingts fois la Belgique et quatre fois la France. Laisse-moi te le dire tout de suite; il n'y a pas un seul parmi ces trente-deux millions qui vaille plus que la somme de tous ces camarades que le Guide a réunis comme les cinq doigts de la main au sein du Parti unique. Alors si, au lieu de s'occuper de leur bien-être collectif – et je dis bien collectif –, le Commandant suprême devait passer son temps sur la feuille de paie établie pour chaque fonctionnaire, crois-tu qu'il ferait ne serait-ce que le centième de son boulot de Père de la nation?»

Il ôta alors ses lunettes de soleil et me détailla de la tête aux pieds de ses yeux rougis par Dieu sait quel breuvage, comme si j'étais un chien galeux tout droit sorti du fond d'un égout.

«Eh bien, tu l'imagines assis au Palais présidentiel, en tenue d'apparat, à régler les chicanes entre voisins qui se détestent, entre débiteurs de mauvaise foi et quoi encore, hein? As-tu une idée du foutoir dans lequel serait plongé ce pays si derrière chaque type qui se mettrait à mater le derrière de la voisine, le Guide devait commettre un policier chargé d'éborgner les salauds en puissance? Mais... Sans blague! L'intérêt général, as-tu jamais entendu parler de l'intérêt général, comme ça en passant, entre deux verres de vin de palme, mon bon petit villageois? Non, lorsque le Guide dit que l'intérêt général est l'autre nom de notre révolution, vous autres paysans pensez que c'est une affaire de citadins. Voilà d'où vient le fossé entre vous, gens du village, et nous qui portons la révolution à bout de bras. Geindre, ça, vous savez faire. Mais vous n'avez aucune idée, mais alors aucune, de ce que ça prend pour mener la révolution de l'authenticité ! »

Ainsi divagua-t-il avant de se diriger vers celle qui venait de me dépouiller. N'osant pas le suivre, je me tins à distance et les regardai discuter à l'ombre de la portière entrouverte du camion. Au bout de quelques minutes, des billets de zaïres changèrent de mains et l'agent retourna à son poste, le buste droit, le visage fermé. Je n'osai l'approcher et encore moins lui faire remarquer que si je ne parlais pas correctement la langue de la capitale ni ne comprenais grand-chose à leur révolution de l'authenticité, je n'étais pas aussi dupe que je devais en avoir l'air.

C'était l'époque de ce qu'un de mes amis a appelé plus tard mon « baptême kinois », celle d'avant le *combat du siècle* entre Mohamed Ali et George Foreman. Une période que traversent tous les candidats au statut de citadin de la belle capitale de l'ex-Congo belge. C'est le lot qui attend celui ou celle qui a choisi l'exode rural pour échapper à une querelle clanique qui risquait de tourner à la tragédie. Pareil traitement pour celui ou celle qui en a eu marre du travail champêtre et qui a décidé d'aller tenter sa chance « là où ça se passe ». Kinshasa, Kin-Malébo, Lipopo, Kin la belle, Poto Moyindo ou le « Paris des Noirs », la ville-qui-brille-et-qui-fait-briller. Le même passage obligé attend celui qui ne supporte plus de croiser le même oncle autour du même feu pour se faire demander pour la sixième fois en trois jours le moment où il entend autoriser la famille à prendre langue avec le père de telle ou telle fille. Une fille que lui-même n'a croisée qu'une fois et avec qui il n'a pas souvenir d'avoir échangé plus de trois mots.

Toutes ces bonnes âmes gavées de la paix de la campagne, repues des amendes que leur imposent les inspecteurs du Département de l'Agriculture pour non-participation à l'objectif révolutionnaire d'autosuffisance alimentaire, empruntent ce chemin initiatique.

Je n'appartenais cependant à aucune de ces catégories. Ma décision de quitter mon village de Banza dans le Kwilu, à cinq cent cinquante kilomètres de Kinshasa, reposait sur un rêve que beaucoup de mes amis et une partie de ma famille ont tout de suite rangé dans la case des «chimères». Je voulais intégrer le groupe musical qui faisait – et fait toujours – la pluie et le beau temps sur les deux rives du fleuve Zaïre. Au village, ceux qui me connaissent le savent depuis des lustres: je ne suis pas homme à aller clamer mes rêves sur tous les toits. En règle générale, je caresse secrètement mon projet des nuits et des jours durant, n'offrant à la curiosité de mon entourage qu'un sourire que d'aucuns qualifient d'énigmatique. Peut-être ai-je intégré inconsciemment la sagesse de mon grand-père qui disait souvent que *la lance du jeteur de sorts n'atteint que le flanc du projet que le vent a porté à ses oreilles.*

Ce projet-là était resté au fond de moi sans que ma routine au village ne varie d'un iota. Mon seul message subliminal était encodé dans le sourire affiché chaque fois que l'on m'interrogeait sur mes projets pour la saison des pluies à venir.

«Toi, Modéro, espèce de cachottier qui nous la joue perce-mon-mystère-et-parlons-en, quand tu fais cette tête et arbores ce sourire indéchiffrable, on sait que tu nous prépares quelque chose de pas catholique», m'a un jour

lancé mon grand ami Senda, alias Sendos, un des guita-
ristes du groupe de notre village que je m'apprêtais à quitter.
Si quelqu'un à Banza pouvait se targuer de me connaître,
c'était bien Sendos. Comme culotte et pet nous étions,
comme culotte et pet nous partagions nos joies et misères.

Ce soir-là, nous rentrions d'un spectacle dans la petite
ville voisine où un notable de la contrée avait organisé une
grande fête pour remercier la populace de lui avoir offert ses
suffrages pour la députation. Monsieur venait, du coup, de
se faire ouvrir la porte du saint des saints : le Comité central
du Parti unique. Nous venions de livrer l'un de nos meilleurs
spectacles depuis la création du groupe. Je m'étais donné à
fond. La soirée avait atteint l'apothéose lorsque le public
avait réclamé, pour la troisième fois d'affilée, la chanson
Bolingo Tina Nini ? (autrement dit «L'Amour, à quoi ça
rime ?») J'avais écrit ce morceau quelques mois auparavant,
d'une traite, tel un cri lancinant que vous arrache un mal
de dent en pleine nuit. Il s'agissait de noyer un chagrin
d'amour dans un torrent de mots crus comme la lumière
du jour, amers comme la bonne médecine de grand-mère.

D'ailleurs, sans tes coups de griffes, cruel amour, comment
le cœur de l'artiste saignerait-il de cette sève qui adoucit les
peines des uns et exhume les promesses oubliées des autres ?
C'est connu, sur les ruines de ce sentiment aussi traître que
le bonheur qu'il nous fait miroiter pour mieux nous étourdir,
seront toujours érigés les monuments les plus hauts que l'art
ait jamais portés.

En vérité, cette œuvre-là fut saluée comme la petite perle
qu'elle serait, au dire de ceux qui se reconnaissent dans ses
paroles charriant vagues de nostalgie, effluves de rancœur,

ras-le-bol de l'amour-piège et désir de réappropriation de sa propre destinée plombée dans la folle poursuite du vent. Vent d'illusions qui finit en cyclone dévastateur, le temps d'une promesse. Le temps d'un leurre. Sous la violence des mots, la mélodie, plutôt enjouée et ponctuée de rythmes palpitants, a de quoi mettre le feu aux amoureux de la danse. Ai-je besoin d'en rajouter ?

Après m'être laissé désirer durant les deux premières reprises où j'avais économisé mon énergie en restant scotché au micro, j'avais répondu aux appels pressants des spectateurs déchaînés. Je m'étais lancé sur la piste de danse à la manière d'un attaquant de football[3] qui sait que le sort de son équipe se retrouve suspendu à la pointe de son pied. Sur le gazon béni de Maracana, Edson Arantes do Nascimento alias Pelé ne se serait pas montré plus dévoué aux yeux des mordus du ballon rond, de ce peuple couleur cuivre, issu comme lui de l'union incestueuse du dieu Soleil et de la déesse Samba.

Nous étions au royaume de la rumba et j'en étais un des princes dont nul ne contestait ni le rang ni le charisme. Le torse en avant, le front haut, j'avais esquissé en solo les premiers pas de la danse qui faisait rage dans la contrée. C'était la *zangula,* appelée aussi danse du cochon pour son côté très sulfureux qu'abhorraient les anciens. Médard alias Méthode-Aveugle, notre guitariste soliste qui avait le don d'émouvoir la foule en jouant de son instrument avec une rare dextérité tout en le maintenant collé sur le dos, s'était placé en face de moi. Le moment était arrivé de livrer au public un de ces numéros en duo dont lui et moi avions le secret. Nous avions surnommé cet extra adulé par nos fans « le couplé-cadencé-sophistiqué ». Tout était dit.

---

3 - Soccer.

2

HARCELANT LES CORDES DE SA GUITARE, ponctuant d'une complainte endiablée la fin du refrain repris par un public au comble de l'excitation, mon partenaire venait de déclencher le signal du duetto réclamé par tous. Je m'étais alors projeté en avant avec la ferme intention de le prendre par surprise en complexifiant une danse qui n'était déjà pas à la portée du premier venu. J'avais une revanche à prendre, vieille de deux semaines, et les autres membres du groupe le savaient. Écourtant la phase cadencée qui consistait d'ordinaire à synchroniser nos pas respectifs dans des balancements des jambes tantôt horizontaux, tantôt verticaux, j'avais soudainement improvisé. J'avais reculé de trois pas, les mains en l'air, puis pivoté dans un tête-à-queue que j'allais exploiter pour exécuter aussitôt une marche arrière en petites feintes successives et chaloupées. Chaque pas à reculons était ponctué d'un vigoureux coup de reins qui déclenchait les cris stridents des spectatrices enflammées.

Celles qui laissaient échapper la kyrielle de commentaires coquins sur mes pectoraux et sur mes fesses sitôt que j'avais le dos tourné, se félicitaient secrètement d'avoir attendu cette heure avancée de la nuit. Ce moment qui vit la fête tourner à la transe, virer à la transgression à peine feutrée, et où la poussière ocre, omniprésente dans cette cour nue s'étirant à perte de vue, se mit à gratifier les inconditionnels de la danse d'un hommage pour le moins singulier. Hommage qui allait dévoiler son étendue sous la lueur dorée du soleil naissant; mais un groupe musical qui laisserait ses mélomanes les plus fidèles retourner à leur routine propres comme de fervents chrétiens après l'eucharistie, méritait-il que l'on se déplaçât pour lui? «Modéro! Modéro!»; «plus cochon que cochon!» scandaient les plus euphoriques, au bord de l'hystérie, se souciant autant de l'état de leurs fringues que du sort de leurs cordes vocales.

Totalement déboussolé, Méthode-Aveugle avait tenté de renverser la donne en introduisant dans ses mouvements des pas empruntés à une danse naguère très populaire mais tombée aux oubliettes, la *mogrosso*. Cette exhumation en catastrophe de la *mogrossomanie* lui avait en fait compliqué la tâche, car ses jambes avaient fini par s'entremêler. Tant et si bien qu'au moment où je lui avais fait face dans une feinte qui aurait déstabilisé le danseur le plus aguerri de la *zangula*, mon partenaire avait marché sur le rebord de son pantalon à pattes d'éléphant. Il avait perdu l'équilibre, culbuté comme un tronc d'arbre vaincu par la hache du bûcheron, mieux, comme George Foreman le soir de sa correction subie aux mains de Mohamed Ali devant une foule en délire; mais je ne pouvais faire pareil rapprochement en ce temps-là, car je n'avais encore jamais entendu parler des deux Américains. D'ailleurs, sous le soleil d'Afrique, le *combat dans la jungle*, celui qu'on allait aussi désigner sous l'appellation *combat du siècle*, n'avait même pas encore pris la forme d'un rêve.

Toujours est-il que mon ami avait mordu la bâche poussiéreuse qui recouvrait la piste de danse, avant d'être maintenu au sol par la clameur d'une foule que cette péripétie venait de rendre aussi fébrile qu'une bête décapitée pour l'ultime sacrifice. Bon prince, je m'étais porté à son secours et je l'avais aidé à se remettre sur ses deux jambes. Les yeux hagards, sonné par un accident sans gravité dans la chair mais qui risquait de rester dans les mémoires comme le tombeau d'une réputation de danseur hors pair bâtie à la sueur du front et à la souplesse des chevilles, Méthode-Aveugle avait jeté l'éponge. Il avait sorti une grosse coupure d'argent de sa poche et me l'avait collée sur le front en signe de capitulation, tandis que le public envahissait la scène de fortune dressée la veille, dans la pagaille la plus totale.

« Ça, c'était de la *zangula* revue et corrigée ! » devait commenter plus tard le député Zola en personne, bon pied bon œil du haut de ses soixante-douze balais, très en verve ce soir-là.

— Qu'as-tu, Modéro ? s'était enquis Sendos en me secouant l'épaule, alors que nous nous étions isolés du reste des musiciens. Tu devrais te détendre maintenant. Nous avons été formidables. Que dis-je ? Tu as été archiformidable, mon gars… Il me reste encore de l'herbe, si tu en veux.

— Non, merci.

— T'as vu ça ? Quand tu as fini le dernier a cappella, on aurait dit que le temps s'était arrêté. On aurait entendu voler une mouche. Silence absolu. Respect. D'habitude, c'est le moment précis où les vivats se déclenchent comme sept cents coups de tonnerre simultanés. Mais là, rien. Ils étaient tous groggys, paralysés par les dernières notes de ta voix chaude et virile qui venait de violer l'innocence de cette putain de nuit!

— Allez!

— Et je ne parle même pas du «couplé-cadencé-sophistiqué»! Pauvre Méthode-Aveugle! Quel manque de pot, hein? Il n'est pas près d'oublier cette maudite nuit qui le hantera toute sa vie.

— Toi et ton lyrisme! Tu aurais dû poursuivre tes études et devenir journaliste, avais-je répondu, pour le titiller. Moi, je n'ai rien vu de tout ce que tu décris.

— Rien vu? avait-il rugi. Rien vu, hein? Toutes les filles n'avaient d'yeux que pour toi et pourtant, tu n'as rien vu! À la fin, tu n'as même pas vu la nana à la peau claire avec ses gros seins, qui te tirait par le bas de la chemise au moment où tu quittais la piste de danse. Ah! non, tu ne l'as pas vue du tout!

— Mais de quoi tu parles, Sendos?

— De quoi je parle? Quand tu as disparu pendant plus d'une heure, tu n'es pas allé la sauter dans les toilettes du bar. Pas du tout, hein! Tu es juste allé causer Authenticité et Fierté nègre avec le député. Vieux couillon, va!

Je m'étais contenté de sourire. Au fil du temps, Sendos et moi avions cessé de voir le monde qui nous entourait avec les mêmes yeux d'autrefois. Lui avait une épouse et quatre enfants qui s'étaient précipités aux portes de la vie à une vitesse telle qu'ils ressemblaient à des quadruplés. Mais même si sa jeune épouse et lui se renvoyaient mutuellement, à la rigolade, la responsabilité de cette course effrénée dans l'œuvre procréatrice, on ne pourrait pas dire qu'il ait jamais considéré sa vie à Banza comme un chemin de croix. Il savait qu'il allait vieillir au village, y cultiver ses champs de manioc et de maïs, y subir les humiliations répétées des moniteurs agricoles et des inspecteurs du Département de l'Agriculture. Il allait continuer à tendre une joue après l'autre aux agents des forces de l'ordre qui venaient se servir dans les petits élevages des paysans pour toutes sortes de prétextes, le plus souvent au nom de la révolution, nous repassant jusqu'à en attraper la migraine le même disque du «modèle chinois, la Chine, ce peuple pionnier qui, à force de travailler la terre, va nous secouer le monde de demain comme l'ouragan secoue le cocotier».

Et puis, il régnait un climat délétère depuis une expédition punitive menée voici deux ans dans notre contrée. La vie n'était plus la même depuis que les Forces armées révolutionnaires nationales étaient venues brûler treize villages où était soupçonné de s'être refugié un ex-officier accusé de tentative d'assassinat contre le Guide. On avait voulu transmettre le message à tout le Kwilu, ce petit bout du Zaïre sur lequel germaient des antirévolutionnaires comme de la mauvaise herbe dans les jardins présidentiels. Putain de révolution qui sacralisait jusqu'à l'ignoble, qui nous faisait mariner dans les meilleurs ingrédients de la *folie nègre*, l'une de ces expressions que mon père allait chercher au fond de sa calebasse de vin de palme, lui le grand taiseux du village qui n'en philosophait pas moins.

Moi, j'avais fini par en avoir sacrément marre de cette existence minable où les deux saisons de l'année nous infligeaient une rumba terriblement monotone, sans que ma vie d'artiste ne bourgeonne. Certes, j'étais le chanteur et le danseur le plus populaire de la contrée ; je sautais les plus jolies filles à cinquante kilomètres à la ronde ; des femmes mariées me faisaient des yeux doux aussitôt que leurs maris avaient le dos tourné et les sourires émoustillés se multipliaient. Mais je ne pouvais m'imaginer finir mes jours dans ce cul-de-sac, auréolé d'une célébrité qui avait cessé depuis longtemps de me griser. Hors du Kwilu, qui avait jamais entendu parler du groupe musical du village de Banza ? Qui avait entendu parler de Modéro, alias le chanteur à la voix électrique ; le jeune homme dont on disait qu'il dansait comme seuls savaient le faire les virtuoses du grand Zaïko Langa-Langa, le groupe mythique de Kin la belle ? Personne. Je n'avais plus rien à prouver sur les terres de ma jeunesse. Pas plus que je n'avais besoin de payer d'hypothétiques bonimenteurs pour savoir que mes talents supposés méritaient un sacré coup de projecteur. Mais cela ne risquait pas d'arriver si loin de Kin.

— Écoute, Sendos, rien ne s'est passé avec cette fille. Et crois-moi, je n'ai pas la tête à ça en ce moment.

— Pas la tête à ça ! Si toi, Modéro, tu n'as pas la tête à sauter une mélomane bien foutue qui vient se jeter dans tes bras, tu as la tête à quoi, à la place ? À la lutte contre les ennemis du peuple et de son Guide, « notre seul et unique combat de tous les instants », comme le dit monsieur le député qui nous prend pour des demeurés ?

— Tu veux causer politique ?

— Non, c'est de tes cachotteries que je veux qu'on discute. Mais avoue qu'il est culotté, le barbu qui s'adresse en français à une foule dont plus de la moitié n'a jamais été sur un banc d'école ! Un festin hors de prix pour prétendument nous remercier de l'avoir élu. Alors même que nous n'étions qu'une horde de figurants dans une mauvaise farce écrite et jouée d'avance par ses amis du parti à Léopoldville ! À ce jeu-là, je te jure que les couillons vont finir par faire voter les arbres, les bêtes sauvages et les poissons de nos rivières.

— Ils font déjà voter les morts, ils délivrent les cartes du parti aux fœtus.

— *Tous des pourris à Léo*, que ton père ne cesse de répéter, Modéro. *Le poisson pourrit par la tête*, qu'il disait l'autre jour. Tu parles, qu'il a tout compris sous ses airs de celui qui ne voit rien venir !

— On ne dit plus Léopoldville, lui avais-je fait remarquer, sauf à vouloir se faire étiqueter comme un « antiré-volutionnaire » nostalgique du temps des colonies. Père se couche au présent et se réveille chaque matin un pied dans le passé. On dit maintenant Kinshasa, Kin la belle ou Kin.

— Bof. Comme tu veux. Alors, tu as la tête à Kinshasa ? Les gonzesses du village ne sont plus assez jolies pour toi, tu veux maintenant de la bonne chair citadine de Kin la belle, hein ?

— Tu dis n'importe quoi.

— C'est ça. Tu ne rêves pas aux petites chaudasses qui mettent des jupes courtes, des talons hauts comme les béquilles de mon cousin Mao et qui sont prêtes à faire des avances à un gars qui leur plaît sans avoir froid aux yeux.

— Écoute, tout ce que tu devrais savoir, c'est que je veux quitter ce trou perdu... Enfin, je veux dire le village.

— Hey ! Tu y vas fort, mon gars !

— Oui, je songe à partir pour Kinshasa. Sauf qu'il s'agit pour moi d'une initiative sérieuse, comprends-tu ? Les fesses c'est super, difficile de prétendre le contraire ; mais as-tu remarqué que toutes ces années passées à chasser du cul à gauche et à droite ne m'ont valu ni médaille ni diplôme ? Le temps est peut-être arrivé de donner la prio-rité à quelque chose qui vaille vraiment la peine, non ?

— C'est toi qui sais.

— Tu connais le scénario, Sendos: elle te nargue au loin, tu l'as dans ton viseur de chasseur, tu lui sors le grand jeu et te voilà parti pour tirer ton coup. Ça peut durer deux minutes, ça peut durer deux heures, mais il y a une loi immuable qui tient tous les mâles en échec depuis Adam et Ève: aussitôt que tu épuises tes cartouches, tu es décrété hors service. Tu débandes. Et puis, autant se l'avouer, une fois sur quatre tu attrapes une saloperie. Tu fais semblant de l'ignorer un temps, mais c'est elle qui aura le dernier mot, tu le sais. Ce ne sont pas les plantes qui manquent dans le coin; tu réussis à venir à bout de l'empêcheur de forniquer rond, et te revoici à la case départ. Le mois suivant tu remets ça, sauf que cette fois le mal qui te fait suer d'angoisse a le visage d'un bonhomme qui s'apprête à débarquer dans ta vie comme un prince en son royaume. Le premier d'une longue suite. Sendos, avec tout l'amour que j'ai pour ta charmante petite famille et dont tu ne saurais douter, il devrait bien exister un moyen de briser ce fichu cycle ou c'est moi qui m'enfonce le doigt dans l'œil?

À ma grande surprise, il n'avait pas répliqué tout de suite. Il m'avait fixé dans les yeux quelques secondes, puis s'était levé pour allumer un joint avant de se rasseoir. Je l'avais observé contempler le firmament pendant de longues minutes, sans piper mot; comme s'il sondait chacune des étoiles qui constellaient la moitié du ciel en face de nous. Chargée des grappes de nuages qui lui faisaient ressembler aux restes d'un village soufflé par un incendie, l'autre moitié baignait timidement dans le faible éclat d'une lune masquée. Les feux de forêt des dernières semaines n'allaient pas tarder à convoquer les premières pluies de la fin août, scellant la fin de la saison sèche. Il serait ensuite difficile de livrer des spectacles en plein air sans risquer que dame la pluie nous pisse dessus. À Kinshasa où les groupes se produisaient toujours dans des espaces couverts, personne ne devait se soucier des caprices de mère Nature.

— Tu imagines Zaïko Langa-Langa interrompre de manière intempestive un spectacle et battre en retraite sous une averse, telle une bande de…?

La question était partie malgré moi. Sendos avait le dos tourné. Il avait envoyé dans les airs des volutes de fumée grisâtre avant de retrouver l'usage de la parole :

— C'était donc ça, ton sourire indéchiffrable pendant toutes ces semaines. Ton corps était ici, tu chantais et dansais avec nous, mais dans ta tête tu étais déjà à Kinshasa.

— C'est un peu plus compliqué que ça.

— *Briser le cycle…*

— C'est une image. Il ne faut pas chercher plus loin.

— Kin la belle… Kin la belle, s'était-il mis à répéter, comme si ces trois syllabes cachaient un autre secret qu'il lui incombait de percer cette nuit-là.

— C'est une décision mûrement réfléchie.

— Je te connais, Modéro. Je te connais même mieux que tu ne l'imagines. Je sais bien que tu y penses depuis longtemps.

— On ne prend pas ce genre de décision sur un coup de tête ni dans l'euphorie de quelques bouffées de joint bien senties.

— Je dis la même chose. Tu as du succès dans le coin. Ta voix vaut de l'or… J'exagère à peine. Tu danses comme un dieu et tout le monde te le répète à longueur de journée. À force, cela a dû faire un petit bonhomme de chemin dans ton esprit. Ce soir encore, j'ai entendu ce que le député t'a dit lorsqu'il est venu féliciter les gars.

— «Toi là-bas, dans le fond, le jeune chanteur-poète mélancolique, avec ta voix inimitable et tes talents de danseur en diable, tu mets les pieds à Kin et dans les vingt-quatre heures, tu te fais kidnapper par Zaïko Langa-Langa ou je ne m'appelle pas Zola!» qu'il a dit, ai-je renchéri.

Loin de chercher à me caresser le nombril, j'avais voulu me servir de ces paroles sorties de la bouche d'un présumé connaisseur venu de Kinshasa pour demander à mon ami s'il estimait, lui aussi, que j'étais assez bon pour tenter ma chance dans la capitale. Je voulais qu'il me dise en toute franchise s'il pouvait m'imaginer dans le groupe de légende Zaïko. Un concentré de talents qui, en six ans seulement d'existence, menait une rude concurrence aux vieilles gloires de l'espace musical des deux capitales les plus rapprochées géographiquement au monde, Kinshasa et Brazzaville. Sendos m'avait informé qu'il répondrait à cette question dans les deux jours suivants, car il avait besoin d'y réfléchir afin de donner un avis qui tienne la route. J'étais content qu'il prenne la chose au sérieux. Et je crois même qu'une réponse livrée dans la précipitation m'aurait laissé sur ma faim.

Dans l'intervalle, j'étais allé me confier à mon grand-père paternel, le vieux Zangamoyo, l'un des hommes le plus vénérés et sans aucun doute le plus craint de la contrée. Ces deux sentiments qu'inspirait et qu'inspire encore le Vieux auprès de ses contemporains ne sont pas seulement attribuables à ses cheveux gris. Ils sont plutôt liés à son statut incontesté de plus grand féticheur, sorcier et guérisseur du district du Kwilu, celui dont la science serait capable de commander aux forces de la nature et de s'en faire obéir. Telle est, en tout cas, la réputation qui lui vaut un traitement hors du commun partout où l'homme à la silhouette frêle traîne sa canne finement sculptée et sa luisante calvitie. Ce que je sais, pour en avoir été témoin, c'est l'affluence des gens qui viennent de tous les coins du pays solliciter ses services. Du ministre qui souhaiterait garder les faveurs du Guide à l'épouse éplorée qui voudrait reconquérir le cœur d'un mari volage, nombreuses sont les âmes en peine qui auraient trouvé remède à leur mal dans la case de mon grand-père. À moins que ce ne soit quelque part dans la forêt avoisinante où, chuchotait-on dans les chaumières, il aurait coutume d'amener ses clients anonymes pour des cérémonies nocturnes frappées du sceau du secret. On évoquait des rituels ponctués de sacrifices humains; mais allez donc savoir à quoi tout cela rimait. Quand il s'agit d'ésotérisme, sans qu'il soit possible de faire la part du sensationnalisme, chacun y va de ses certitudes. Tu tomberas toujours sur celui qui a vu l'homme qui aurait vu, de ses propres yeux, le coq avaler le caïman.

Pour ce que tu crois pouvoir changer tout seul, utilise la sagesse des anciens si tu as le privilège de la connaître et d'en saisir les subtilités; la ruse si tes choix sont limités par l'insurmontable. Et pour tout ce dont tu ne peux venir à bout par tes propres moyens, va frapper à la porte de Zangamoyo. Telle est l'antienne qui se murmurait à des centaines de kilomètres à la ronde. Puisqu'il s'est toujours refusé à aborder cette part ombragée de sa personnalité avec les membres de la famille – à l'exception de mon père, le taciturne qui ne sacrifie le silence qu'aux ordres et aux boutades dont lui seul a le secret –, le peu que je sais de lui me vient des témoignages de seconde main. Si certains récits me semblent crédibles, d'autres sont tellement invraisemblables qu'il faudrait que l'homme descende à la fois de Belzébuth et du prophète biblique Jonas qui séjourna dans le ventre du poisson, pour être crédité de tels prodiges.

Mon père m'ayant enjoint d'aller lui demander conseil, je m'étais présenté chez lui après le coucher du soleil, muni d'une calebasse de vin de palme et d'un paquet de noix de cola. Je devais souscrire à la tradition voulant que l'on ne se montre pas les mains vides devant un ancien aux cheveux gris. Le veuf qui vivait seul à la lisière du village depuis le décès dans des circonstances troubles de son épouse, voilà près de dix ans, était venu au-devant de moi dès que j'avais franchi le seuil de sa concession. Il avait passé son bras derrière mon dos et nous avions marché épaule contre épaule en direction de sa case. C'était la première fois qu'il m'accueillait avec une telle promiscuité, même s'il était connu de tous qu'il me témoignait une affection particulière depuis ma venue au monde. C'était plutôt une personne réservée, on pourrait même dire distante avec ses semblables, mesurée dans ses moindres gestes. Il m'avait entraîné à l'intérieur de sa demeure éclairée par un lampion posé sur un trépied en bambou.

— Je crois savoir pourquoi tu es ici, jeune homme, m'avait-il lancé, sans aucun préambule.
— Crois-tu, grand-père ? avais-je répondu, sur mes gardes.

Il avait souri.

— Oui.
— Je n'ai pas besoin de te faire un long discours, dans ce cas.

— Je ne te le fais pas dire. Car tu es ici pour m'annoncer que tu voudrais aller à Léopoldville – pardon, à Kinshasa – à la recherche de la gloire et, accessoirement, de la fortune. Et si tout se passe bien, nous pourrions apprendre dans quelques mois ou peut-être quelques années que tu as réussi à monter dans un avion à destination de *Mputu*, le pays des Blancs. N'est-ce pas beau, tout ça ?

J'allais ouvrir la bouche avec l'intention de lui dire qu'en matière de voyance, il avait encore quelques progrès à faire avant de me convaincre qu'il était à la hauteur de la réputation à laquelle était associé son nom. Il ne m'en avait pas laissé le temps.

— Oh ! je sais très bien que dans ton discours, ce n'est pas de cela qu'il s'agit. Tu vas me parler de ta passion pour le chant et la danse. Mais, avait-il poursuivi dans un sourire encore plus large et plein de sous-entendus, le plus brave d'entre les chiens se risquera-t-il à traverser une rivière dans le ventre de laquelle festoient les caïmans pour le simple plaisir d'aller se repaître de l'os qu'il a vu luire sur l'autre rive ? Il faudrait plus que ça, n'est-ce pas ? Beaucoup plus que ça.

— Je n'en sais rien, grand-père. Moi, je ne suis qu'une larve qui rêve d'ailes, avais-je répliqué sur un ton empreint de fierté, lui signifiant par là que j'étais bien le fils de mon père.

Un fils, faut-il préciser, qui tenait en haute estime la sagesse de la lignée dont lui-même était le dernier maillon d'une génération en voie de disparition.

— Alors, assieds-toi. On va boire ce que tu apportes ; je te donnerai ensuite ma bénédiction. Car contrairement à ce que pense ton père, il est dans l'intérêt de tout le monde que tu partes. Cela ne lui rapportera rien de garder tous ses œufs dans le même panier ; même la mère chèvre, qui n'a jamais songé à disputer à personne la réputation de sagesse sur pattes, est mieux avisée que cela. Ton frère cadet qui a pris femme restera à Banza avec nous. Et ce sera très bien ainsi.

Mes appréhensions s'étaient alors dissipées. Je venais à la rencontre d'un opposant présumé, j'avais en face de moi un allié. Je n'allais pas chercher à savoir comment il avait eu vent de mon projet moins d'une heure seulement après que j'en eus parlé à mon père. Le seul fait de le savoir de mon côté faisait mon affaire.

Nous avions bu en silence. Avant que je ne le quitte, il m'avait gratifié de sa bénédiction, dans un rituel qui allait hanter mon esprit pour le reste de ma vie, mais dont je n'avais alors pas saisi le sens. Il faut dire qu'il y a tellement de choses dans les paroles et les actes de grand-père Zangamoyo, dont j'ai fini par renoncer à rechercher le sens, des années après l'inoubliable événement sportif qui allait mettre le pays entier sens dessus dessous, après avoir transformé la ville de mon exode en jolie princesse à conquérir.

Ce jour-là, il m'avait ordonné de me déshabiller complètement, et j'avais obtempéré après un moment d'hésitation, sous son regard insistant. Il était allé chercher un pot rempli d'une huile mélangée à de la mixture d'origine probablement végétale et m'en avait enduit le corps. De la tête aux pieds, y compris sur les parties intimes. C'était une sensation plus qu'inconfortable que de se faire chatouiller la verge et les testicules par un autre mâle, et pas n'importe lequel, en l'occurrence un septuagénaire qui était votre grand-père. J'avais alors fermé les yeux et serré les dents pendant qu'il s'activait sur mon corps avec une délicatesse qui évoquait les soins que reçoit le nourrisson de la part de sa mère. Il accompagnait ses gestes de paroles inintelligibles, prononcées dans un murmure. Lorsqu'il eut terminé, ma peau brillait comme si je n'avais jamais été exposé à la moindre souillure depuis ma naissance. L'onguent sécrété par la mixture avait empli la case d'une odeur âcre que je n'étais pas arrivé à associer à un quelconque souvenir. Il avait écrasé une noix de cola et l'avait mastiquée avant de tout recracher dans mon visage, me faisant reculer d'un pas chancelant.

Dans les minutes qui avaient suivi, grand-père Zangamoyo m'avait fait passer à trois reprises entre ses jambes. Accroupi, la tête en avant d'abord, à reculons ensuite; puis à nouveau la tête en premier, toujours incliné et prenant appui sur mes genoux. Comme lorsqu'on marche sur un sentier en pleine forêt, et l'on cherche à éviter de se cogner le front contre les troncs d'arbre tombés en travers du chemin. Enfin, il m'avait fait porter au poignet gauche un bracelet en fer, avec l'injonction de ne m'en défaire sous aucun prétexte, ni pour me coucher, ni pour prendre un bain. Il m'avait serré contre lui et m'avait congédié avec ces mots: «Tout ira très bien, mon petit. La larve deviendra papillon et prendra son envol. Il lui suffira de le vouloir. Il lui faudra également voir en chaque obstacle dressé sur le sentier escarpé de l'autoréalisation, la lueur d'une aurore féconde. Fais un bon voyage et n'oublie jamais, dans le bonheur comme dans l'adversité, de quel palmier tu es la brindille.»

3

J'avais revu Sendos le jour convenu, autour d'un délicieux plat de feuilles de manioc, dans sa toute nouvelle
case qui passait pour l'une des plus coquettes de tout le
village. Mukhar, sa femme, s'était éclipsée après nous avoir
servis et s'être assurée à plusieurs reprises que tout était
à notre goût. Mon ami aurait pu reprocher tout ce qui
lui serait passé par la tête à sa charmante épouse, mais
pas un seul parmi les gens qui le côtoyaient ne l'aurait
laissé alléguer que sa femme ne savait pas s'occuper de
ses hôtes. C'était et je parie que c'est encore une femme
comme on les aime chez nous : une épouse, une amie, une
confidente, une sœur et une mère ; bref, l'Amour. Et sa
connaissance sur le bout des doigts des secrets des plats
les plus exquis n'était pas pour nuire à sa cote au sein de
son entourage, hommes et femmes confondus. Pour une
comme ça, à moins d'avoir choisi à bon escient de traîner
la patte pendant quelques années (comme c'est mon cas),
on irait cueillir le bonheur avec les dents, si nécessaire.
Mon ami en était conscient, ce qui ne m'empêchait pas de
le lui rappeler chaque fois que l'occasion se présentait. Le
propre de l'homme n'est-il pas de lorgner constamment
le manguier du voisin, même lorsque le village entier n'a

d'yeux que pour les fruits qui pendent aux branches de l'arbre sous lequel lui-même roupille nuit et jour ?

Il faisait une chaleur d'enfer dehors, chose inhabituelle durant la saison sèche qui tirait à sa fin. L'air était lourd, mais la terre argileuse des murs de la case et le toit en chaume alimentaient une fraîcheur reposante.

— Modéro, commença-t-il, tu vas partir à Kin, quoi que je te dise ce soir. Parce que tu en as décidé ainsi et que personne ne réussira à te détourner de cette idée, je le sais d'avance.

— Comme lorsque tu avais décidé de te marier, voici quatre ans maintenant. T'en souviens-tu ?

— Comme si c'était hier. Celle qui allait devenir ma femme m'obsédait, je l'avais littéralement dans la peau. Je la ressortais dans toutes les conversations que toi et moi avions à l'époque, quel qu'en soit le sujet. Je te saoulais avec mes histoires dont tu devais te moquer comme de l'an quarante ; mais, en bon ami, tu jouais le jeu, sachant que Mukhar était devenue mon seul horizon. Ma seule raison de vivre. Rien que ses éclats de rire me mettaient dans tous mes états. C'est quand même une histoire de malades mentaux, l'amour, quand on y pense !

— Ah ! Pour ça, ce n'est pas moi qui vais prétendre le contraire.

— J'aurais probablement défié tout le clan réuni, si un seul parmi ces gens-là avait osé m'empêcher de l'épouser.

— Je t'aurais soutenu dans ta rébellion, comme tu peux très bien l'imaginer. Et on les aurait bien emmerdés.

— S'il y a un soutien qui n'aurait pas été de trop, c'eût été le tien, mon gars. Et on les aurait emmerdés, pour sûr. J'étais d'ailleurs sur le point de dire qu'on connaît tous, un jour ou l'autre, ces moments où rien ni personne ne saurait se montrer assez convaincant pour tuer dans l'œuf notre désir de répondre à l'appel du destin ou de Dieu, appelle-le comme tu veux.

— Pour moi, ce moment est arrivé.

— C'est ce que je pense. Alors, ce que j'ai à te dire à ce sujet, mon gars, c'est que Kinshasa, ce n'est ni Banza ni la petite ville d'à côté.

Il avait attendu que le sein maternel ait raison de l'agitation du petit dernier dont les pleurs avaient ponctué la fin de notre repas avant de poursuivre :

— Te souviens-tu du père Daniel Fuchs ?

— L'ancien curé qui dodelinait de la tête pendant ses interminables homélies et qui a été emporté par la trypanosomiase ?

— Non, celui-là s'appelait Guy de Keukelaere, un Flamand. Fuchs fut le seul Français envoyé ici. Il a été transféré au Gabon ou au Tchad, je ne sais plus. Bref, il nous a raconté pendant la catéchèse, tu t'en souviens probablement, l'enfer qu'il a vécu lorsqu'avec ses parents il a dû quitter son petit village du nord de la France, dans une région qui s'appelle Lazare, pour s'installer à Paris à l'âge de sept ans.

— Je vois. La région en question s'appelle l'Alsace.

— C'est ça.

— Le type aimait rire de lui-même en racontant les brimades que lui auraient infligées les petits Parisiens qui le traitaient de… de quoi déjà ?

— De « Boche », qu'il disait. D'autres l'appelaient « Tête de veau ».

— C'est ça : « Tête de veau ». Bien sûr que je me souviens du père Daniel Fuchs.

— Je ne saurais te dire à quoi ressemble un village de l'Alsace et je n'ai aucune idée des mœurs parisiennes, Modéro. Je peux t'assurer, par contre, que même si les citadins, de manière générale, n'ont que du mépris pour les gars qui sortent des petits patelins comme le nôtre, c'est à Kin, plus que partout ailleurs, que ce phénomène doit être à son comble. Il y a *quelque chose de pourri* dans cette ville-là. La formule n'est pas de moi.

— C'est clair que ce n'est pas une ville comme les autres.

— Non, ce n'est pas aussi clair, mon gars. Écoute-moi bien. Ce que les gens rapportent de cet endroit où ni toi ni moi n'avons jamais mis les pieds se résume à deux choses : la première renvoie à un monde sans pitié où seuls les plus doués dans la roublardise tirent leur épingle du jeu. La deuxième est une sagesse selon laquelle lorsqu'on y va à notre âge, cela ne sert à rien de rester prisonnier d'un rêve, si grisant soit-il. Il faut savoir s'adapter, «se kinoiser», comme on dit là-bas, au gré des circonstances. Car la vie y est vraiment impitoyable et les surprises, bonnes ou mauvaises, se révèlent à chaque coin de rue.

Nous avions continué le repas en abordant d'autres sujets. Sendos n'avait pas directement répondu à ma question portant sur l'un des groupes musicaux les plus en vue de la capitale, mais son message était clair. Il allait d'ailleurs s'avérer prémonitoire des mois plus tard. On arrivait à Kin la belle avec son propre rêve et en moins de temps qu'il n'en fallait pour poser son baluchon, la ville indocile et ses habitants se chargeaient de le vider de sa substance. Mon ami en connaissait un petit rayon sur ce chapitre. Son propre cousin, qui avait été à la même école secondaire de la mission catholique où nous avions fait notre catéchèse et nos classes, avait décidé de monter à Kin pour apprendre le métier de chauffeur mécanicien. C'était arrivé après qu'il eut quitté l'école dans des circonstances plutôt cocasses. Il avait été dire à la confesse qu'il avait tué un chien dont il ne connaissait pas le propriétaire, puis enterré l'animal sous le grand manguier qui se dressait devant l'église. Or, le gros chien appartenant aux Sœurs du Sacré-Cœur de Jésus avait disparu depuis quelques jours et ses maîtresses avaient ameuté toute la mission pour le retrouver, sans succès.

Au lendemain de cette autodénonciation qui n'était pas censée franchir la petite porte du confessionnal, l'adolescent avait été convoqué à son bureau par le prêtre qui avait revêtu cette fois sa casquette de principal du collège. Le curé – le prêtre qui avait succédé à Tête de veau – lui avait donné deux jours pour aller avouer son odieux forfait aux bonnes sœurs, faute de quoi il le menaçait de l'expulser de l'école. Voyant dans quel merdier il s'était mis, notre ami Yala s'était empressé de révéler au prêtre qu'il avait menti parce qu'il avait redouté de se faire réprimander au cas où il n'aurait eu aucun péché à confesser. Cela lui était déjà arrivé dans le passé, devant le même missionnaire. Pris à son propre piège, le bonhomme tenta désespérément de tuer un autre chien malgré tout, et d'aller l'enterrer secrètement dans un endroit qu'il aurait à révéler ensuite aux religieuses éplorées. Cependant, après avoir risqué de se faire mordre par un chien errant, il avait décidé de priver le prêtre incrédule du plaisir de le sanctionner pour un acte qu'il n'avait pas commis. Il avait quitté l'école de son propre chef et avait pris le chemin de Kin, sans en informer ses parents. Il espérait y apprendre le métier de chauffeur mécanicien et gagner sa vie loin des volte-face des hommes en soutane. Sendos et moi avions attendu

que le camion dans lequel il avait embarqué se soit suffisamment éloigné de la contrée pour en faire part à son
père qui avait accueilli la nouvelle avec consternation.

À Kinshasa, le sort n'avait pas tardé à brouiller les
cartes. Yala avait passé un mois dans un garage tenu par
un sujet sénégalais, puis s'était querellé avec ce dernier
pour une histoire de primes de rendement non versées.
Il était parti sans demander son reste. Il avait atterri chez
un sujet malien qui aimait prier comme d'autres aiment
se saouler la gueule et qui un jour le congédia à la suite
d'une blague douteuse sur le grand prophète des musulmans. Avaient suivi de petits boulots par-ci, par-là. Il
s'improvisa cordonnier en janvier, ferblantier en avril,
menuisier en octobre, et ainsi de suite. Finalement, un
jour où il assistait à une veillée mortuaire, il avait passé
la soirée à égayer l'assistance par ce qu'il savait faire le
mieux: inventer des histoires à dormir debout et les
raconter avec une gouaille telle que le public tombait
infailliblement sous le charme et lui demandait de
remettre une couche, encore et encore. En ce temps-là,
le plaisir était sa seule récompense et cela lui suffisait
amplement. Un type qui était dans la foule le soir de
cette veillée qui allait sceller son destin l'avait approché.
Il avait réussi à le convaincre qu'il pouvait gagner sa vie
sans verser la moindre goutte de sueur, simplement en
parcourant Kinshasa de bistrot en bistrot, à raconter
ses histoires croustillantes avec son accent rigolo de
campagnard sans vergogne qui lui seyait si bien. Il pourrait même, s'il récoltait du succès, se faire courtiser par
certaines compagnies de la capitale qui pratiquaient la
chasse aux célébrités à des fins publicitaires.

Voilà comment le bienheureux cousin avait fini par
s'acheter une belle maison avant de convoler en justes
noces grâce à l'argent gagné en faisant rire les Kinois. Un
aboutissement qui était bien loin de la vie de chauffeur
mécanicien dont il avait rêvé en quittant Banza. Lors de
son retour au village à l'occasion du décès de sa mère, le
désormais célèbre humoriste kinois avait offert à Sendos
une très jolie montre Seiko, que mon ami gardait jalouse-
ment pour la porter, le jour du mariage de son frère cadet.
Cela remontait à un an et des poussières.

Pour Sendos, le destin de son cousin Yala était la
preuve irréfutable que le moyen le plus sûr de se cogner le
nez contre le mur une fois arrivé à Kin, était de s'emmurer
dans son rêve. Non pas à la manière du lion en cage qui
tentera jusqu'à l'impossible pour en sortir; mais comme
l'escargot qui, à la moindre secousse ressentie, préférera le
confort de sa coquille aux courants de la rivière peuplée
de dangers réels ou nés de sa propre imagination. Bref,
tout en me souhaitant de vivre mon rêve dans la ville où
tout est réputé possible à celui qui n'a pas peur de mener
le dur combat de la vie, son ultime conseil se résumait à
un plaidoyer pour le pragmatisme. Sans ce réflexe qualifié
par lui d'ultime bouée de sauvetage, Sendos soutenait que
mon aventure kinoise pourrait bien s'avérer un naufrage
au beau milieu d'une mer connue pour être exposée
aux bourrasques les plus violentes. Il fallait que je sache
inventer la suite, si jamais mon rêve venait à couler au
fond de la mare aux caïmans de la capitale. Ce fut sa seule
et unique exhortation.

Faire attention aux bourrasques qui agiteraient la mer.
Savoir inventer la suite si jamais le rêve venait à échouer

au fond de la mare aux caïmans. Deux mois après ma discussion avec Sendos, des échanges houleux avec ma mère, l'étrange rituel dans le secret de la case de grand-père Zangamoyo et la cession de ma case ainsi que de tous mes hectares cultivés à un cousin physiquement handicapé, je suis arrivé à Kinshasa. Il m'a fallu deux mois pour préparer mon départ. Je n'étais pas assez naïf pour croire qu'aussitôt débarqué à la gare routière de la grande ville, des agents de Zaïko Langa-Langa, d'Afrisa International ou du Tout Puissant O.K. Jazz viendraient m'accueillir avec un contrat de travail en mains. J'avais apporté, outre mes effets personnels, une guitare que Sendos m'avait donnée en guise de souvenir du Chic-Choc Pitakani, notre groupe musical de Banza. J'avais également un tambour que mon père m'avait offert après avoir pris acte de la bénédiction du patriarche Zangamoyo. J'avais chargé le camion qui m'avait transporté de cinq sacs de manioc, de trois sacs de maïs, d'un sac de café et d'une chèvre. Une bonne partie des denrées agricoles était destinée à la vente afin de m'assurer une autonomie financière, en attendant mes hypothétiques débuts d'artiste professionnel. Étant hébergé à la cité chez mon oncle Kataguruma, un cousin de mon père qui travaillait comme chauffeur chez un couple d'expatriés français dans le centre-ville, j'y ai entreposé ma précieuse marchandise.

Ne connaissant rien du « baptême kinois » et ignorant que le chemin initiatique dans les mœurs de la capitale passait également par les gens de ta propre famille dont le même sang circulait dans les veines, j'ai mis trois jours à me réveiller. Trois jours à me rendre compte que mes hôtes étaient en train d'organiser avec une redoutable efficacité la mise à sac de mon petit patrimoine. En trois jours, ils avaient vendu à mon insu les trois sacs de maïs, s'en appropriant les recettes. Ils s'apprêtaient à écouler les sacs de manioc et de café lorsque le fils d'un de leurs voisins est venu me voir pour me souffler ce qui se passait dans mon dos. J'étais hors de moi, décidé à en découdre avec mon oncle quand il rentrerait le soir à la maison. Mais mon jeune informateur a réussi tant bien que mal à me convaincre de ne rien faire car, selon lui, c'était leur manière de me faire payer l'hospitalité dont je bénéficiais.

— Mais non, arrête de dire n'importe quoi! lui ai-je d'abord répliqué. Ils ne peuvent pas faire ça. Jamais, jamais, au grand jamais, ils ne feraient une chose pareille. M'entends-tu? Même pas en rêve!

— Et pourquoi ne le feraient-ils jamais, Modéro?

— Kataguruma est mon oncle. Tu comprends! Le cousin… enfin, je veux dire le frère de mon père. Ça veut dire que mon père et lui ont…

— Écoute, Modéro, m'a-t-il coupé aussitôt. Même si ton père et lui ont été nourris au même sein, oublie ça tout de suite ou alors ta vie va être très compliquée dans cette ville. Tu n'es plus dans ton village. Ici, tout se paie. Allô, mon gars! On n'héberge pas un lointain neveu comme ça, à Kin, sans qu'il ne donne rien en retour!

— C'est qui ça, «un lointain neveu»? ai-je tonné, plus abasourdi que vexé.

— Euh… je ne sais pas, tu m'as dit toi-même que ton oncle, ce n'est pas vraiment ton oncle direct. Si?

— Et ça veut dire quoi, ça, «un oncle direct»? Parce que pour toi il y aurait des oncles directs et des oncles indirects? C'est bien ce que tu essayes de me vendre?

— Pas pour moi, camarade. J'essaie simplement de t'expliquer qu'à Kinshasa, la vie est dure. Et comme elle est dure, c'est chacun pour soi, Dieu pour les siens, en quelque sorte. La famille ici n'est plus vraiment ce qu'elle est encore là-bas, dans ton village. Vois-tu, je sais cela parce que moi aussi j'ai grandi au village avant d'arriver ici, il y a dix ans. Et j'ai vite appris.

— Et qu'as-tu appris au juste ?

— J'ai appris que si tu es hébergé par un membre de ta famille qui n'est ni ta mère, ni ton père, ni ta sœur, ni ton frère direct — tu vois ce que je veux dire ? —, alors oui, tu dois contribuer aux charges.

— Écoute, mon ami, je ne sais rien de cette histoire de directs et d'indirects dans vos relations familiales corrompues. Peut-être que ta famille sort de l'ordinaire ; ça peut se comprendre. Moi je viens d'un monde où tu ne demandes rien à ton hôte, qu'il soit un parent, un ami ou un quidam. Il vient chez toi quand il veut, pour la durée qu'il a décidée, et tu le nourris comme tu nourris ton propre corps, c'est tout.

— Alors, je comprends pourquoi ton oncle s'est senti obligé de se servir tout seul. Tu ne lui as donc rien donné à ton arrivée. Ayant franchi le seuil de la porte, tu t'es dit, sûr de ton bon droit : *J'arrive chez mon oncle ; je vais y rester jusqu'au jour du retour de notre Seigneur Jésus-Christ si ça me chante ; sa femme et lui vont devoir me nourrir comme Dieu nourrit les oiseaux du ciel.* Sauf que Dieu, à Kin, c'est dans le porte-monnaie qu'Il se planque, camarade.

— Laisse Dieu en dehors de ça, O.K. ? Si au moins vous pouviez Le craindre, ça serait un bon début. Je leur ai apporté, à lui et sa femme, deux sacs de manioc et une chèvre. Une grosse chèvre. Parce qu'après qu'on a traversé des rivières, on n'arrive pas les mains vides chez les siens. Je suis tout sauf un bâtard, que cela soit bien clair.

— Alors là, ça change tout. Et moi qui croyais que c'étaient des gens honnêtes ! Écoute, je veux bien t'aider.

Avant qu'ils ne te dépouillent de ce qui te reste, je vais t'amener dès demain au marché du Rond-Point Pascal, dans l'est de la ville, où tu pourras vendre ton manioc aux Mamans Moziki. Ça ne peut pas continuer ainsi ; je ne peux pas t'abandonner à ton triste sort, sinon pourquoi Dieu, dont nous savons qu'Il ne laisse rien au hasard, t'aurait-Il placé sur mon chemin, hein ?

Au marché Pascal, le premier à m'arnaquer ne fut pas une Maman Moziki, mais mon guide. Après avoir gagné ma confiance, Bobo s'était proposé de tenir la caisse ; car disait-il, mon accent était tout ce qu'il fallait pour attirer l'attention des malfrats et attiser leur appétit. Aussitôt vendus les deux premiers sacs, mon nouvel ami m'a dit qu'il allait répondre à l'appel de la nature dans une des toilettes publiques de la place du marché. J'ai attendu. Les heures ont succédé aux minutes. Des toilettes, il n'est jamais ressorti. Pour qu'il en ressorte, il aurait déjà fallu qu'elles existent.

— Quelles toilettes, mon frère ? m'a demandé, le regard méfiant, la vendeuse de bananes plantains assise en face de moi.

Je venais de m'adresser à elle après que la durée d'attente eut semé de l'inquiétude dans mon esprit. Quelque chose aurait pu arriver à mon ami ; il m'avait été rapporté qu'il n'était pas rare que tel infortuné tombe dans la fosse septique d'une de ces latrines publiques construites vaille que vaille par la municipalité.

— Euh… les toilettes publiques du marché. Mon ami s'y est rendu et cela fait…

— Sainte Vierge Marie, Mère de Dieu, née sans péché, protectrice de la veuve et de l'orphelin! Pauvre pigeon! D'où sors-tu donc, pour ne pas savoir que *je vais aux chiottes* est une formule bien connue dans cette ville, dont se servent les arnaqueurs pour s'éclipser après avoir berné leur victime? Va déposer plainte auprès du policier, là-bas. Et vite!

«Le policier, là-bas», je l'avais déjà testé. Autant en parler au diable. Le plus raisonnable était d'aller rapporter les faits aux parents du voyou. Soucieux de leur honneur, ils ne manqueraient pas de me proposer un arrangement, histoire d'étouffer le scandale, de ne pas perdre la face. Sitôt rentré à la maison, je suis donc allé à la rencontre de nos voisins.

4

J'AI TROUVÉ LE COUPLE SUR LE PERRON, flanqué de deux armoires à glace en tenue de policier. «Votre fils est-il là?» ai-je demandé, sans vraiment parvenir à dissimuler la colère qui bouillonnait dans mes veines. Si je suis doué pour bien des choses, je ne saurais prétendre que cacher mes émotions en fasse partie. Ainsi la nuit du combat entre Ali et Foreman, événement sur lequel je reviendrai abondamment, même si j'étais censé ne pas trahir mon penchant intime, quiconque m'aurait observé aurait vite compris que ma sérénité surjouée ne donnait pas le change. Mais restons pour l'instant chez mes voisins, monsieur et madame que j'accusais du regard après la question que je venais de leur poser, la rage à peine contenue.

Pour toute réponse, le maître de la maison a fait un signe de la tête aux agents des forces de l'ordre qui se sont aussitôt saisis de moi, m'ont menotté et ont commencé à me rouer de coups. J'étais frappé à coups de matraque, à la tête, aux côtes, aux bras, sur le dos, tandis que les coups de pied étaient dirigés tantôt vers mon estomac, tantôt vers mon visage que je ne pouvais pas couvrir. Je saignais de la bouche et du nez et j'étais persuadé d'avoir au moins une côte brisée. Je criais, suppliais, tandis que les coups redoublaient comme un orage qui va s'amplifiant.

— De vous à moi, leur lançait le voisin en se dandinant d'un pied à l'autre comme s'il avait les fourmis dans les jambes, il va falloir que vous y mettiez un peu plus de sérieux. Cogner n'est pas jouer ; on s'entend ? Vous tenez un type du village, je vous l'ai dit. Rien à voir avec les petits voyous du quartier Matonge, nourris aux pains chauds et aux saucisses. Lui est tombé dans du bouillon de gorille quand il était tout petit. Malgré son jeune âge, il a dû couper plus d'arbres que je n'ai baisé de femmes de toute ma vie.

— Ça crève les yeux ! lui répondaient les policiers d'une seule voix, sans céder à la distraction. Une maudite force de la nature, nom d'un chien !

— Regardez ses biceps, enchaînait l'homme, on dirait des morceaux d'ignames à peine sorties de terre. Cette ordure n'a pas le même rapport à la douleur que vous et moi ; on s'entend ? C'est les mains nues qu'il a attrapé les bêtes sauvages les plus dangereuses que vous puissiez imaginer. Une force de la nature, je vous dis !

— Ça crève les yeux ! On va te le rôtir, t'inquiète.

— On va te le mariner, on va te l'épicer comme il se doit.

— Marinez-le, épicez-le donc ! Et surtout prenez votre temps. C'est dimanche, jour du Seigneur, y a pas le feu. O. K. ?

— C'est dimanche !

— Si son endurance nous oblige à y passer la nuit, eh bien, il faudra y passer la nuit !

— T'inquiète !

J'ai croisé mes genoux au moment où un puissant coup de pied fonçait droit sur mes parties génitales. Partie de la rotule gauche, la douleur s'est répandue dans mes veines à la vitesse d'un feu de paille.

— Mais voyons… Ne dosez pas, les gars, allez-y à fond, défoulez-vous ! On s'entend qu'il s'agit d'une correction sur commande ? *Voir Kin et crever*, qu'il s'est dit en quittant son patelin de merde. Qui, mieux que vous deux réunis, pourrait exaucer la dernière partie de son vœu le plus cher, pendant que votre bouteille de whisky vous attend au frais ? Hein les gars !

— Et l'herbe, tu as l'herbe aussi ?

— L'ami est venu admirer les lumières de Kin la belle ; je compte sur vous pour lui imposer la nuit en plein jour. Il s'en souviendra, de l'accueil chaleureux des Kinois !

— Tu as promis de l'herbe. As-tu l'herbe ? rappliquait l'un des cogneurs entre deux coups de matraque.

— J'ai le whisky, j'ai l'herbe, j'ai la bouffe. Je suis un homme de parole, moi. Restez concentrés sur la tâche, les gars. Restez concentrés. O. K. ?

Il était de plus en plus évident que le bourreau en chef qui avait loué leurs services faisait savoir aux deux hommes que leur rétribution serait proportionnelle à leurs dispositions respectives à lui obéir. Ils devaient répondre à chacune de mes plaintes par une dose supplémentaire de maltraitance. Tandis qu'ils rivalisaient de sadisme, je courais mentalement vers ma planche de salut : l'évanouissement.

Lorsque j'ai retrouvé mes esprits, tout mon corps n'était que douleur. J'étais étendu sur un lit dans une clinique médicale. Une religieuse, une infirmière sans doute, pansait mes blessures avec de l'ouate imbibée d'alcool iodé qui empestait l'air. Sa tâche terminée, elle a fait signe à quelqu'un de s'approcher. C'était le type qui m'avait fait battre. Sa femme se tenait à quelques mètres de là. Avant que je n'ouvre la bouche pour lui demander ce qui se passait, l'homme a pris les devants pour me poser une question pour le moins surréaliste :

— Où est ton complice ?

— Quel complice ? ai-je répondu, plus interloqué que jamais.

— Inutile de faire le malin, petit connard ; on s'entend ? Parce que si ça continue, nous allons te sortir d'ici et les policiers vont revenir finir le boulot. On va t'achever. Tu seras tellement amoché que lorsque tu retourneras dans ton patelin, là-bas, ta propre mère ne pourra pas te reconnaître. Tu ressembleras à du vomi de chien. Tu as bien compris : du vomi de chien, espèce de fumier !

Il tremblait de colère, ses yeux exprimaient une rage féroce et non feinte, tandis que des commissures de ses lèvres se dessinaient de minces filets de bave qui épousaient les formes d'une toile d'araignée chaque fois qu'il ouvrait la bouche pour cracher une invective.

— Mais vous êtes fou ! ai-je crié. Mon oncle va porter plainte contre vous. Il va aller voir son cousin qui siège au Comité central. Vous aimez voir les maîtres rôtisseurs à l'œuvre ? Vous ne perdez rien pour attendre ; le Parti va s'en charger. Vous m'en donnerez les nouvelles ! Des criminels, des ennemis de la révolution, voilà qui vous êtes !

— Tu la boucles, connard ! Tu nous voles et tu as le culot de nous menacer ? Des ennemis de la révolution, mon œil ! Et quoi encore, hein ? Où se cache ton complice ? Tu vas me le dire ou… c'est toi qui vas retourner sur le gril tout de suite.

— Mais… de qui parlez-vous ?

— De celui que tu as fait semblant de venir chercher chez nous, a répondu la femme en se rapprochant, la haine plein les yeux.

— Vous délirez, madame ! Je suis venu demander après votre fils Bobo, parce qu'il se trouve que l'éducation que vous lui avez inculquée n'est pas celle que des parents respectables inculquent à un enfant, ai-je réussi à articuler, hors de moi.

— Qui ça, mon fils ? Depuis quand ce trou du c… de Bobo est-il devenu mon fils ? Non, mais… As-tu entendu ça, chéri Wa' ?

Je devais apprendre par la suite que le nommé Bobo, que je prenais pour le fils du voisin alors qu'il m'avait confié être arrivé à Kin sur le tard, n'était en réalité qu'un boy. Un domestique en qui le couple avait placé une confiance aveugle. Ceux qui ne connaissaient pas la famille le prenaient volontiers pour un enfant de la maison. Profitant de l'absence de ses employeurs et du départ pour l'école de leurs deux jeunes garçons, Bobo, qui avait repéré l'endroit où ses patrons gardaient leurs économies, avait fait main basse sur la tirelire. Il m'avait ensuite rejoint pour qu'ensemble nous nous rendions au marché Pascal. Avec le produit de la vente de mes deux sacs de manioc, le chenapan avait accru sa prise de la journée et disparu dans la nature. Ses patrons, témoins de notre rapprochement dans les jours ayant précédé cet incident, en avaient déduit que j'étais de mèche avec le voleur. Quand le malentendu fut enfin dissipé, j'avais passé quatre jours à l'hôpital. Un séjour voulu de manière incidente par un cannibale urbain parmi des centaines de milliers d'autres, que je n'allais plus jamais revoir. J'ai longtemps espéré, pour tourner cette page malheureuse, que ce prêtre de la kinoiserie qui me parlait la main sur le cœur, ait fait partie des centaines de *pisse-merde* que les forces de l'ordre avaient dû mettre hors d'état de nuire en prévision de l'arrivée massive à Kin la belle des invités au *combat dans la jungle*, quelques mois après sa disparition dans la nature.

Le seul côté positif de ce triste épisode, c'est qu'une fois mon innocence et mon statut de victime attestés, Wabelo, l'homme qui avait revêtu le costume du diable pour m'infliger ce traitement aussi cruel qu'injuste, est devenu une sorte de parrain pour moi. Il a d'abord commencé par me demander différents petits services, comme tondre le gazon devant sa maison moyennant une modique rémunération. Un peu plus tard, lorsqu'il a compris qu'il avait affaire à quelqu'un en qui il pouvait avoir une confiance totale, il m'a confié une mission aussi secrète qu'insolite : surveiller en son absence les allées et venues de sa chère et tendre épouse. À la suite de quoi, à défaut de disposer d'informations plus pertinentes, lui dresser le portrait des hommes que sa dulcinée recevait lorsque monsieur était en mission à l'intérieur du pays ou à l'étranger. En retour, j'ai commencé à partager ses repas et à hériter des vêtements que son embonpoint de fonctionnaire des douanes l'obligeait à abandonner. Vu que le seul homme dont la fréquence des visites chez mes voisins en l'absence du mari me troublait était mon oncle Kataguruma, je m'acquittai de ma mission avec une négligence dictée par la prudence la plus élémentaire. En effet, si j'avais un toit sur la tête, c'est à mon oncle que je le devais et à personne d'autre. Rien ne me permettait de croire que mon nouvel ami pousserait la bonté jusqu'à m'offrir un lit si jamais l'homme qui faisait grimper aux rideaux la mère de ses deux gamins devait me jeter à la rue.

Faire attention aux bourrasques qui feraient agiter la mer. Se réinventer un destin si nécessaire. Six mois. Cela m'a pris six mois pour commencer à comprendre dans quel monde je vivais désormais et ce que cela impliquait. La double mésaventure du comportement de mon oncle et du coup tordu de Bobo se révéla la première alerte, mais d'autres déboires allaient paver mon chemin initiatique. L'itinéraire pour me préparer à la grande métamorphose que j'allais connaître pour devenir l'homme que je suis devenu ne faisait que commencer. Car contrairement à ce que prétend l'adage populaire, un long séjour dans l'eau finit bel et bien par changer un tronc d'arbre en crocodile ; le tout étant de savoir de quelle eau on parle. Au pays des vampires où tout le monde se nourrit aux mamelles de la félonie, je n'allais pas me laisser vider de mon sang, prostré dans le rôle de la gentille petite brebis qui se laisse mener à l'abattoir.

Il y eut donc le marché Pascal et ses Mamans Moziki ; ses policiers véreux au verbe haut et à la morale en berne ; les tracasseries des services municipaux de toutes sortes et j'en oublie. J'ai commencé à me demander si, au bout du compte, je ne me fourvoyais pas dans le créneau du petit commerce. En plus de m'appauvrir davantage, celui-ci semblait dresser un mur entre moi et ce qui m'avait fait quitter Banza, la seule chose qui me passionne vraiment dans la vie : la musique. De fait, je devrais dire qu'il aurait pu me détourner de la voie qui allait me conduire vers les deux plus grands champions du monde de boxe de tous les temps, à mon sens ; chemin dont j'ignorais alors l'existence, faut-il le rappeler.

Il y eut ensuite ma visite chez celui qui représentait dans mon esprit le dernier espoir de démentir le mythe qui voulait que Kinshasa transforme en minable fripouille gorgée d'égoïsme, quiconque venait du pays profond et goûtait à ses délices. J'avais décidé d'aller frapper à la porte de Yala, le cousin de Sendos avec qui nous avions chauffé les bancs d'école avant l'épisode du chien porté disparu. Il était devenu une vedette que l'on montrait à la télévision nationale, tantôt maniant son art devant un public conquis, tantôt vantant aux téléspectateurs les vertus de « la bière qui fait mousser la vie ». Ses admirateurs l'avaient affublé du surnom de Franc-tireur pour ses vannes percutantes qui semblaient intarissables. Je l'avais surpris à quelques reprises reprenant à son compte quelques morceaux entendus autrefois dans les cours de récré à la mission catholique ou lors des veillées à Banza. En se déplaçant dans Kinshasa, on pouvait apercevoir, collées sur les autobus de transport en commun, des affiches publicitaires de la bière Simba avec son visage tout souriant à côté d'un verre dégoulinant de mousse. Dans le monde qui était devenu le sien, ai-je pensé, devaient se trouver quantité de gens auprès de qui je pourrais dégoter un emploi. En attendant de découvrir le chemin qui me mènerait chez Zaïko Langa-Langa. Il suffirait d'un petit geste de sa part.

J'avais retrouvé le bout de papier sur lequel son cousin m'avait griffonné son adresse et je me suis lancé à sa recherche. Après avoir traversé la moitié de la ville, abandonné à la vindicte des passants un garnement qu'une bonne dame avait surpris en train d'introduire deux doigts dans la poche arrière de mon jean Lois – pendant que son complice faisait semblant de vouloir me vendre un pseudo-parfum sentant l'urine –, je me suis présenté devant sa maison. Celle-ci était située dans un quartier récemment construit en bordure de la cité universitaire. En partant, j'avais fourré dans ma sacoche quelques-unes de nos photos de jeunesse, histoire de lui remémorer des souvenirs d'autrefois. C'étaient des images jaunies du temps où, adolescents, nous allions nous cacher derrière les buissons pour contempler les bonnes sœurs du Sacré-Cœur de Jésus en train de se baigner en tenue d'Ève dans la rivière qui arrosait la mission. Je m'étais dit qu'on se marrerait bien en évoquant ce jour où un paysan nous avait surpris dans notre cachette avant de nous soumettre à un chantage digne d'un colon. Sous un soleil de plomb, Sendos, Yala et moi avions dû accepter de l'aider à déboiser son champ de maïs, afin d'échapper à une dénonciation qui nous aurait valu le renvoi du collège et les foudres de nos pères respectifs. Ce genre de souvenirs ne s'oublie pas, même après être devenu ministre ou général. Il suffirait de se retrouver en face de ceux avec qui on a fait les trente-six coups d'autrefois.

Après que sa femme lui eut annoncé que son frère Modéro – le grand ami de son cousin Sendos – venait le voir, j'ai dû attendre une heure sous le soleil, debout, avant d'être introduit dans la maison. Si j'ai finalement été invité à m'asseoir, notre conversation n'a pas duré un quart d'heure. Il m'a demandé ce que je venais faire dans la capitale. La question avait été posée sur un air qui semblait tenir davantage du reproche que de la curiosité. Il a évoqué «les vaillants paysans chinois» qui se retrousseraient les manches pour nourrir les grandes villes de leur pays-continent, tandis que nos campagnes subiraient de manière éhontée «l'hémorragie humaine des pauvres types qui se précipitent vers la capitale où ils viennent grossir l'armée des dilettantes et des malfrats». Le ton était donné. J'ai tout de suite décidé de ne rien lui raconter de mes déboires. J'ai inventé une histoire à laquelle le premier idiot n'aurait pas accordé le moindre crédit; mais comme cela ne l'intéressait ni de loin ni de près, il a lancé un «je vois» évasif qui nous a dispensés de s'y attarder. Il m'a déclaré qu'il était content de constater que j'étais à Kin depuis plus de six mois sans avoir jamais cherché à venir l'embêter. Il a adressé un réquisitoire cinglant contre les gens de son village qui, aussitôt arrivés en ville, couraient chez lui en s'imaginant qu'il avait un bâton magique pour donner du travail à tout le monde. D'autres, m'a-t-il dit, devaient être persuadés qu'il cachait une machine à imprimer les billets de banque dans sa chambre à coucher, à en juger par la liste sans fin de problèmes qu'ils venaient lui soumettre les uns après les autres. Il alla jusqu'à m'avouer que cela faisait des années qu'il avait donné l'ordre de les congédier sans ménagement, tous sans exception, aussitôt qu'ils auraient franchi le seuil de sa propriété. Selon ses dires, sa femme avait eu le bon réflexe de déroger à cette règle après que j'eus cité le nom de Sendos. Sans cela, je n'aurais pas vu la couleur de ses meubles et je me serais expliqué avec son chien.

« Un bon berger allemand comme celui que les hommes de Bula Matari[4] amenaient sur les chantiers harceler nos

4 - Surnom africain, signifiant en kikongo «celui qui fend les rochers», attribué à Henry Morton Stanley, né John Rowlands le 28 janvier 1841 à Dinbych (pays de Galles) et mort le 10 mai 1904 à Londres. On l'a donné à ce journaliste et explorateur britannique (avant de l'étendre à l'administration coloniale belge dont il posa les jalons) en raison de son comportement souvent brutal. Connu pour son exploration de l'Afrique et son expédition pour retrouver le médecin et explorateur écossais David Livingstone.

pères avant l'Indépendance, c'est tout ce qu'il te faut si tu
veux acheter une paix royale dans cette ville, a-t-il martelé.
Un enclos surmonté de fils barbelés n'a rien de dissuasif;
je peux te le dire puisque je l'ai expérimenté. Ils viendront
troubler ta paix matin, midi et soir, tous les jours que Dieu
crée. Ces gens-là? Des attardés qui ne connaissent rien
aux mœurs de la ville et qui sont convaincus que parler
le même patois que toi leur octroie tous les droits imagi-
nables, y compris celui de débarquer à onze heures du soir
sans prévenir. Et on s'étonne que l'Afrique ait le cul fiché
dans la bouillabaisse de la pauvreté! Dès qu'il y en a un
qui tente de se sortir du trou par la force du poignet, il est
assailli par dix – que dis-je, cent – qui n'ont qu'une mission
dont ils ne se détourneront pour rien au monde avant d'en
avoir savouré le résultat: lui faire mordre la poussière à
tout prix. Ne va pas chercher loin. Il est là, le poison de
la misère noire, Modéro: dans le sang qui coule dans nos
veines! Regarde donc les Blancs: ils ont remplacé le mot
solidarité par la notion de responsabilité individuelle – ou
le chacun pour soi, si tu préfères – et depuis, ils ont transformé leurs pays respectifs en paradis sur terre. Je dis bien:
paradis sur terre, mon gars! Ils sont même allés sur la
Lune. Qu'attendons-nous pour leur emboîter le pas? Que
Jésus de Nazareth revienne sur terre, naisse du sein d'une
femme noire et se choisisse douze apôtres basanés?»

Il a voulu me remettre un peu d'argent pour payer mon
taxi de retour. J'ai décliné sous prétexte que j'avais suffisamment de quoi payer mes courses. Il n'a pas insisté. Je
n'ai pas sorti une seule des photos qui traînaient au fond
de ma sacoche et j'ai gardé les souvenirs de l'adolescence
là où le temps les avait rangés. Malgré la chaleur acca-
blante de cette journée, ni sa femme ni lui-même ne m'a

proposé un verre d'eau, ce qui aurait été le minimum en matière d'hospitalité. Nous nous sommes quittés au bout de douze minutes exactement, sans que je ne sache s'il avait des enfants ni s'il comptait retourner à Banza pour le mariage prochain de son jeune cousin. Yala n'était plus le petit mufle avec qui Sendos et moi allions mater les seins des bonnes sœurs derrière les buissons. Il était devenu une célébrité kinoise qui avait autre chose à faire que de passer son temps à tenter de résoudre les mille et un tracas de ses frères. Ainsi, la légende n'était pas que légende : Kin la belle était bien ce qu'on disait d'elle.

Cette porte qui venait de se fermer à peine ma main posée dessus a eu le même effet sur ma conscience que le feu sur le dormeur qui n'a pas vu la mèche enflammée s'approcher de son pied. Tiré de ma longue torpeur, j'ai atterri dans le monde réel tel qu'il s'imposait. Le temps était venu de chercher le chemin menant à Zaïko Langa-Langa. Si je devais le trouver pour me rendre compte le jour d'après qu'il se terminait en cul-de-sac, alors et alors seulement, viendrait le moment où j'aurais à me tourner vers autre chose. Un talent caché, pourquoi pas s'il y en avait un ?

Je me suis ouvert à Wabelo, mon nouveau protecteur qui m'avait fait comprendre au cours d'une de nos discussions du soir qu'il connaissait pas mal de gens qui étaient proches d'autres gens qui, à leur tour, avaient leurs entrées auprès des grands noms de la chanson zaïroise. Ainsi, Chose connaissait Machin qui avait naguère hébergé la nouvelle vedette, Papa Wemba. Bidule, de son côté, était copain copain avec Untel qui, lui-même, avait eu pour protégé le jeune homme qui allait devenir plus tard le grand Pascal Tabu Ley, dit Seigneur Rochereau. Quant à Chouette, il ne s'écoulait pas deux semaines sans qu'elle ne se fasse tresser les cheveux par la femme de Truc ; celui-là même qui, dans sa tendre jeunesse, avait l'habitude de sécher les cours pour aller jouer aux dames avec l'intraitable Franco Luambo Makiadi du groupe O.K. Jazz. À l'en croire, chaque maillon dans la chaîne de ses relations kinoises équivalait à un chemin qui, avec ou sans détour, menait à cette cité des rêves où résonnaient les chants et les percussions qui faisaient bouillir mon sang.

Sans cet échange au cours duquel j'ai confié pour la première fois à Wabelo à quel point mon rêve d'artiste avait pesé dans ma décision de quitter Banza, je n'aurais probablement jamais rencontré Batekol. Or, s'il y a une rencontre qui a fait basculer ma vie, c'est bien celle que j'ai faite le jour où mon chemin a croisé celui derrière qui se cachait l'ombre de Mohamed Ali.

II

Un révolutionnaire, ça ne connaît pas la peur

Rendez-vous manqué, cher Descartes!

1

J'AI RENCONTRÉ BATEKOL DEVANT LE MEMLING, alors que je me tournais les pouces en face de cet établissement hôtelier français du centre-ville, au bas de l'immeuble où Wabelo m'avait donné rendez-vous. Il devait me présenter à un de ses vieux amis dont la cousine était, m'avait-il glissé d'un air entendu, la maîtresse du chanteur vedette de Zaïko Langa-Langa.

Il fallait bien commencer quelque part et Dieu sait s'il y a beaucoup d'hommes capables d'enchaîner des fins de non-recevoir aux doléances et suppliques de leur maîtresse. Chez moi, les anciens disent : *Prétendre que la nuit porte conseil, c'est reconnaître que le soir venu, chaque femme qui tient dans ses filets un homme en proie aux désirs de la chair dispose de la capacité de changer la face du monde.* Dans mon cas, plutôt que de demander à une inconnue d'user de ses pouvoirs nocturnes pour changer en un immense champ de bonheur la misère de la terre des hommes, je pourrais me contenter de négocier un tête-à-tête avec le cofon-dateur de Zaïko. Et si, à l'instar des gens de mon village, celui-ci devait me trouver quelque talent, il n'y aurait pas besoin de prier pour qu'il reste l'otage des nuits torrides de sa belle au feu ardent. Avec un pied dans l'embrasure de la porte, je devrais être capable de parcourir le restant du chemin. J'ai toujours pensé qu'il en allait du talent comme de la beauté : l'un et l'autre s'expriment dans un langage que même les sots comprennent et rares sont les verrous qui leur résistent en ce bas monde.

Je m'étais étendu sur le gazon, ma sacoche noire Le Tanneur sous la tête, à regarder les passants. Le centre-ville était particulièrement animé car le Guide venait de prononcer une allocution attendue depuis des semaines, dans le grand stade de la capitale. Beaucoup de ceux qui en revenaient flânaient dans les rues et le long du grand boulevard, commentant le discours qui avait duré cinq heures. Les discours du Guide duraient en général cinq à six heures. J'avais appris qu'il avait battu son propre record le jour où il avait convoqué le peuple dans le même Stade du 20-Mai, non pas pour leur faire profiter d'une pendaison publique comme cela arrivait de temps en temps, lorsque la population carcérale menaçait de surpasser celle constituée des gens libres, mais pour trois annonces. Suivant l'ordre d'importance, ce jour-là, il fut question tour à tour de : la naissance d'un jeune garçon qui le rendait grand-père pour la première fois de sa vie ; sa décision de supprimer le poste de Premier ministre, car ce strapontin était à la fois « la preuve institutionnalisée du mimétisme à l'égard de nos anciens maîtres et une injure à la doctrine de l'authenticité africaine, l'âme de notre révolution, laquelle préconise l'indivisibilité du pouvoir suprême » ; son refus d'accorder la grâce présidentielle à un journaliste naguère très populaire dans la capitale, qui croupissait au pénitencier de l'île de Lifélo-sur-Zaïre en attente de sa pendaison haut et court.

Sur ce dernier point, précisons que quelques années auparavant, monsieur Tuba-Tuba s'était rendu coupable du crime de lèse-majesté devant des milliers de téléspectateurs, soit la pire des situations que l'on puisse imaginer. Alors qu'il s'apprêtait à présenter le journal du soir, le présentateur vedette de la chaîne publique avait sorti des paroles qui étaient parvenues directement aux oreilles du Guide en même temps que dans celles des centaines de milliers de ses compatriotes qui se tenaient devant leur poste de télé. Pensant que son micro n'était pas encore activé et se croyant hors du champ des caméras, l'homme s'était écrié, hors de lui : «Je ne vais tout de même pas ouvrir le journal avec cette farce vaudevillesque! Eh les gars, on parle d'une rumeur. Une rumeur! La démentir, c'est l'accréditer, nous le savons tous. M'enfin, c'est le monde à l'envers! Le type continue à nous faire le coup de la révolution par le sperme et on va relayer ce simulacre de démenti rien que pour son bon plaisir? Et l'honneur de la victime, ministre et père de famille de son état, on en fait quoi? Vous voulez qu'on y passe tous, c'est ça? Cracher sur un homme à terre alors que le Cocuficateur national n'a même pas le courage de se mettre en face d'un miroir pour y découvrir le visage de l'Enculeur de la révolution! Une meute de pleutres, une minable meute de pleutres, voilà qui nous sommes, camarades!»

Non, il ne serait pas gracié, avait décrété le Guide lors de son discours-fleuve dont tout Kinshasa se souviendrait encore, des années plus tard. Alors que les deux premières annonces avaient été saluées en grande pompe, la dernière avait plongé le stade dans un silence de cathédrale. Silence qui avait démontré, si besoin en était, combien le journaliste était aimé du petit peuple et combien le sort du ministre cocu avait suscité la sympathie d'un nombre non négligeable de ses concitoyens. Ce silence intolérable allait valoir au ministre de la Propagande et de la Mobilisation révolutionnaire son limogeage et sa mise aux arrêts immédiats. N'était-il pas de la même ethnie que le coupable, cette ethnie honnie dont était également issu un éminent scientifique exilé en France et connu pour être le théoricien de la fameuse « révolution par le sperme », laquelle consisterait, selon l'opposant, à s'assurer le contrôle des masses populaires par la force du sperme dirigée contre leurs représentants de sexe masculin ? C'était il y a trois ans, même si tous ceux qui m'en ont parlé s'en souvenaient comme si c'était hier, car avec ce châtiment s'étaient glissées dans le jargon des Kinois, par-dessus le mur de la peur et ses parpaings aiguisés, les expressions irrévérencieuses de lèse-majesté relayées par le journaliste.

Les rues étaient bondées. Échoppes et autres commerces qui avaient fermé depuis la matinée sur ordre des autorités commençaient petit à petit à rouvrir. Les affaires pouvaient reprendre. Devant le Memling, traînaient des badauds, ainsi qu'une poignée de touristes et d'hommes d'affaires européens. Suivant les ombres chinoises qui se mouvaient à la cadence du coucher du soleil, disque de cuivre incandescent à cheval sur l'horizon où serpentait le fleuve dans le fin brouillard du soir, j'avais fini par m'approcher de l'entrée principale de l'hôtel, de l'autre côté du trottoir. Mon attention se porta sur un jeune homme assis sur une borne, une casquette vissée sur la tête et une guitare en bandoulière, en discussion avec un vieux monsieur portant un T-shirt trop étroit pour son ventre très bedonnant. C'était la première fois que je voyais un Blanc aussi gros et bronzé. Il s'exprimait dans un lingala presque parfait, avec cependant cet accent si particulier et caractéristique des Belges.

— Donc, tu n'es pas allé applaudir le Guide, a lancé l'Européen à l'homme à la guitare qui devait avoir mon âge, guère plus.

— Si le patron veut que je joue un morceau pour lui, il n'y a pas de problème ; je suis là pour ça. La politique, ça ne me regarde pas, a répondu le Zaïrois.

— Tu dis que ça ne te regarde pas, mais le Guide a dit beaucoup de choses importantes sur l'avenir de ton pays et de l'homme noir en général. Es-tu certain que cela ne te regarde pas, camarade ?

— Non, a répondu le musicien, après avoir jeté un regard à gauche et à droite (apparemment pour s'assurer qu'il n'y avait pas d'oreilles indiscrètes à la ronde).

— D'accord, d'accord. Mais si je te dis qu'il a annoncé qu'il allait offrir un cadeau au peuple zaïrois avant la fin de cette année ? Un grand cadeau dont le monde entier va parler.

— C'est bien, un grand cadeau. Ça ne se refuse pas.

— Et tu ne veux pas savoir lequel ?

— Je vous joue quoi ? insista le jeune homme, visiblement pas intéressé par le sujet.

— C'est bon, tu n'es pas un bon militant du Parti unique, toi. Mais ce n'est pas grave. Enfin, pas pour moi. Tu peux jouer *Indépendance cha cha,* concéda-t-il.

L'autre étouffa un rire. Je devinai qu'on devait lui demander constamment la chanson culte qui avait naguère accompagné l'indépendance politique de l'ancienne colonie belge, avant de devenir l'hymne de la conscience panafricaine, de Kinshasa à Dakar en passant par Accra. Si le morceau était resté un tube d'anthologie, devoir l'exécuter trente fois par jour dans une ville connue pour sa discographie richissime devait finir par lasser. Mais le client était roi, surtout lorsqu'il apparaissait sous les traits d'un Européen qui ne savait pas trop quoi faire de la petite monnaie qui traînait au fond de ses poches.

Batekol avait exécuté le morceau cher au groupe African Jazz. Il m'avait totalement bluffé. Sa voix de velours ressemblait étrangement à celle d'un chanteur très connu évoluant dans un groupe de Brazzaville, sur l'autre rive du fleuve. J'avais attendu que le Belge ait payé et se soit éloigné pour m'approcher.

— Bonjour, mon frère. Mon nom est Modéro. C'était formidable. Absolument formidable. Tiens, je t'ajoute ces quelques pièces, fis-je en ouvrant ma sacoche dont je ne me séparais jamais lorsque je devais m'absenter de chez mon oncle pour plus d'un quart d'heure.

— Merci. C'est très gentil, avait-il répondu, en empochant la modeste obole. Mais tu sais, *Indépendance cha cha*, c'est pas sorcier. Je ne pense pas que monsieur était vraiment intéressé par la chanson. Il doit faire partie de ces Blancs qui ont attrapé le mal du pays et qui ont toujours de l'argent à gaspiller.

— C'est quoi, le mal du pays?

— Tu ne connais pas le mal du pays?

— Non.

— Comment t'expliquer, mec? C'est ce qu'on dit de ces Blancs qui sont venus ici et qui ont égaré leur billet de retour dans un bistrot de Kin la belle.

— Tu veux dire qu'ils sont tellement attachés à la bière locale qu'ils n'ont plus envie de retourner en Europe? avais-je tenté.

— Ah la bière, oui, oui, c'est vrai qu'on en a de bonnes
ici. S'il n'y avait que la bière! Lui dirige le chantier naval.
Belge, mais il connaît Kin comme sa poche. Peut-être
même mieux que moi qui suis pourtant né ici. Ceux qui
sont allés dans son pays te diront que c'est le royaume de
la bière. Alors, dis-toi bien que la liste de ce qui cause
cette maladie tropicale-là est à la fois longue et variée :
des boys qui les servent pendant qu'ils se la coulent douce
comme des princes ; ce soleil dont ils raffolent de janvier à
décembre alors qu'ils se le gèlent l'hiver chez eux, et je ne
te parle pas du cul des Africaines.

— Euh…

— Ils aiment ça, les gros culs des femmes de chez nous.
Ça leur monte à la tête et hop ! le piège africain se referme.
Tout bonnement. Rappelle-moi ton nom, s'il te plaît.

— Modéro.

— Eh bien, c'est tout ça qui cause le mal du pays,
Modéro. Et il n'y en a pas un seul qui chercherait à en
guérir, même après s'être auto-diagnostiqué ; c'est moi qui
te le dis.

— Si tu le dis…

Après avoir rangé son fric dans un petit étui en cuir
noir, il s'était tourné vers moi pour me serrer la main. Une
poignée ferme, pleine d'énergie :

— Moi, c'est Batekol. Les potes m'appellent Afrodijazz,
mais tu peux m'appeler Batekol, c'est bon.

— Pourquoi Afrodijazz ?

Il déploya un sourire derrière lequel il dissimulait mal
une pointe de condescendance :

—Tu es trop curieux, mec. C'est un vilain défaut, surtout à Kin. Tu viens du Kwango, pas vrai?

— Comment le sais-tu?

— Ton accent et ta prononciation, évidemment.

— Euh…

— Tiens. Les gens du Kwango, même quand ils sont allés chercher de grands diplômes à Louvain ou à la Sorbonne, diront toujours «folmation» au lieu de «formation», «aventil» au lieu «d'aventure». Ils ont un sérieux problème avec le roulement du «r» et le son *u*. C'est pour cela que depuis l'époque des Belges, la majorité d'entre eux trouvent difficilement un travail de bureau. Ils grossissent les rangs des maçons et des charpentiers en ville. T'as vu le chantier en face? Je te gage n'importe quoi que là-dedans, ils forment le gros du troupeau.

— Kinshasa continue à s'agrandir, on a donc besoin de maçons et de charpentiers; peu importe d'où ils viennent.

— Ouais, mais ils pourraient investir d'autres secteurs, ce n'est pas interdit! À défaut de prononcer le mot, ils pourraient au moins avoir le goût de l'aventure, justement. Ils pourraient être fonctionnaires, médecins, juges ou que sais-je! Ils ne sont pas obligés d'être tous dans le bâtiment, on est d'accord?

Il fit un pas de côté pour laisser passer une vendeuse ambulante. Une jeune femme dans la vingtaine, au teint foncé, drapée d'un pagne multicolore à dominance orange et vert. Je reconnus les motifs. C'était *Mon mari est capable*, le wax du moment; celui qui faisait courir les femmes kinoises, au grand bonheur des Mamans Moziki qui l'importaient de Lagos au Nigeria. Le nom que les Kinoises avaient donné à ce tissu de coton imprimé se passait de commentaire. Malheur à l'homme qui n'aurait pas compris le message. À moins d'avoir eu le réflexe de réparer la défaillance en offrant à l'élue de son cœur *Ma rivale va maigrir de jalousie jusqu'à s'évaporer dans les airs*, l'autre wax fétiche importé de Hollande. Ma belle-tante m'avait déclaré un jour : « C'est quand tu commences à reconnaître les pagnes en vogue à Kin la belle que tu sais que tu t'es kinoisé. »

Lorsque la vendeuse nous tourna le dos, je vis le regard de Batekol s'attarder sur sa croupe, deux parenthèses généreusement moulées sous les motifs du tissu nigérian. Je le faisais constamment depuis Banza : si je voyais passer une femme au derrière apte à redonner vie à un vieillard croulant, je surveillais aussitôt les hommes qui m'entouraient pour savoir lequel disposait d'un cerveau capable de donner l'ordre à ses yeux de ne pas se laisser aimanter par l'anatomie d'une inconnue.

— T'es maçon toi aussi, Modéro ?
— Non, Batekol. En fait, je ne suis ni du Kwango ni maçon.

Il n'avait pas entendu. Son cerveau devait être occupé à renseigner ses yeux sur la vacuité de leur entêtement. La somptueuse paire, elle, continuait sa cavalcade à laquelle plus d'un passant rendait un hommage que l'intéressée feignait d'ignorer. Lorsque le débat intérieur avait pris fin, les gens du Kwango s'étaient de nouveau rappelés au souvenir de Batekol. Il arguait, cette fois, qu'ils étaient génétiquement inaptes à la maîtrise de la langue de Molière héritée de la colonisation.

— Pour les postes de clerc, on leur préfère toujours l'élite du Kwilu. Les Kwilois parlent un français que même les Flamands qui nous ont appris à lire et à écrire gagneraient à apprendre.

— Je viens du Kwilu, avais-je fini par préciser.

— Tu viens du Kwilu ! C'est bien ce que je pensais. Ton accent en lingala est un châtiment pour les oreilles, mais c'est de la musique par rapport à ce que ça aurait pu être si tu étais arrivé avec le dernier camion en provenance du Kwango.

— Avoue que tu es plus indulgent avec les Kwilois, Batekol, lui lançai-je en rigolant.

Il avait à son tour esquissé un sourire. On connaissait la vieille rivalité entre ethnies voisines du Kwango et du Kwilu. On s'adorait tandis qu'on s'amusait à faire semblant de se détester, à la manière de ces cousins qui se lancent toutes sortes de blagues plus ou moins dénigrantes lors des réunions de famille. On disait d'ailleurs qu'on était cousins. Mais en l'occurrence, seuls les faux cousins selon leurs origines se livraient à ces railleries dont personne ne s'offusquait vraiment.

— Mes parents viennent du Kwilu, avait alors confessé Batekol.

— Tu es donc mon frère ? avais-je avancé, content de découvrir qu'en plus d'une passion commune pour la musique, nos origines se croisaient dans une ville peuplée de personnes issues de plus de quatre cents ethnies différentes.

— Euh... frères, ça je ne le dirais pas.

— Tu n'es pas le fils de ton père ? lançai-je, interloqué.

— Doucement, Modéro. T'es encore à tes premiers pas dans la ville, à ce que je vois.

— Je veux dire...

— T'as une tête bien sympa et tu exhales cette honnêteté enveloppée de naïveté des gens de la campagne lorsqu'ils débarquent à Kin la belle. Mais tu as intérêt à te kinoiser sans délai avant que les gars ne te baisent à fond et que tu haïsses cette ville.

— Laisse tomber. Ils m'ont déjà baisé, répondis-je.

— Pas assez. La preuve, c'est que tu appelles ton frère un gars que tu ne connais pas, simplement parce qu'il prétend être de ton ethnie. Avec un peu d'audace, je te demanderais de me prêter des sous pour un taxi et tu t'exécuterais.

— Je t'en prêterais. Pas parce que je suis une andouille, mais parce que je te trouve sympa. J'aime ce que tu fais et payer un taxi à un inconnu n'est pas signe de sottise selon moi. C'est un geste humain presque banal. Comme aider un aveugle à traverser la chaussée.

— Un geste humain, répéta-t-il, amusé.

— Exact. Un geste humain qui, je te le concède, n'est pas courant entre gens de ta ville. Ici, apparemment, c'est la principauté des vampires.

— La principauté des vampires, fit-il encore en hochant la tête, avant d'enchaîner : une chose est sûre, mec ; après être sorti de la campagne, il va te falloir sortir la campagne qui prends ses aises dans toi. Et si j'étais à ta place, je m'y mettrais dès maintenant.

Il avait ajouté qu'il connaissait quelqu'un qui m'aurait conseillé de lire les philosophes. Peut-être Descartes. Ou Hobbes. Thomas Hobbes.

« Mon homme t'aurait recommandé un de ses bouquins, question d'en apprendre un peu sur la nature humaine, car le gars – je veux dire Hobbes – a cherché et a trouvé ; de sorte que des mecs comme toi n'ont qu'à prêter l'oreille pour ne pas foncer tête baissée dans la galère : *l'homme est un loup pour l'homme.*»

Il n'attendait pas de réplique. Il se la jouait intello. Ça se voyait. Je ne me sentais pas d'humeur à mordre à l'hameçon. J'aurais pu lui sortir le *connais-toi toi-même* socratique tant colporté par mon ancien prof d'introduction à la philosophie, mais à quoi bon ?

Il m'avait regardé longuement, du coin de l'œil, comme si je tombais d'une autre planète. Ses yeux s'étaient posés sur mon bracelet en fer.

— Et c'est quoi, ce truc de chef coutumier que tu trimballes à ton poignet ?
— Là, tu as tapé à côté, mon frère.
— Mais je ne suis pas ton frère, mec ! Je viens de te dire mon nom.
— D'accord. On se calme.
— Ce bracelet n'est pas le symbole que tu es le chef de ton clan ou un truc du genre, là-bas dans ton bled ?
— Je l'ai reçu de mon grand-père qui, lui, l'est bel et bien.
— Avoue que je n'étais pas si loin.
— C'est vrai.

Il scrutait toujours le bracelet à mon poignet gauche, comme s'il y avait quelque information à en tirer. Je vis qu'il voulait poser une autre question, mais après avoir jeté un œil à sa montre, il se ravisa.

— Je suis ravi de t'avoir rencontré, Modéro. Mais je dois me trouver un taxi et filer. Tu sais, Kin n'est pas aussi grand qu'on le dit. On se recroisera peut-être un jour.

— Cela m'a fait plaisir aussi. On se recroisera sûrement… Batekol.

Je m'étais retenu à temps, au moment où j'allais encore lui servir *mon frère*. Avant de le laisser filer, je me souvins d'un détail auquel il ne m'avait pas fourni de réponse.

— Tu me diras au moins pourquoi tes amis t'ont surnommé Afrodijazz ? C'est un peu bizarre comme surnom, je trouve.

Il s'arrêta, me fixa quelques secondes avec un drôle de sourire, puis revint sur ses pas.

— Tu veux absolument le savoir ?
— Oui.
— Oublie le jazz. Si je dis « Aphrodi », ça te fait penser à quoi ?
— À quoi… À l'Afrique ?
— Mais non ! Réfléchis. « Aphrodi » comme dans… ?
— Comme la coiffure afro ?
— T'es terrible, toi ! Comme a-phro-di-sia-que ! Le truc pour les filles… Tu piges ?

Ses paroles accompagnaient un geste plutôt explicite mimant un homme en train de se branler. Un vantard. Un vantard droit dans ses pompes qui n'hésita pas à en rajouter :

— Amène-moi une fille. Choisis-la plutôt bien en chair avec ce qu'il faut, là où il faut. Lorsque j'aurai fini mes douze travaux de cul et que la pauvre réclamera des béquilles pour pouvoir tenir debout, tu en auras eu pour ta curiosité.

— Oh le prétentieux ! lançai-je. L'oiseau qui siffle matin et soir n'a pas de graisse, c'est pourtant connu !

— Quoi ?

— Qui se vante d'être un chaud lapin n'a souvent qu'un piètre engin.

— Je n'en ai rien à foutre de tes histoires d'oiseaux et de lapins. Et je ne vais pas perdre mon temps à te raconter ma vie. On ne se connaît même pas !

— Justement, on était en train de faire connaissance.

— Écoute, j'ai moins de vingt minutes pour attraper un taxi et joindre la place de l'Indépendance.

La place de l'Indépendance, ça me disait quelque chose.

— C'est là que se trouve le siège de Zaïko Langa-Langa, fis-je, pour qu'il sache que le *mbokatier*[5] en face de lui connaissait tout de même sa géographie de la capitale.

Il ne parut pas impressionné, mais ajouta un détail dont il ne pouvait soupçonner l'intérêt auprès de son interlocuteur :

— Je passe mon test chez Zaïko dans moins de vingt minutes, mec. Je dois filer. Content de t'avoir croisé. Garde l'œil bien ouvert et n'oublie pas que t'es à Kin, ici ! Je donnerais le même conseil au diable en personne et crois-moi, il aurait intérêt à le suivre.

En moins de trente secondes, ma décision venait d'être prise. Quel que soit le pouvoir dont était créditée la maîtresse du type à qui Wabelo voulait me présenter, je devais répondre à ce clin d'œil du destin et convaincre Batekol alias Afrodijazz de me laisser venir avec lui.

---

5 - Villageois, en jargon kinois.

Contrairement à ce que j'avais craint, mon nouvel ami ne s'y opposa pas. Je réussis à héler un taxi et je proposai aussitôt de payer la course. Chemin faisant, on fit davantage connaissance. Il avait arrêté ses études supérieures deux ans plus tôt, ce qui avait généré un conflit qui devait l'obliger à quitter le toit parental. Son père, un médecin en vue, n'avait pas supporté qu'il ne veuille pas devenir toubib comme lui et son goût assumé pour la musique n'était pas pour les réconcilier. Au début, sa mère, femme au foyer, avait essayé de prendre sa défense, expliquant à son époux qu'il valait mieux que le bonhomme essaie de faire quelque chose qu'il aimait vraiment, que d'accumuler des échecs dans une filière qui ne lui disait rien. Mais monsieur avait tapé du poing sur la table en déclarant que si madame voulait «porter le pantalon» à la maison et imposer ses vues sur l'éducation de leurs enfants, elle ferait bien de partir en même temps que le bon à rien qui avait réussi l'exploit de faire de lui la risée de ses confrères. Autour du bon docteur, semble-t-il, tous les enfants des membres de l'ordre qu'il fréquentait avaient des parcours universitaires des plus remarquables.

La mère avait pensé à ce que son mariage représentait pour ses propres parents, ainsi que ses frères et sœurs dont elle était la principale pourvoyeuse de revenus. Personne ne lui aurait pardonné de contrarier son docteur de mari au point de briser son mariage pour soutenir les rêves d'un cancre qui voulait se convertir en chanteur de charme. Elle avait laissé le maître de la maison montrer la porte de sortie à Batekol, lequel avait trouvé refuge chez des copains dans un premier temps, et depuis peu chez une cousine qui habitait Nsele. Nsele, c'était la cité du Parti bâtie par le Guide à soixante kilomètres de la ville de Kinshasa, que les Kinois avaient surnommée «la Cité des

Grands Manitous », en référence aux hauts dignitaires qui s'y étaient retirés dans des villas cossues.

Batekol parlait de ces épisodes de sa vie d'un ton égal, comme s'il s'était agi d'une autre personne. Il ne semblait pas en vouloir à ses parents. J'aurais même parié qu'il les plaignait. Il avait l'air fier de la voie qu'il avait choisie, comme s'il estimait que tout ce que cela avait entraîné était le juste prix à payer pour que son rêve devienne réalité. À tout le moins, pour qu'il fasse de sa vie ce qu'il désirait sans devoir rendre des comptes à qui que ce soit. C'est en cela que nos deux destins avaient des similitudes ; je le lui mentionnai lorsque je lui parlai à mon tour du rêve qui m'avait fait quitter Banza. Pour honorer la confiance qu'il m'avait faite en me relatant ses déboires familiaux, je lui résumai les joies et misères de mon immersion kinoise.

Il m'écouta avec un air intéressé et amusé. Rien de tout ce qui m'était arrivé ne semblait le secouer outre mesure. Je lui aurais repassé un disque vieux d'une dizaine d'années qu'il aurait été plus impressionné. Par ailleurs, je devinais à ses questions qu'il m'imaginait dans tous les rôles possibles, excepté celui de chanteur ou de danseur. Quitter son village à l'âge de vingt-quatre ans, débarquer à Kinshasa en parlant à peine lingala et foncer six mois plus tard chez Zaïko Langa-Langa pour prétendre au statut de membre de ce groupe mythique, tout cela semblait dépasser son entendement. Mais j'étais à peu près certain qu'il appréciait ma compagnie. Peut-être se disait-il que cela ne lui coûtait rien de m'amener au lieu où se déroulaient les fameux tests ; quitte à ce que les gros bras de Zaïko me fassent déguerpir d'un coup de pied aux fesses. Après tout, ce n'était pas à lui d'empêcher un paysan qui avait fini par s'ennuyer dans son village d'aller tutoyer l'humiliation devant le nombreux public kinois qui, fidèle à la tradition, viendrait assister à une séance d'où allait sortir le nouveau visage de son groupe tant adulé.

— As-tu un surnom au moins, un truc qui accroche, pour la scène ? finit-il par lâcher au bout d'un silence, tandis que le conducteur négociait un virage à l'entrée de la place Victoire.

— Pourquoi ?

— Tu veux rigoler, mec ! Tu ne vas pas te pointer là-bas et leur dire de t'appeler par le nom que t'ont donné papa et maman ? Remarque, Modéro n'est pas un nom méprisable, mais il te faut autre chose pour la scène. Un pseudonyme qui parle aux fans du groupe, qui te branche sur la fréquence Zaïko. Tu comprends ?

— Ouais…

— Bon, si t'en as pas, ce n'est pas grave, ils t'en trouveront un, pourvu que tu passes le test, et ça, c'est pas gagné pour l'instant.

— Là-bas, j'étais le chanteur à la voix électrique.

— Pour un mec qui vient d'un bled privé d'électricité, n'est-ce pas le comble de la fanfaronnade ? Et se prévaloir d'un surnom comme celui-là, ça ne s'appelle pas jouer à l'oiseau qui siffle à tort et à travers pour impressionner son monde, monsieur le sage donneur de leçons ?

— Ce n'est pas moi qui l'ai choisi.

— Peu importe. Là, au moment où tu cours chez Zaïko, tu as quoi en tête ?

— Je me souviens qu'un jour, un politicien qui assistait à un de nos spectacles et qui a dû aimer mes chansons a utilisé une expression assez sympathique pour me désigner.

— Laquelle?

— Il m'a appelé le chanteur-poète mélancolique.

— Un chanteur-poète de brousse, donc. Tu dois l'avoir beaucoup impressionné, ton ami politicien.

— Je n'ai pas dit que c'était mon ami.

Le chauffeur de taxi qui jusque-là avait suivi notre discussion d'un air absent me demanda, d'un air moqueur, au moment d'empocher les billets que je lui tendais :

— Ma femme ne jure que par Zaïko Langa-Langa. Devrais-je l'informer que j'ai transporté ce soir le chanteur-poète qui va faire briller son groupe de mille feux de brousse?

2

C'EST SUR LE LIEU DE NOTRE DESTINATION, UN BAR à ciel ouvert nommé *La Rumba Casa,* que j'appris les circonstances qui entouraient ladite séance de recrutement. Le discours du Guide tenu quelques heures plus tôt au Stade du 20-Mai venait de confirmer une rumeur qui sillonnait la ville depuis des semaines et à laquelle j'avais accordé un intérêt somme toute relatif. Kinshasa s'apprêtait à abriter le combat pour le titre de champion du monde de boxe de la catégorie poids lourds, entre deux monstres sacrés de cette discipline : le détenteur du titre, George Foreman, et le champion déchu, relégué malgré lui au rang de challenger, Mohamed Ali.

Ce dernier avait en effet perdu sa prestigieuse ceinture en mil neuf cent soixante-sept, après avoir refusé d'aller servir les États-Unis dans la guerre qui les opposait au Viêtnam du Nord communiste. D'après ce que Wabelo m'avait expliqué, en dépit de sa destitution qui avait suivi son refus d'incorporation dans un centre de recrutement et qui devait le conduire jusque devant les juges de la plus haute instance judiciaire de son pays, beaucoup de gens du milieu de la boxe et Wabelo lui-même considéraient

Mohamed Ali – qui s'appelait avant Cassius Clay – comme le vrai champion du monde des lourds. Mais on lui avait retiré sa licence de boxe en plus de son titre. Selon mon ami, incollable lorsqu'il s'agit de boxe, la Cour suprême américaine aurait finalement tranché en sa faveur, il y avait de cela trois ans, dans une affaire qui avait divisé l'Amérique et qui à l'origine aurait pu conduire le boxeur derrière les barreaux, puisque les juges l'avaient condamné à cinq ans d'emprisonnement durant l'été mil neuf cent soixante-sept.

George Foreman, qui avait accédé au titre après avoir battu dès le 2ᵉ round un autre grand boxeur du nom de Joe Frazier (ce que personne n'avait jamais réussi à faire avant lui), avait fini par en avoir marre de se voir contester son statut de champion. N'avait-il pas un palmarès plus impressionnant que Mohamed Ali? Seulement âgé de vingt-cinq ans, il demeurait invaincu depuis ses débuts de boxeur professionnel, alors que l'ex-champion avait perdu deux fois. Contre Joe Frazier par décision unanime d'abord, ensuite par décision partagée – avait précisé Wabelo après avoir consulté un carnet jaune qu'il m'avait présenté comme *la bible de la boxe* –, contre un certain Ken Norton, qui lui aurait fracturé la mâchoire dans un combat que beaucoup avaient qualifié d'épique. Pour mettre fin à la controverse, l'invincible George avait accepté d'affronter son aîné de sept ans aussitôt qu'un promoteur se chargerait de l'affaire.

En fait, à en croire mon ami, l'homme à la *bible de la boxe*, toute cette histoire serait au premier plan celle de mecs qui n'ont rien à branler de leur santé au point d'exposer volontairement leur tête à une avalanche perpétuelle de coups d'une violence inouïe. Mais elle serait davantage celle d'autres mecs pleins aux as qui sont assez malins pour convaincre les premiers de se faire démolir la tronche jusqu'à la fin de leur vie si nécessaire, afin qu'eux-mêmes puissent gagner assez d'argent pour s'acheter des cigares cubains, jouer sans compter au casino et se payer des putes. Ils auraient pour paradis la ville américaine de Las Vegas, où ces étranges mécènes disputeraient la vedette à une pléthore de rois du vice, dont les comptes bancaires explosent pendant que leurs titulaires dorment du sommeil du juste. Parmi ces bienheureux, devait préciser Wabelo, d'anciens trafiquants de drogue promus, à force de patience et de travail au noir, d'abord tueurs à gages sans visage, puis maîtres chanteurs professionnels dans les affaires les plus juteuses, également les plus sordides qui puissent s'imaginer en terre d'Amérique.

Pendant son discours au stade, le colonel, comme à son habitude, avait parlé de lui-même à la troisième personne du singulier. Il avait annoncé que « le Guide de la révolution authentique zaïroise, Père de la doctrine de l'authenticité africaine, a décidé d'offrir à son peuple, à l'Afrique et à toute la famille noire de par le monde, le cadeau d'accueillir au cœur de l'Afrique le *combat du siècle*. Un combat comme il n'y en a jamais eu auparavant et comme il n'y en aura plus après; entre deux dignes fils du continent qu'un des plus graves crimes de l'histoire de l'humanité avait déracinés avant même leur venue au monde ». Il avait ajouté, sous un tonnerre d'applaudissements, que ce combat serait à la fois « l'expression tangible du pouvoir noir qui n'est ni poésie stérile ni jacassements interminables, une grande fierté pour l'homme noir et un grand honneur pour la révolution zaïroise de l'authenticité ». Et puisqu'il voulait faire de cet événement sportif d'envergure mondiale une grand-messe de cette même révolution, il avait demandé au ministre de la Culture d'organiser le prélude au combat avec le plus grand soin.

Il fallait présenter au monde une des multiples facettes de la richesse culturelle du grand Zaïre, à savoir la musique. C'est ainsi qu'outre quelques groupes folkloriques de l'arrière-pays triés sur le volet, il avait insisté pour que ses trois groupes préférés dans la capitale ouvrent le bal le soir du 25 septembre au Stade du 20-Mai, aux côtés des grands noms d'Amérique et des icônes de la chanson africaine, à l'image de la Sud-Africaine Miriam Makeba. L'un de ces heureux élus, que nos chroniqueurs de musique désignaient parfois sous l'expression *les Beatles du cœur de l'Afrique*, était Zaïko Langa-Langa.

Nous étions assis aux premières rangées, en face d'une fresque grandeur nature représentant trois couples exécutant une danse lascive sur une piste qui n'était autre que celle qui nous narguait à l'instant même. Au-dessus de la peinture aux couleurs vives et affriolantes, les maîtres des lieux avaient fait graver sur un magma de roche grisâtre contrastant avec le bleu qui recouvrait le haut du mur un message : « Nous ignorons ce que vous cherchez, mais nous savons que vous le trouverez dans la rumba. » Le *vous*, en ce jour inoubliable, englobait outre Batekol et moi-même, une vingtaine de jeunes venus se soumettre au test qui allait nous marquer toute notre vie durant, quelle qu'en soit l'issue.

Taraudés par l'angoisse, les visages graves, les candidats se succédaient aux toilettes comme s'ils allaient y retrouver un *nganga* à qui soutirer quelque talisman pour éblouir nos recruteurs. Avant de me joindre à cette étrange procession, je m'étais fait enregistrer auprès d'un type chauve aux lunettes noires qu'on nous avait présenté comme le coordonnateur de recrutement du groupe. Je ne savais pas que les groupes de musique avaient en leur sein des individus qui gagnaient leur vie en organisant le recrutement de nouveaux artistes potentiels. Je fis part de ma surprise à mon nouvel ami :

— Ils doivent avoir beaucoup d'argent s'ils ont jugé utile de recruter une personne pour une tâche dont ils devraient pouvoir s'acquitter eux-mêmes. Dans mon ancien groupe, c'est nous-mêmes qui nous en occupions et ça ne se passait pas si mal. Après tout, c'était nous qui savions mieux que quiconque ce dont nous avions besoin.

— Je ne voudrais pas te vexer, Modéro, mais tu ne sembles pas t'apercevoir que tu es dans un autre monde, ici.

— Je n'ai pas dit le contraire.

— Ton groupe, c'était un truc pour amuser la galerie. Une bande d'amis qui font la nouba sous un clair de lune avec un tam-tam qu'ils ont fabriqué eux-mêmes et du matos ramassé dans une décharge publique. Ici, c'est du solide, comme tu peux le constater. C'est Zaïko. Ça fonctionne comme une entreprise, ça nourrit des bouches par centaines.

Avant que je n'ouvre la mienne pour protester, il enchaînait :

— Et puis, ce type-là – pour ton info, son vrai nom c'est Michel Soro Diongo, mais tout le monde l'appelle

Mystère –, c'est pas un vrai chargé de recrutement. Et là, t'as un peu raison, parce que le vrai *boss* dans l'affaire, celui qui a le dernier mot, c'est le grand type en chemise à rayures qui nous tourne le dos.

— Joss ?

— Ouais. C'est Joss le *boss*. Personne n'entrerait dans Zaïko sans son aval. Même pas le fils de Marie.

— Attends, Batekol... Comment sais-tu qu'il y a dans cette foule un gars dont la mère s'appelle Marie ?

— C'est une expression, mec. Le fils de Dieu, si tu préfères. Enfin... Je me comprends. Laisse tomber.

— Et à quoi il sert alors, ce Mystère ?

— Que veux-tu savoir au juste ?

— Ben, tu disais tantôt que c'est Joss qui décidait.

— Mystère veille sur ce que les fans ne voient pas.

— Tu veux dire la vie privée des artistes ?

— La vie privée des artistes, tout le monde peut la voir, Modéro. Remarque, ils ne vivent pas sur la Lune, ces mecs-là.

— Je ne connais rien de la vie de ces types, moi.

— M'enfin, Modéro ! T'es con ou t'as oublié ton cerveau dans le taxi ? C'est tous des Kinois, ces mecs. Ils vivent dans nos quartiers, boivent la même eau que toi et moi ; tu peux même croiser leurs nanas au marché central ou dans les boutiques de Matonge. La seule chose qui fait d'eux des demi-dieux, c'est le nom Zaïko Langa-Langa !

— D'accord, mais inutile de t'énerver, Batekol. Je m'informe, c'est tout. C'est toi le Kinois.

— Je ne m'énerve jamais. Bon si, quand même, de temps en temps ; mais pour de bonnes raisons.

— Normal.

— Pour Mystère, je te dirai ce qu'il fait quand tu m'auras dit la vérité sur ton bracelet en fer. Je ne suis pas l'idiot de la ville, mec. Je sais que ton morceau de fer est une amulette qui recèle des pouvoirs ancestraux.

Il marqua une courte pause avant d'ajouter: «Tu as bien compris: des pouvoirs surnaturels qui pourraient bien m'intéresser, si je peux être franc avec toi.»

Je dus réprimer un sourire affligé. Je lui avais pourtant dit, quand il m'avait reposé la question dans le taxi, que c'était un souvenir reçu de mon grand-père qui n'avait rien à voir avec un pouvoir quelconque. En réalité, s'il devait en avoir un, je devais être le dernier à savoir lequel. Et je n'avais même pas mentionné les activités du vieux Zangamoyo. Décidément, la réputation de superstitieux que les Kinois s'étaient faite partout au pays n'était pas usurpée. Sans raison particulière, je décidai néanmoins de conforter mon ami dans sa curieuse intuition en prolongeant le mystère.

— Je pensais que les Kinois étaient vaccinés contre la curiosité, lançai-je ironiquement. Mais si tu y tiens absolument, je te dirai tout ce que tu veux savoir sur ce bracelet.

Cela me laissait surtout le temps d'imaginer les sornettes que j'allais lui balancer. Après tout, dans cette jungle où tout le monde sautait sur la moindre occasion pour entuber son prochain, je n'allais pas rester éternellement le dindon de la grande farce citadine. Le temps était peut-être venu de «se kinoiser», même sans effet rétroactif.

— Promis? me demanda-t-il, l'œil pétillant.
— Promis, mon frère. Après le test.

Cette fois, il ne me reprit pas pour l'usage de l'expression *mon frère*.

Il y avait un public nombreux dans le bar. Les musiciens du groupe occupaient le podium sur lequel étaient déployés les instruments. Je réussis à lire la marque, en gros caractères sur la grosse caisse rutilante : Yamaha. La marque japonaise ne référait donc pas qu'aux motocyclettes. Le patron de Zaïko s'était mis à expliquer qu'à l'occasion du grand rendez-vous planétaire voulu par le Guide, lui et ses amis voulaient marquer un grand coup, surprendre même ceux qui croyaient connaître Zaïko de A à Z, et pourquoi pas le Guide en personne ! Pour y arriver, il leur fallait, en plus de la créativité et du génie que nul ne pouvait leur contester sur les deux rives du fleuve, du sang neuf. Ils recherchaient la crème de la crème, des jeunes qui avaient de belles voix, qui savaient ce que danser voulait dire ; mais surtout, qui avaient autre chose à offrir en surplus. Et Joss, qu'on appelait le *boss*, précisait que ni lui ni personne parmi ses amis ne savait encore ce que c'était ; mais qu'ils le sauraient dès qu'un des candidats prouverait qu'il avait cette chose que personne ne parvenait à décrire avec des mots. Ils l'accueilleraient au sein de la famille Zaïko et lui offriraient le rare privilège de commencer sa carrière d'artiste sous le signe de la gagne, dans le même espace où George Foreman et Mohamed Ali allaient livrer le combat épique de leur vie.

— Comment le sens-tu ? ai-je demandé en chuchotant à Batekol.

— Très bien, répondit-il. Je crois que j'ai ma chance.

— Et moi, penses-tu que j'en ai une aussi ? risquai-je.

— Honnêtement, je ne sais pas, Modéro. Je ne te connais pas, alors il m'est impossible de parier. Enfin... on sexa fixés quand notre tour viendra.

Notre tour vint au bout de deux longues heures. Avant nous, onze personnes avaient tenté leur chance et seulement deux avaient été provisoirement retenues, car la séance du jour avait valeur de présélection. D'autres tests dits de validation allaient être organisés dans les jours à venir pour dénicher les cinq oiseaux rares recherchés par le groupe. La règle était assez simple : à l'appel de votre nom, vous montiez sur l'estrade et vous vous approchiez de l'instrument dont vous aviez besoin pour votre performance. Vous aviez ensuite le droit de choisir dans le répertoire du groupe le morceau sur lequel on vous noterait. À la fin de votre passage d'une durée maximale de dix minutes, les sept membres du groupe vous attribuaient chacun une note : A pour accepté, R pour refusé ou B pour bis. Cette dernière mention voulait dire qu'on vous donnait une deuxième chance, de cinq minutes cette fois. Celui qui avait recueilli le plus de A continuait le processus.

— *Dieu créa le monde...* lança pour la douzième fois de la soirée Mystère depuis son tabouret surélevé, à deux pas de l'entrée du bar, à la gauche du podium.
— *...et supplia Zaïko d'y mettre le feu !* répondit la foule, à l'unisson.
— *Et que fit donc la bande à Joss ?*
— *L'ordre divin elle outrepassa !*
— *Pour le meilleur ou pour le pire ?*
— *Qui recherche la vérité la trouvera dans la rumba !*
— J'appelle Batekol ! martela le pseudo-coordonnateur.

Je fis une tape à mon ami qui se dirigea au petit trot vers l'estrade. Comme il me l'avait soufflé quelques minutes auparavant, il avertit Joss qui officiait en maître de cérémonie, qu'il allait faire une reprise de la chanson *Cœurminator*. Le *boss* lui répondit par un clin d'œil que j'interprétai comme un « ce n'est pas moi qui vais t'empêcher d'aller dans le mur ! ».

Cette chanson du groupe, sortie deux ans plus tôt, avait connu un énorme succès à la grandeur du pays avant d'être interdite par une décision du Comité central du Parti, puis de nouveau autorisée sur l'intervention personnelle de Maman-Première, l'épouse du Guide en personne, grande admiratrice de Zaïko entre toutes, selon la rumeur.

Il s'agissait d'un pamphlet qui relatait l'histoire d'un homme de pouvoir qui profitait de son rang pour se taper les femmes d'autrui, en commençant par celles de ses proches collaborateurs. Ses ravages atteignirent des sommets tels que ses victimes finirent par se compter d'abord par dizaines, ensuite par centaines et enfin par milliers, sans que le fameux Cœurminator dénoncé ne renonce à son sport favori. Selon la chanson, certains des maris cocus prirent le chemin des plus grands féticheurs de Kin et de Brazza, les plus redoutables *nganga* qui puissent se trouver sur les deux rives du fleuve, dans l'espoir de lui jeter un sort qui ferait disparaître son engin indiscipliné. Mais à l'évidence, son « parasortilège » à lui était des plus puissants et la protection qu'il en tirait des plus inviolables. Même le talent jusqu'alors inégalé d'Awulu-Wala alias Moto na Ngenge, le grand féticheur qui avait plongé le Parti unique dans l'émoi après avoir réussi l'exploit de faire élire un bouc et une chèvre à la députation nationale, se révéla nul et sans effet. Les années succédaient aux années, tandis que sire Cœurminator étendait le champ de ses ravages, menant ses razzias sexuelles jusque dans les foyers de ses collègues de même rang, y compris ceux qui avaient joué un rôle dans sa fulgurante ascension. Il était devenu l'homme dont les désirs de la chair réduisaient la fidélité conjugale à sa plus simple expression. Il entrait dans un foyer par cette porte-ci, il en chassait la paix et la tranquillité par cette porte-là. De simple prédateur sexuel, il gagna du galon, monta en puissance de manière inexorable, accéda au rang de calamité urbaine. Il prêta son visage à l'immonde, son nom à l'ignoble. Tel l'Ange de la Destruction, son ombre planait sur la ville. Rien ne semblait cependant le convaincre de mettre un peu d'eau dans le vin de sa débordante libido ; même pas les chausse-trapes de la mémoire humaine dont la faillibilité lui joua à quelques reprises de vilains tours. Ainsi, il lui arriva de retourner sur les lieux de ses forfaits à la manière de l'assassin qui revient sur les lieux de ses crimes. Sauf que dans le cas de notre sire, ce ne fut pas pour y rechercher d'éventuels indices susceptibles de le trahir. Son intention était plutôt d'y rééditer ses exploits, de se prouver à lui-même que le meilleur était toujours devant lui. À chaque fois que cela arriva, il se fit dire qu'il n'y avait rien de plus rabaissant pour une femme que d'être l'objet des avances d'un homme à qui l'on avait déjà cédé, mais lequel, faute de se le rappeler, vous traitait comme une parfaite inconnue à conquérir. Le seul moyen qu'il trouva d'échapper à ce procès dont il n'avait cure, fut de passer des mères à leurs filles, se disant qu'il n'y avait aucune raison d'épargner l'œuf après qu'on avait fait main basse sur la mère poule :

Alobi kolya soso, kolya maki
(Si tu manges la poule, mange aussi l'œuf, tel est son credo)
Abakisi mwana moninga mawa té
(Point de pitié pour celle qui n'est pas sortie du ventre
de ta mère, a-t-il encore argué)
Abosani ète balya ngando basépéla
(Oubliant que si le plaisir de celui qui déguste la viande
du caïman est sans égal)
Kasi mokolo ngando alyaka moto
(Le jour où le caïman fait sa fête à son chasseur)
Milélo na milélo suka té
(Ce sont des rivières de larmes humaines à n'en pas finir)
Ngando oyo akolya yé azali liboso
(Le caïman qui lui fera sa fête l'attend au tournant)

Finalement, afin que la loi voulant que tout se paie
ici-bas continue à faire peser l'épée de la vengeance sur
les têtes des crapules qui utilisent leur sexe à la place du
cerveau que le Bon Dieu a oublié de leur donner, notre
Cœurminator national finit par rencontrer son justicier. Au
prochain tournant, son propre patron le cocufia à son tour
et engrossa son épouse. Toutes les tentatives de camoufler
ce retour du bâton échouèrent lorsque naquirent les triplés
qui, en grandissant, finirent par ressembler à s'y méprendre
à leur père biologique. Le désormais ex-maître tombeur
perdit travail, collègues et amis, ainsi que les miettes de
dignité qui lui étaient restées. Il sombra dans l'alcool
avant d'être retrouvé pendu sous un pont, nu comme un
ver. Quelqu'un eut l'idée de lui commander chez le meilleur menuisier de la ville un cercueil de toute beauté en
forme de phallus. Il fut enterré un jour de grande averse
avec pour seuls derniers témoins Chaste-Père, un ancien

proxénète dégénéré reconverti en pasteur, et Noire-Sœur, une nonne défroquée qui gagnait sa vie en donnant des cours sur la façon d'amener une femme au septième ciel sans faire escale au Paradis.

Ainsi se terminait la chanson dont la morale parviendrait peut-être un jour aux oreilles de mon oncle Kataguruma qui se tapait la femme de Wabelo en catimini, tout en se vantant matin, midi et soir d'être un fervent catholique, et en allant communier à la messe du dimanche toutes les semaines que Dieu créait.

«Trois A contre deux B et deux R!» annonça Mystère au micro. «Le candidat est accepté pour la phase 2 de la sélection. Applaudissez Batekol, que nous appellerons désormais Afrodijazz!»

Le public applaudit. Trois coups de sifflet agressèrent les tympans. Quelqu'un fit rouler le tambour. Un autre fit grincer la grosse caisse par une suite de crépitements d'intensité variable. J'avais trouvé la performance de mon ami plutôt moyenne. J'aurais parié que le trac l'avait empêché d'être au meilleur de sa forme – à en juger par le peu que j'avais pu entendre de lui devant le Memling –, mais l'essentiel avait été fait. Il avait gagné son pari et c'est tout ce qui comptait. Quand il revint au fond de la salle, je le félicitai chaleureusement. Les yeux pétillants de bonheur, il flottait sur un petit nuage, l'air de ne pas assimiler ce qui venait de se passer.

— C'est dingue! C'est malade! C'est… J'sais pas.
— Ouais. C'est dingue.
— Quelle date aujourd'hui?

— Nous sommes le vendredi... 13 juillet.

— Mon aïeul Batekol Bafum, le patriarche, nous a quittés un vendredi 13, il y a treize ans de cela, jour pour jour.

— Un signe. C'est un signe, mon frère.

Une larme coulait sur sa joue. Il l'essuya de son index, esquissa un sourire et essaya de se redonner une contenance.

— Ouais. C'est dingue.

— J'espère que tu vas y arriver aussi, Modéro.

— Croisons les doigts.

— Tu as dit que tu voulais être noté sur *Ce qui fait pleurer les hommes*; mais je te dis pour la troisième fois que c'est un morceau pas facile.

— Je sais... Je sais.

— Je ne t'ai jamais entendu chanter, mais avec celle-là, tu as intérêt à être au point, mec. Parce que le refrain, c'est quelque chose, surtout en solo. Moi je t'aurais conseillé autre chose si je connaissais ton registre, mais ce n'est pas le cas.

— Autre chose comme quoi? demandai-je, soudain assailli par le doute.

— Euh... je ne sais pas, moi; un air plus simple, quoi!

— Comme...?

— T'as un timbre de voix plutôt grave. Un morceau comme *Chaude, chaude ma belle-mère* ou même *N'usez pas votre femme; prenez celle d'à côté* devrait mieux passer, je pense. Mais là, je m'avance. Enfin, ce n'est peut-être plus le moment de changer.

— Tu aurais dû me le suggérer...

Je n'avais pas eu le temps de finir ma phrase. On venait de m'inviter à monter sur le podium. Batekol me gratifia à son tour d'une petite claque dans le dos et me souhaita bonne chance. Je sautai sur l'estrade. Je m'apprêtais à saisir le micro qui correspondait à ma taille pour annoncer mon choix lorsque je vis Mystère retirer ses lunettes, jeter ses documents à terre et foncer sur moi comme un instituteur qui s'en va infliger une correction à un élève pris en flagrant délit de tricherie. Je reculai d'un pas au moment où nos deux têtes allaient se heurter.

— Pas vous, petit! me lança-t-il, en m'écartant du micro. Pas vous. Vous pouvez regagner votre place.
— Que se passe-t-il? demanda Joss qui réglait le son à l'autre bout.
— Rien, *boss*, lui répondit Mystère d'un ton sec. Nous allons passer au suivant.
— Eh bien, qu'il nous montre ce qu'il a dans le ventre.
— Non. Pas lui.
— Voyons… Tu m'expliques, au moins?

L'homme avait l'air très bizarre. Son regard assombri révélait un mélange d'extrême anxiété, de méfiance et de colère refoulée. Je me mis à l'observer et je notai un détail : il portait, au bras gauche, un bracelet en tous points semblable au mien. Une énorme bague dorée était également accrochée à son majeur droit, tandis que la même main droite était amputée du petit doigt. Comme il portait des sandales qui laissaient entrevoir ses pieds, je n'eus aucun mal à m'apercevoir qu'il lui manquait également le petit orteil du pied droit. Lorsqu'il s'exprimait, ses yeux qui ressemblaient à deux énormes piments rouges avaient l'air de vouloir tomber de leurs orbites. Ce n'était pas le genre d'individu avec qui on pouvait partager le dernier taxi du bout de la nuit et dormir à poings fermés le long du trajet. Il en imposait par sa grande taille, mais c'était surtout son regard perçant qui me désarçonnait, tant il semblait fouiller au fond de moi comme un faisceau de lumière dans les entrailles de la nuit.

Il s'approcha de Joss et lui murmura quelques mots dans le creux de l'oreille. Le chanteur fronça les sourcils, me dévisagea par-dessus l'épaule, puis lui posa une question à voix très basse, sans que je ne réussisse à lire sur ses lèvres. Mystère se pencha de nouveau et parla longuement en se couvrant la bouche de sa main gauche, lui arrachant des acquiescements au fur et à mesure des explications qu'il lui fournissait. J'aurais donné mon âme pour entendre cet étrange dialogue qui me laissait planté au beau milieu de l'estrade comme un idiot.

Quelqu'un cria du fond de la salle :
— *N'usez pas votre femme* ! Chante-nous *N'usez pas votre femme*, mon gars !
Une voix féminine répliqua :
— N'écoute pas ce timbré qui ne doit pas avoir appris à respecter sa propre mère. Chante ce que ton cœur te commande, mon frère.
— Toi, Feu-au-cul, t'es en manque, c'est ça ? rappliqua le type qui s'était levé, dominant le public de sa taille. T'es pas sans le savoir : *c'est en s'aventurant sur le terrain glissant de la provocation que mère chienne s'est fait peloter par son petit dernier.* Surtout n'arrête pas de me chercher ; si ça ne finit pas dans un *soukouss-cochon* ce soir même, entre toi et moi, c'est que je ne m'appelle pas Turbo King. *N'usez pas votre femme* !

Les deux hommes qui s'étaient légèrement écartés de moi pour leur conciliabule, revinrent sur leurs pas.

— Vous m'aviez enregistré, balbutiai-je en m'adressant à Mystère.

— Ouais. Je suis donc le mieux placé pour décider que tout ce qui vous reste à faire, c'est de regagner votre place.

— Mais…

— Allez, on n'a pas de temps à perdre, mon ami. Circulez !

— Tant pis. Passe au suivant, déclara Joss à l'adresse de son collaborateur.

Il avança, me prit par la main et me fit descendre de l'estrade. J'étais partagé entre l'émotion d'avoir ma main dans celle de ce grand artiste qui m'avait tant fait rêver, l'idole de ma jeunesse à Banza, et l'incompréhension la plus complète vis-à-vis de ce brusque retournement de situation.

Joss marcha avec moi jusqu'au banc où m'attendait Batekol, attirant sur nous les regards interrogateurs de l'assistance. Des murmures montaient dans le bar.

— Vous ne devez pas en faire un drame, mon ami, commença-t-il en s'asseyant à mes côtés. Vous n'y êtes peut-être pour rien.

— Je ne comprends rien, *boss*, fis-je.

— Il n'est pas nécessaire de comprendre. Sachez simplement que même si vous étiez la personne la plus talentueuse dans cette enceinte, j'aurais été obligé de vous fermer la porte de Zaïko.

Il marqua une pause, se gratta la tempe du revers de la main, puis ajouta du bout des lèvres :

— Mystère a capté l'énergie que vous dégagez, voyez-vous? La force vitale qui est en vous.

— La force vitale qui est en moi?

— Oui. Elle n'est pas en harmonie avec l'esprit qui fait vibrer Zaïko Langa-Langa. Mais je vous souhaite bonne chance, mon ami. Votre place vous attend ailleurs, j'en suis certain.

— Je…

— On vous l'aura appris, n'est-ce pas? Pour les chrétiens, il y a Jérusalem. Pour les musulmans, il y a La Mecque. Pour ceux qui ont reçu de Dieu la clé de *sol*, il y a Kin la belle.

— J'ai entendu cela, *boss*.

— Eh bien, en ville, à chaque coin de rue, la rumba se cherche de nouveaux princes. Alors croyez-moi, vous ne perdez rien ce soir.

Sur ces mots, il regagna la scène où un autre candidat venait de se saisir du micro et d'annoncer le morceau que j'avais voulu exécuter.

— Non, pas celle-là, vociféra le grand type au fond de la salle. C'est *N'usez pas votre femme; prenez celle d'à côté* qu'on veut! C'est nous les fans. On a notre mot à dire ou est-ce qu'on est là à applaudir n'importe quoi comme des mômes à la maternelle? Même qu'aux répèt' du Tout Puissant O.K. Jazz, c'est les fans qui commandent!

— Tu t'es gouré, Turbo King de mon cul! lui lança celui qui devait être le batteur du groupe. Les répèt' d'O.K. Jazz, c'est chez *Voir Kin et Mourir*, à dix minutes de marche d'ici. Nous sommes à *La Rumba Casa* et la loi, entre ces quatre murs, c'est Zaïko Langa-Langa qui la fait. Que ça te plaise ou non!

— Au fait, petit morveux à qui personne n'a appris comment s'adresser à une femme, c'est par là, la sortie! enchaîna aussitôt Mystère qui avait regagné son poste d'observation, droit comme un I, aussi imperturbable qu'un arbitre de football après une décision controversée. Tu commences à me taper sur les nerfs et ça ne présage rien de bon; j'aime autant te le dire.

Batekol me dévisageait d'un air indéfinissable, entre la compassion et la curiosité.

— Il est temps de se mettre à table, mon gars, finit-il par articuler. Il y a trop d'oreilles indiscrètes par ici. Viens avec moi dehors. Je pense qu'on a des choses à se raconter.

3

LA PETITE SÉANCE D'EXPLICATIONS EUT LIEU sur le trottoir, à deux cents mètres de l'entrée de *La Rumba Casa*. Probablement en raison de l'état d'abattement dans lequel je me trouvais, mon ami accepta d'inverser l'ordre des confidences et me parla de ce Michel Soro Diongo alias Mystère. Son vrai rôle au sein du groupe, m'expliqua-t-il, était de mettre tout en œuvre pour que Zaïko vole de succès en succès, qu'aucun groupe rival ni à Kin la belle ni à Brazza la verte ne lui vole la vedette, ne draine plus de foules, ne vende plus de disques que lui.

Il était le Monsieur Messes-Noires, une sorte de super délégué aux Affaires ésotériques. Selon la rumeur, lorsque le groupe s'apprêtait à sortir un nouveau disque, Mystère apportait la maquette chez un féticheur connu de lui seul et revenait avec les instructions de ce dernier. En général, le féticheur lui demandait de convoquer tous les membres du groupe dans un cimetière de la ville pour une cérémonie sacrée au cours de laquelle, toujours selon Radio-Trottoir, ils déterraient un macchabée récemment enseveli et lui coupaient le pouce droit. Ensuite, ils mélangeaient ce morceau de viande humaine avec des légumes que le féticheur avait confiés au super délégué et ils se repaissaient de ce plat d'origine mystique avant de retourner vaquer à leurs occupations. Lorsque le disque sortait enfin sur le marché, il faisait un malheur tel que même les morts, racontait-on, n'avaient qu'une envie : revenir dans la ville danser sur la musique de Zaïko. D'où le fameux slogan connu de tous les Kinois : *Zaïko eyi nkisi, eyi magie* (Zaïko a trouvé mieux que la sorcellerie ; Zaïko est la magie en action).

— Mais c'est du grand n'importe quoi, cette histoire ! criai-je. Ne me dis pas que tu crois ce tissu d'inepties à la noix, Batekol !

— Écoute, mec. Si c'est pour ne pas avoir à me confier le secret du bracelet de ton grand-père que tu parles sur ce ton, ça ne vaut pas la peine. Tu voulais savoir qui est Mystère et je viens de te le dire. Ce tissu d'inepties à la noix comme tu l'appelles, tous les fans de Zaïko le connaissent.

— Eh bien, si tous les fans de Zaïko sont aussi frappés, ce ne sera pas à moi d'y remédier, c'est clair !

— Attends, mec. Au fond de toi, tu sais *très bien* que ce que je viens de te dire est la vérité. Tu n'es pas assez naïf pour croire que tout le succès qu'ils ont en six ans seulement d'existence, ils le doivent à leur seul talent ?

— Ils le doivent à Mystère et à ses festins chez les croque-morts ?

— Et à qui d'autre, d'après toi ? Sais-tu combien de groupes il y a à Kin, mec ? Sais-tu combien il s'en crée toutes les semaines et combien disparaissent sans que personne ne se souvienne de leur nom, excepté les parents du pauvre initiateur qui croyaient que le gosse allait devenir un autre Bob Marley ?

— C'est bon, j'ai compris, Batekol. J'ai compris.

— Tu as compris ? Eh bien moi, ce que j'aimerais maintenant comprendre, c'est pourquoi douze gars montent sur le podium avant toi, passent leur test sans problème et dès que tu te pointes, Mystère te remballe comme un malpropre.

— Ah ça, j'aurais bien aimé qu'il me l'explique, figure-toi.

— Eh! m'interrompit-il. Arrête de jouer à ce petit jeu. J'ai entendu ce que Joss t'a dit sur le banc. O. K.?

— Oui…?

— Il a parlé de ton énergie. «Ton énergie n'est pas en harmonie avec l'esprit qui fait vibrer Zaïko»: c'est ça qu'il a dit. Et c'est pour cela que Mystère t'a remballé. Ça s'appelle le flair, mec. Le flair!

C'était couru d'avance, rien ne calmerait l'obsession de mon ami de vouloir à tout prix déceler le prétendu secret de mon bracelet. J'ai essayé de me souvenir de la visite que j'avais rendue à mon grand-père avant mon départ de Banza. Il y avait eu son rituel dont je n'avais pas compris grand-chose, sinon que c'était sa façon à lui de s'acquitter d'une obligation coutumière avant mon départ pour la capitale. Lorsqu'il m'avait confié le bracelet en fer, les seules paroles qu'il avait prononcées s'étaient résumées en une injonction de ne jamais m'en défaire, peu importent les circonstances. Je n'avais pas jugé utile de lui demander ce qu'il représentait et encore moins s'il recelait quelque pouvoir. À dire vrai, sur le moment, cela m'indifférait complètement. Il devait se sentir une obligation morale de s'assurer que mon voyage et par la suite mon séjour dans la grande ville se déroulassent dans de bonnes conditions. Pour autant, ce qu'il avait à poser comme actes à mon égard en vertu de ses pouvoirs supposés de sorcier ou de féticheur n'engageait que lui. Mais si ce qui se racontait à son sujet était vrai, ne serait-ce qu'en partie, alors peut-être que je trimballais bel et bien un objet porteur de pouvoirs occultes ? Peut-être que ce Michel Soro Diongo était effectivement un homme qui allait dans l'autre monde communiquer avec les esprits des morts ? Qui sait si ces derniers ne lui soufflaient pas à l'oreille que tel quidam qui s'approchait de ses poulains constituait soit une force, soit une menace à écarter sans autre forme de procès ? D'ailleurs, comme le relevait Batekol, pourquoi avais-je été le seul éconduit sans avoir même eu l'occasion de souffler dans le micro ?

Je n'avais aucune réponse à toutes ces questions, mais il m'avait vite semblé que ce n'était pas le genre d'aveu que mon nouvel ami était disposé à entendre. J'avais de plus en plus la conviction qu'une menterie à ce sujet me procurerait au moins deux avantages immédiats vis-à-vis de Batekol. Le premier, c'est qu'elle cimenterait notre nouvelle amitié le temps que durerait sa duplicité. Le deuxième, c'est que si je m'y prenais suffisamment bien, elle me ferait disposer d'une carte qui pourrait s'avérer utile dans les arcanes complexes de la vie kinoise où, m'avait-on répété sans cesse, seuls les plus inventifs dans l'art de la survie tiraient leur épingle du jeu. Bien entendu, je comprenais aussi que le revers de la médaille pouvait se révéler inversement néfaste : je perdrais un ami potentiel et mon charlatanisme pourrait avoir des répercussions bien pires que tout ce que j'avais vécu jusque-là.

Après avoir pris ma décision, j'ai livré à Batekol une histoire où mensonges et vérités s'entremêlaient, de telle sorte que je serais incapable de la répéter sans en altérer la version et passer pour un affabulateur de classe mondiale. Je lui ai dit que mon grand-père était un grand féticheur, probablement le plus grand de tout le Zaïre ; qu'il avait des pouvoirs que nul ne pouvait imaginer, notamment celui de traverser un mur de feu sans se brûler le moindrement. J'ai confessé que je l'avais vu de mes propres yeux ordonner à un chasseur de mon village de lui tirer dessus avec des balles réelles, en visant la tête, avant que le plomb ne se change en goutte d'eau au contact de son front. Puisque l'événement était connu dans tout le pays et que les parents de Batekol avaient leurs origines dans le Kwilu, j'ai ajouté que lorsqu'il y a deux ans de cela le Guide avait envoyé trois bataillons spéciaux dans ma contrée pour sévir en représailles au complot dont s'était prétendument rendu coupable un ex-officier kwilois, mon grand-père avait usé de ses pouvoirs surnaturels pour que notre village soit épargné.

L'avant-veille de l'arrivée des militaires, il avait instruit chaque père de famille de Banza de faire porter aux personnes de sexe féminin de la maisonnée un morceau de tissu de couleur rouge, d'environ deux centimètres d'épaisseur, bien attaché à la cheville gauche. Il leur avait aussi enjoint de dire à tous les mâles sous leur autorité de ne pas avoir de rapports intimes dans les quarante-huit heures qui devaient suivre. Ces instructions avaient été suivies à la lettre. Lorsque les véhicules de l'armée ne se trouvèrent plus qu'à dix kilomètres du village, du monticule où ils auraient dû apercevoir Banza, les hommes en uniforme ne virent en contrebas qu'un immense lac qui ne figurait pourtant sur aucune des cartes que leur état-major leur avait fournies au moment du départ de Kinshasa. Ils contournèrent alors le lac sur d'interminables kilomètres, roulèrent trois jours et trois nuits supplémentaires avant de se retrouver dans le village voisin pourtant distant de seulement huit kilomètres. Lorsqu'ils reprirent le chemin de Kinshasa, ils avaient laissé derrière eux un champ de désolation au cœur duquel Banza flottait, impérial, comme un pied de nez à la colère du Guide. Et aucun des membres de l'expédition ne se douta jamais qu'ils avaient été l'objet d'un enfumage d'origine mystique.

Batekol avait écouté mon récit avec une attention qui n'aurait pas été plus soutenue si je m'étais employé à lui indiquer le chemin à suivre au cœur de la jungle pour éviter les dangers de toutes sortes et retrouver un trésor.

— J'ai entendu parler de ce village qui disparaît et réapparaît au gré des circonstances, dit-il au bout d'un silence. Mais je pensais que c'était une légende.

— Si j'étais à ta place, je penserais la même chose, figure-toi.

— Tu n'y croirais pas ?

— Je n'ai jamais cru que le succès de Zaïko avait une origine autre que le talent, jusqu'à ce que tu me convainques du contraire, répondis-je. En règle générale, je ne crois que ce dont j'ai la preuve ou l'intime conviction.

— Ah ça, je le maintiens absolument, répliqua-t-il, comme s'il trouvait en ma remarque une tentative inacceptable de mettre sa parole en doute. Tu éloignes Mystère de ces gens-là et il n'y a plus de Zaïko. C'est aussi simple que ça.

— L'histoire de ce Mystère ressemble à une légende urbaine ; mais puisque tu as la ferme conviction que…

— Je le répète, mec : tu éloignes Mystère de ce groupe, il n'y a plus de Zaïko. C'est aussi vrai que le jour doit sa clarté au Soleil.

— Eh bien, je ne sais pas pour Zaïko, mais sans mon grand-père, notre village aurait subi le même sort que les douze autres qui n'ont pas fini de pleurer leurs morts.

Il a croisé ses bras sur sa poitrine, m'a dévisagé quelques minutes, puis a voulu en savoir un peu plus sur ce dernier événement. Du moins, c'est l'impression qu'il m'a donnée dans un premier temps :

— Il y a eu beaucoup de morts ?
— Oui. Près de trois cents, sans compter les disparus. Les gens en ont encore gros sur le cœur là-bas.
— C'est triste, tout ça, a-t-il commenté, l'air de vouloir solder toute sa compassion dans cette phrase qui le dispenserait de s'engager sur un terrain miné.

J'ai néanmoins poursuivi :

— On les a fait payer pour un crime qu'ils n'ont pas commis. Aujourd'hui, tout le monde sait que le complot imputé à l'ex-colonel n'était qu'une fable. Alors chez moi, les gens en ont gros sur le cœur. Ce n'est pas demain qu'ils vont oublier ce qui s'est passé.
— Que veux-tu dire par là ?
— Ils détestent le Guide. Ils pisseraient sur son cadavre avant de le découper en menus morceaux s'ils le pouvaient.
— Vas-tu enfin me dire, mec, où il traîne, ton cerveau, quand tu en as bougrement besoin ? Dans la case de ton grand-père ? M'enfin, où te crois-tu, hein ?
— Je te jure qu'il n'y a pas un seul endroit dans ce pays où le Guide est aussi détesté que chez moi. Et un jour ou l'autre, il se passera quelque chose dans ce coin-là. Les gens, là-bas, n'ont peur de rien. Et ils savent que les esprits de leurs ancêtres veillent sur eux.
— Tu vas arrêter de parler contre le Guide, oui ? On est en pleine rue, à Kinshasa, au cas où ça ne te sauterait pas aux yeux. Tu m'entends quand je te parle ou merde ?

— Oui, je sais qu'ici tout le monde a peur de causer politique. Même le père se méfie de son propre fils. Je ne sais pas comment vous en êtes arrivés là.

Je repensais à l'histoire que m'avait rapportée oncle Kataguruma, celle d'un petit garçon qui avait voulu se venger de son beau-père dont la fâcheuse habitude de le bastonner jusqu'au sang avait fini par dépasser les bornes. Un jour que des gendarmes sillonnaient son quartier, l'enfant de huit ans à peine avait décidé de balancer son agresseur sans en mesurer les conséquences. Agissant sur le conseil d'un garçon plus âgé que lui, il avait approché les hommes en uniforme pour leur dire que son beau-père avait affirmé le matin même en avoir marre de vivre, que sa femme et ses enfants avaient réussi à changer sa vie en cauchemar et que seule la haine qu'il éprouvait contre la personne du Guide, telle une forme de respiration artificielle, l'accrochait encore à un monde de misère auquel son être entier voulait échapper. Le bonhomme avait ajouté qu'il l'avait entendu utiliser l'expression « Enculeur de la révolution » pour désigner le Père de la nation, puis déclarer qu'il rêvait chaque nuit au jour où il boucherait ce maudit trou noir dans le cul du pays en y logeant un morceau de plomb, ce qui lui permettrait alors d'aller côtoyer, dans les manuels d'histoire écrits dans toutes les langues du monde, l'indomptable Patrice Émery Lumumba.

Or l'homme exerçait le métier de soldat. Pour aller cueillir l'imprécateur familial dans sa petite maison au sud de la ville, les autorités avaient envoyé cinq hélicoptères, dix véhicules blindés et autant de chars d'assaut. L'homme fut conduit au Palais présidentiel où, à en croire la rumeur, rien ne fut ménagé pour insuffler dans son corps cet appétit des choses de la vie qui s'en était échappé sous la tyrannie que lui infligeaient les siens. Pour lui, les petits plats furent placés dans les grands. Il goûta au meilleur champagne qu'un président français ait jamais offert à un dirigeant africain depuis le général de Gaulle ; au meilleur caviar que les travailleurs prolétaires soviétiques aient jamais produit depuis la mort de leur camarade Lénine, et à plein d'autres saveurs venues des confins du monde dont il ignorait jusqu'à l'existence. Après cette orgie supervisée par le très redouté capitaine Bokoliana Kala-Te, aide de camp du Guide, l'invité de marque fut lui-même offert en guise de déjeuner à la petite colonie des crocodiles du fleuve qui remontaient les courants en face du Palais. Sous un air de Mozart selon les uns, de Miriam Makeba selon les autres.

— Tu devrais la fermer, que je te dis ! T'es complètement cinglé.

— Tu crois ? ai-je répondu en rigolant. On se fait tous dire qu'on verserait jusqu'à la dernière goutte de notre sang pour le Guide de la révolution. Mais tu essaies de me faire comprendre qu'on ne peut même pas prononcer son nom dans la rue sans craindre pour sa vie. Il y a quelque chose qui ne tourne pas rond là-dedans...

— Écoute, m'interrompit-il. Si tu veux finir en prison, libre à toi d'y aller seul. Moi, j'ai ma carrière qui commence à peine.

— Je sais, je sais. Excuse-moi. J'ai dû céder à la passion sur un sujet qui, chez moi, ravive des souvenirs douloureux.

— Ça, je l'ai remarqué. Mais la politique et moi, j'en suis désolé, ça fait deux. Et puis le Guide, je crois que tout irait bien si on lui foutait un peu la paix après tout ce qu'il fait pour redonner un peu de dignité à l'homme noir. Remarque que je ne dis pas ça parce que ma cousine est la femme d'un de ses hommes de confiance.

— Tu ne m'avais pas dit ça, petit cachottier, lançai-je, partagé entre la surprise et une certaine jalousie qui n'avait pourtant pas lieu d'être.

— Et toi, tu ne m'as pas encore révélé les pouvoirs qui se cachent derrière ce bracelet que ton grand-père t'a refilé.

Il m'avait saisi par le bras et tiré vers lui au moment où deux types arrivaient sur nous. Le passage était assez étroit à cause d'un nid-de-poule qui avait mangé les deux tiers du trottoir, aussi mon ami me plaqua-t-il contre son ventre pour leur laisser le champ libre. Le premier, un quadragénaire en tenue civile coiffé de la casquette des membres de la police politique du Parti, nous dépassa de quelques pas. Il avait la tête plongée dans un papier qui devait être une édition du quotidien officiel. Le second s'était arrêté pour allumer une cigarette avant de se rendre compte qu'il lui manquait du feu. Lui était engoncé dans son uniforme de couleur grise, mais ne portait pas de couvre-chef.

Le soleil se levait, puis se couchait. Le fleuve, grave et majestueux dans sa fureur tranquille, suivait son cours. Le cordonnier réparait les chaussures. La sage-femme aidait à donner la vie. Eux faisaient ce pourquoi le Bon Dieu les a envoyés au cœur de l'Afrique: aider le Guide de la révolution à y installer l'enfer. Leur nom officiel était les Gardiens du Peuple – «les G.P.» –, mais par un glissement qui devait sans doute tenir de leur sinistre réputation, tout le monde les appelait «les Guêpes de la Révolution». Leur mission était de traquer ceux qui critiquaient le régime et de les envoyer se faire nettoyer l'âme dans l'une des multiples prisons secrètes qu'ils tenaient dans la ville. Ils étaient à la torture ce que le Onze national du Brésil était au football: des surdoués dans l'art de broyer des vies humaines.

Mon sang ne fit qu'un tour. *Pourvu qu'ils n'aient rien entendu de notre échange*, priai-je en silence. Le deuxième, le plus jeune, se tourna vers Batekol :

— Tu me passes le feu, camarade ?
— Désolé, monsieur l'agent, je ne fume pas.
— Plutôt sage.

La question suivante me fut adressée :

— Toi, tu dois bien t'en griller une de temps en temps, je parie.
— Non, fis-je.
— Non, qui ? tonna son collègue qui avait fait demi-tour. Non, qui ? T'as pas entendu comment ton ami a répondu ?
— Je n'ai pas de feu et je n'ai jamais fumé de ma vie, monsieur l'agent, rectifiai-je du bout des lèvres.
— C'est ça ! Tu nous détestes, hein, petit paysan ? T'aimes pas cet uniforme ou je me trompe ?
— J'aime votre uniforme, balbutiai-je. Je ne vous déteste pas du tout.
— « Je ne vous déteste pas du tout, monsieur l'agent » qu'on dit, espèce de cancre ! aboya-t-il. Tu joues les durs avec ton accent de broussard, c'est ça ?
— Pardonnez-lui, monsieur l'agent, intervint Batekol qui devait savoir mieux que moi à qui nous avions affaire.
— Et pourquoi je pardonnerais une telle impertinence ? répliqua le plus âgé.
— En échange de quoi ? renchérit le plus jeune.

J'avais compris dès le début que le but de ce numéro d'intimidation était de nous soutirer de l'argent. En plus d'être détestées par les Zaïrois, les Guêpes étaient sous-payées, encore moins bien traitées que les membres de la gendarmerie nationale. Toutes choses qui avaient fini par faire de ce corps un véritable cancer dans les poumons de notre révolution de l'authenticité si chère au Guide.

Pendant que nous parvenait de *La Rumba Casa* l'appel de Mystère invitant ceux qui avaient reçu la note A à se diriger vers le bureau du président du groupe pour y recevoir des instructions, Batekol s'empressa de vider ses poches pour recueillir ce que lui avait rapporté sa journée au centre-ville. Il glissa tous les billets et les pièces dans la casquette que lui tendait l'un des agents. Cela faisait une somme assez importante qui aurait dû suffire largement à nous acheter la paix. Mais nos deux hommes devaient avoir un appétit plus vorace que je ne l'aurais jamais parié. Le plus âgé, qui paraissait aussi le plus méchant, se tourna vers moi :

— Et toi, le villageois, tu attends que le ciel te tombe sur la tête avant de t'exécuter ; c'est ça ?

Je plongeai la main dans ma poche et lui remis deux billets. Il ne me restait plus que l'argent que je trimballais dans ma sacoche pour éviter les mauvaises surprises que j'avais endurées naguère chez mon oncle. Autrement dit, toutes mes économies depuis mon arrivée à Kin. L'agent remit mes billets à son collègue et pointa du doigt ma sacoche.

— Il y a quoi, là-dedans ?
— Rien, répondis-je.
— « Rien, monsieur l'agent » qu'on dit, bâtard !

Il m'envoya valdinguer d'une gifle qui fit tinter dans ma tête tous les gongs de la ville. Si cette violence avait pour but de me rendre docile, l'effet contraire se produisit. Je sentis monter en moi une rage telle que je décidai de ne plus me laisser faire, quoi qu'il m'en coûterait. Je l'avais appris au cours de ma douloureuse immersion : de quelque catégorie qu'il soit, le Kinois procédait toujours de la même manière à l'égard de ses victimes potentielles. Il testait d'abord les limites de l'adversaire et puis jaugeait le rapport de force avant de décider de franchir ou non la ligne rouge. Tout signe de faiblesse était interprété comme un appel à plus d'agressivité que la victime finissait immanquablement par regretter.

Batekol suppliait celui qui venait de me frapper de ne pas brutaliser « mon frère ». En vain il écumait ses poches dans l'espoir d'y repêcher une pièce qui se serait cachée sous un pli. Malgré la douleur et le tournis que m'avait causés la cinglante gifle, je saluai intérieurement la fidélité de ce garçon qui me connaissait depuis quelques heures à peine, ce qui ne l'empêchait pas de mettre en jeu sa place dans Zaïko pour tenter de me sortir du pétrin.

— Ouvrez-moi cette sacoche ! ordonna l'agent qui ne portait pas d'uniforme.
— Ouvrez-la vous-même si vous osez ! lui criai-je en le fixant droit dans les yeux.

Mon regard défila ensuite de mon agresseur à son complice pour se poser enfin sur Batekol. Mon ami avait les yeux et la bouche en triple O comme s'il venait de voir un éléphant rose sortir du salon de coiffure situé en face de nous. Jamais il ne m'aurait cru capable d'une telle audace. Moi-même non plus, à vrai dire. Mais il y a de ces moments où, contre l'injustice la plus ignoble, il n'y a que l'audace pour vous sauver. Ou vous noyer définitivement. *Quel motif l'arbre déjà asséché par la rage de la foudre aurait-il de trembler devant l'imminence de l'orage[6] ?* Des vertes et des pas mûres, Kin la belle m'en avait servies à la pelle. Cette fois, j'avais choisi de lancer mes dés.

---

6 - Proverbe congolais.

4

— À QUI OSEZ-VOUS PARLER AINSI ? vitupéra l'agent en m'arrachant la sacoche des mains.

— Ouvrez donc cette sacoche et vous le regretterez toute votre vie ! lui lançai-je.

Il s'arrêta net et me fixa.

— Je regretterais quoi, espèce de villageois ?

— Vous regretterez de n'être pas né au village pour apprendre à respecter les choses sacrées.

Une lueur d'hésitation apparut dans ses yeux. Il jeta un regard vers son collègue occupé à compter l'argent.

— As-tu entendu ça, Hiroshima ?

— Laisse tomber, Bulldozer, lui répondit le nommé Hiroshima.

— Comment ça, que je laisse tomber ? Il me menace, là. Il essaie d'intimider Bulldozer. Personne n'a jamais osé intimider Bulldozer. Personne. Tu peux en témoigner !

— Je te dis de laisser tomber, mon gars. Ces tarés du village sont parfois bizarres. Ça vaut pas la peine.

Ma menace venait de faire lézarder le mur de l'assurance de mes bourreaux, je n'allais pas m'arrêter en si bon chemin. Batekol avait très bien compris où je voulais en venir. Il me tendit une perche que j'allais aussitôt saisir des deux mains :

— Mon frère garde les fétiches de… notre clan. Il arrive tout droit du village. Si j'étais vous, je lui foutrais la paix. Un grand malheur est vite arrivé…

— Dans ma sacoche se trouve quelque chose que vous n'avez pas envie de voir, enchaînai-je sans bafouiller. Je serais vous, je présenterais des excuses après ce qui vient de se passer et je rendrais la sacoche à son propriétaire.

— Eh vous deux-là, vous me prenez pour une mauviette, oui ? répliqua Bulldozer, mais d'une voix que le doute et la peur avaient légèrement infléchie.

Je décidai d'embrayer :

— Vous êtes libres de faire ce que vous voulez. N'êtes-vous pas des Guêpes ? Mais vous ne pourrez pas prétendre, après coup, que je ne vous avais pas prévenus.

Sans que je m'en rende compte, un petit attroupement avait commencé à se former autour de nous. Des passants attirés par la scène s'étaient arrêtés pour assister à cette dispute insolite entre deux jeunes hommes – dont l'un parlant un mauvais lingala – et deux Guêpes que l'on menaçait en pleine rue. On n'assistait pas tous les jours à une telle scène à Kinshasa. Apparemment dépassés par la nature de la menace que je prétendais faire peser sur eux, les deux agents n'avaient pas cherché à disperser les curieux, jusqu'à ce que le groupe ressemble à une grosse tache noire que l'on pouvait distinguer à plus de six cents mètres à la ronde.

— C'est bon, laisse tomber, intervint Hiroshima.

Il tenta d'arracher la sacoche des mains de son ami, mais ne réussit pas à lui faire lâcher prise. Une voix d'homme se leva dans la petite foule :

— Se prennent pour des demi-dieux, ces maudites Guêpes. Toujours à nous bastonner et à nous détrousser pour un oui, pour un non. Qu'ils ouvrent la sacoche, s'ils ont des couilles !
— S'ils ont des couilles, qu'ils l'ouvrent donc ! renchérit un autre.

Au bout de quelques secondes, toute l'assistance s'était mise à conspuer les deux voyous, les mettant au défi d'ouvrir la sacoche, dans une flopée d'injonctions plus osées les unes que les autres. C'était à qui trouverait la formule la plus percutante. On entendit un «Que celui qui sait faire autre chose de ses mains que se branler matin et soir l'ouvre !» Il fut salué d'une salve d'applaudissements. Puis, un «Que celui qui sait dire non quand madame tente de le mener par le bout de la pine nous ouvre cette putain de sacoche !» Les quelques femmes présentes le noyèrent sous des quolibets qui me confirmèrent la richesse sémantique du lingala. Dans un groupe dominé par les hommes, une voix féminine réussit à avoir raison du vacarme : «*Soukouss-cochon* à volonté ! Je me donne ce soir à celui des deux qui nous prouve qu'il en a une grosse là où je pense !» L'offre réconcilia les deux franges du public dans un tonnerre d'applaudissements qui fit accourir ceux qui, redoutant une rafle aveugle en pleine rue, s'étaient d'abord tenus à distance.

J'étais déjà allé si loin, je ne pouvais plus reculer. Bulldozer non plus. Mais je n'avais pas peur. Pour ne pas perdre la face, il allait ouvrir la sacoche, se rendre compte qu'elle renfermait une somme d'argent assez importante, s'en emparer et me gratifier d'une bonne raclée avant de filer en douce avec son ami. Mais au moins, pendant quelques minutes, je lui aurais foutu la trouille de sa vie, ainsi qu'à son ami ; sous les regards de ces bonnes gens qui les croyaient au-dessus de toute forme d'intimidation.

Je le voyais peser le pour et le contre de son geste, esquissant un sourire niais. La foule continuait à grossir, tandis que les plus enflammés scandaient de plus belle en tapant des mains comme le font les badauds kinois lorsqu'ils tentent de convaincre deux garnements un peu timorés de se taper dessus :

— *Fungola ! Fungola !* Ouvrez ! Ouvrez !
— Aujourd'hui là, là même, on va voir ce qu'on va voir ! lança quelqu'un.
— Et comment ! Aujourd'hui là même ! renchérit un autre.
— Une montagne d'arrogance et pas le moindre courage pour ouvrir une vieille sacoche ? s'indigna un troisième. Vous parlez d'une bande de minables !
— Un révolutionnaire n'a peur de rien ! cria Bulldozer avant d'ouvrir la sacoche d'un geste preste et vigoureux.

Le temps se figea. Les quatre liasses de billets que j'avais rangées dans ma banque ambulante échouèrent aux pieds de l'agent véreux au moment où une dizaine de têtes curieuses se penchaient pour ne rien manquer d'un hypothétique miracle. Et le miracle était là, sous mes yeux. Sauf qu'il m'a fallu solliciter mon cerveau à une vitesse encore jamais expérimentée pour assembler tous les morceaux de la réalité et tisser une chaîne cohérente qui fasse mouche.

En même temps que les billets de banque, j'ai vu un lézard à tête rougeâtre sortir de la sacoche, tourner en rond sur l'asphalte pendant quelques secondes comme s'il sortait de sa mue et filer droit avant d'escalader un mur, puis de disparaître derrière celui-ci. Tout cela n'avait pas duré la moitié d'une minute. L'apparition puis la course du reptile venaient de créer un tel émoi que la scène que je voyais sous mes yeux en devenait irréelle. La foule s'était éclatée, comme sous les dards d'une averse soudaine. Les gens couraient dans tous les sens, tandis que les deux agents restaient debout au milieu du trottoir sans piper, tétanisés par une peur aussi palpable que les battements du pouls de mon ami Batekol qui avait couru se blottir contre moi.

Il me fallait exploiter cette apparition impromptue tout en essayant de lui trouver une explication, à défaut de pouvoir lui donner un sens.

— Monsieur l'agent, ai-je commencé, votre entêtement vous aura perdu. Croyez-moi ou pas, j'en suis le premier attristé.

Bulldozer se mit à genoux, les mains jointes en signe de supplication, toujours incapable d'articuler un son.

— Ce lézard que vous venez de laisser s'échapper n'est pas seulement l'animal totem de mon clan. C'est surtout l'Esprit ancestral qui veille sur l'ensemble des personnes qui ont le même sang que moi, où qu'elles se trouvent.

Il me fallait réfléchir au plus vite, trouver des phrases choc pour la suite de mon discours improvisé. L'autre agent ainsi que Batekol me fixaient des yeux, tout aussi paralysés par la peur. J'entendis une voix derrière moi et je me retournai. Un gosse d'environ neuf ans tenait un caillou dans sa main :

— Bof. C'est qu'un gecko ! Faut croire que les grandes personnes réfléchissent avec leurs jambes. On ne devrait pas avoir peur d'un petit animal qui n'a même pas de venin ! Mes amis et moi, on fait la chasse aux geckos à notre école. On les attrape et on leur injecte de l'alcool à l'aide d'une seringue que j'ai volée à ma mère. Ils crèvent au bout de cinq secondes, la gueule ouverte comme la sacoche de monsieur. Ça nous fait bien marrer. Alors là, franchement…

Personne ne prêta attention aux paroles du dernier témoin de notre étrange confrontation. Le jeune homme lança son caillou contre le mur escaladé par le reptile. Le projectile se désintégra dans un bruit sourd et le gamin commença à s'éloigner en chantonnant *Il était un petit navire.* Tout en longeant la rue, il se mit à ramasser d'autres petits cailloux qu'il projetait contre les murs alentour. Je me dis intérieurement : *En voilà un qui, à défaut de finir matelot, ferait un vrai révolutionnaire !* Les deux Guêpes de la Révolution, elles, avaient perdu de leur superbe.

— Ce lézard, monsieur l'agent, a été transmis à tous les mâles de mon clan portant le bracelet en fer que vous me voyez porter au bras gauche, depuis cent soixante-quinze générations exactement. C'est l'esprit de Zangamoyo Batulampaka.

— Je vous avais prévenus, monsieur l'agent, lança Batekol qui s'efforçait de retrouver son calme. C'est mon frère, je savais de quoi il en retournait. Vous auriez dû m'écouter.

— Qu'est-ce que nous devons faire à présent, chef? demanda Bulldozer d'une voix qui trahissait ce que la superstition pouvait produire de plus irrationnel chez un être humain. Il avait un genou à terre et dressait vers moi le visage le plus pitoyable que j'aie jamais vu de ma vie.

— Qu'est-ce que *tu* dois faire? corrigea le nommé Hiroshima qui croyait avoir de bonnes raisons de ne pas lier son sort à celui de son collègue. Je t'avais dit de laisser tomber. Et pas qu'une fois. Tu aurais dû m'écouter au lieu d'en faire à ta tête comme toujours!

Le petit animal avait probablement été attiré dans ma sacoche par l'odeur du poisson séché que j'avais transporté du village. À moins que ça ne soit par celle des noix de cola qu'elle contenait parfois quand j'étais encore là-bas. Ma vieille sacoche noire, à l'instar de tous les *waba*, ces sacs fourre-tout que les mâles du pays mbala trimballent sur eux où qu'ils aillent, était une cache qui en avait vu d'autres. Il n'était pas impossible qu'entre la maison mal cloisonnée de mon oncle et la pelouse où je m'étais reposé durant mon transit au centre-ville, un gecko y ait trouvé refuge. Ce passager clandestin ne pouvait pas savoir que j'étais arrivé dans une société où la superstition, pourtant omniprésente, peinait à inculquer aux gens le respect d'un objet considéré comme inviolable dans le monde d'où je venais.

Dans la tradition mbala, la sacoche d'autrui, tout particulièrement le *waba* du voyageur anonyme, reste un objet qu'on approche avec circonspection. Parce qu'il peut receler les secrets les plus intimes de son propriétaire, on le manipule avec d'infinies précautions lorsque les circonstances commandent que l'on pose la main dessus. Son propriétaire est le seul qui sache ce qu'il renferme et nul ne s'avisera de chercher à en connaître le contenu par ruse ou par défiance, au contraire du rustre Bulldozer. La légende dit que les guerriers les plus redoutés y ont laissé la vie, tandis que les voleurs que rien ni personne n'avait pu arrêter sur le chemin du crime y ont découvert des choses qu'ils n'auraient jamais dû. Mal leur en avait pris.

Constater que la présence fortuite d'un lézard dans ma vieille sacoche m'offrait de quoi venger toutes les victimes non kinoises que les fripons de la capitale avaient niquées depuis la nuit des temps avait quelque chose de jouissif. Justicier malgré moi, j'avais à ma merci deux pauvres types qui ne savaient plus à quel saint se vouer. Ils s'étaient mis à rassembler tous les fruits de leur sale besogne du jour pour s'acheter une clémence dont ils se doutaient qu'elle allait coûter plus que la peau de leurs deux paires de fesses réunies.

Après que les arroseurs eurent organisé leur propre arrosage, Bulldozer a réussi à s'approcher de Batekol pour lui remettre une importante somme d'argent :

— C'est tout ce que nous avions sur nous.

— Ce sont nos salaires. C'était jour de paie aujourd'hui, compléta Hiroshima.

Mon ami m'interrogea du regard. Il n'obtint aucune indication. Il prit mon silence pour un consentement tacite et empocha le fric. Il fit un pas en direction de la sacoche qui traînait à terre, puis se ravisa. Il avait trop peur pour la toucher. Je m'inclinai et repris mon *waba* en prenant soin d'y engouffrer mon argent qui traînait encore sur le sol. Batekol posait sur moi les yeux ahuris du vieux chasseur qui se rend compte au beau milieu de la jungle que son jeune fils dont l'initiation est à peine entamée vient de lui sauver la vie en neutralisant un fauve lancé à leurs trousses. Il venait d'avoir la confirmation de ce qu'il soupçonnait depuis notre rencontre devant l'hôtel Memling : j'étais dépositaire de pouvoirs surnaturels dont mon bracelet en fer était le réceptacle. Il y avait de quoi devenir dingue.

La nature humaine étant ainsi faite, tout en me réjouissant de l'issue de cette affaire que j'allais raconter un jour dans mon village lorsque j'y retournerais, une partie de moi se demandait si les choses étaient réellement aussi simples que mon esprit semblait les appréhender. Mon grand-père, s'il était l'homme que l'on décrivait à Banza, n'aurait-il pas cherché à dresser autour de moi des murs contre lesquels tout acte de malveillance serait d'office voué à l'échec ? N'avait-il réellement rien à voir avec la présence pour le moins providentielle de ce petit animal dans ma besace juste au moment où mon audace m'avait fait commettre l'irréparable ? Et cette audace, mieux cette outrecuidance, qui aurait pu m'amener passer un séjour des plus sinistres chez les Guêpes, ne me venait-elle pas d'un ailleurs qui m'échappait ? Peut-être de cette étrange cérémonie que j'avais banalisée, mais que le vieux Zangamoyo devrait tenir pour le devoir le plus crucial qui incombe à un patriarche vis-à-vis de son rejeton qui s'en va vivre dans un monde impitoyable ?

En vérité, je ne savais plus où s'arrêtait la superstition kinoise ni où commençait ma propre ignorance des méandres des cultes ancestraux cachés aux non-initiés. Pour la deuxième fois en l'espace d'une heure, mon esprit balançait entre raison et déraison, entre le tangible et l'insondable.

— Nous garderons les sous par pure courtoisie, leur lançai-je avec cynisme, mais sachez que la clémence des esprits ne se monnaie pas. Vous devez retrouver ce lézard et me le ramener. Pour la simple et bonne raison que votre sort est intimement lié au sien.

— Mais… je ne vous connais même pas, balbutia Bulldozer. Comment vous retrouverai-je si jamais…?

— Si vous retrouvez ce lézard, ce sera moi qui vous trouverai. Vous n'aurez pas à me chercher, répondis-je d'un ton sec, pour le plaisir d'épaissir le mystère.

C'est sur ces paroles que Batekol et moi avions quitté les lieux pour retourner à *La Rumba Casa*. Nos deux amis nous ont regardés nous éloigner avec tout leur argent, sans avoir l'air de savoir ce qu'ils allaient faire. Alors que le soleil couchant balayait Kinshasa de ses rayons cuivrés, nous les avons laissés là, bras ballants, plantés au beau milieu de la rue comme deux lampadaires.

III

LE NOMBRIL DU MONDE NOIR

Tics de la raison nègre[7]

---

7 - Sous-titre inspiré par l'essai du philosophe et historien camerounais Achille Mbembe, *Critique de la raison nègre* (Paris, La Découverte, coll. «Cahiers libres», 2013, 224 p.).

1

Deux mois se sont écoulés depuis le double épisode de la place de l'Indépendance. Batekol et moi sommes devenus inséparables. J'ai retrouvé avec lui la complicité que j'avais tissée avec Sendos avant mon départ de Banza. En fait, les choses ont évolué de façon assez inattendue. Peu de temps après la présélection de mon ami chez Zaïko et mon test avorté, oncle Kataguruma a commis une imprudence qui devait lui coûter très cher. Encouragé par le sentiment d'invulnérabilité propre au voleur enhardi par une série de «succès» plus grisants les uns que les autres, il a multiplié les risques dans sa petite cachotterie avec l'épouse de Wabelo. Ce dernier, cependant, fut averti par un informateur que l'homme qui le cocufiait n'avait qu'un mur à enjamber pour se retrouver dans son lit, tandis qu'il arpentait les routes de l'arrière-pays.

Un jour, le voisin annonça une énième mission et demanda à sa femme, sur le ton habituel, de lui préparer sa valise. Ce qu'elle fit. Dans la nuit qui suivit, mon oncle prétexta se rendre à une veillée mortuaire chez un ami qui habitait dans l'ouest de la ville, et il assura à ma belle-tante qu'il serait de retour aux petites heures du matin. Il me chargea au passage de veiller sur la maison. Son absence s'avéra de courte durée: on nous réveilla dans les deux heures qui avaient suivi pour aller chercher un homme qui gisait dans la rue, le corps ensanglanté et le visage en compote. Le fraudeur sexuel venait de payer jusqu'au sang ses expéditions nocturnes. Wabelo, aidé par deux amis rompus aux arts martiaux, avait eu la main lourde. La révolution avait beau être l'affaire de tout le monde, ne pouvait pas s'improviser «donneur-ensemenceur national» qui le voulait. La «révolution par le sperme», conforme ou non à la «théorie» de l'exilé politique qui critiquait le régime depuis la France, commençait et se terminait aux portes du Palais présidentiel, visant exclusivement les femmes partageant la vie des hommes de pouvoir.

Mon oncle sortit de l'hôpital avec une jambe brisée, quatre dents manquantes et une balafre sur la largeur de sa tempe gauche. Sur son visage devenu méconnaissable, des marques rappelant le dicton cher à mon grand-oncle, l'homme qui l'avait convoqué à l'existence: *Qui baise la femme du voisin rencontre le diable en chemin.* Il me demanda de le conduire à la gendarmerie où il avait l'intention de déposer une plainte. Arrivé sur les lieux, il surprit le chef de poste en train de jurer devant ses agents qu'il y avait deux types d'individu dont l'inconduite lui semblait tellement diabolique qu'ils étaient les seuls pour lesquels il sacrifierait sa carrière et sa liberté. Le gradé affirmait qu'il n'hésiterait pas une seule seconde à faire la peau, à la première occasion venue, à tout homme qui l'humilierait en se livrant au délit d'adultère avec sa femme. Quiconque abuserait de sa fillette âgée de huit ans subirait le même sort, mais à celui-là il sectionnerait d'abord le zizi à l'aide d'une lame de rasoir. «Histoire de se saisir de l'arme du crime», précisait-il. Ce sont les paroles qui accueillirent mon oncle lorsqu'on nous pria d'entrer dans le bureau où trônaient cinq effigies du Guide en différentes tenues, dominant une demi-douzaine d'agents en uniforme qui tuaient le temps en jouant aux dames.

On nous présenta deux chaises libres. Pendant que nous prenions place, un gendarme qui avait probablement tenu à informer l'auditoire que la cruauté n'était pas affaire de grade, déclara à son tour qu'il ne ferait pas le travail à moitié en ne liquidant que l'homme coupable d'adultère. Il commencerait plutôt sa petite saga vengeresse par la liquidation de la femme infidèle, avant d'aller réclamer au juge la prison à perpétuité. Il ferait connaître d'entrée de jeu son refus ferme et catégorique de recourir à un avocat, fût-il le mieux réputé de la ville, et il se rangerait aux côtés de l'accusation pour se battre bec et ongles contre toute circonstance atténuante que pourrait fabriquer la cour pour tenter de le tirer d'affaire. Son châtiment, soutenait-il, ne devrait pas souffrir l'ombre d'une clémence ayant pour effet d'ôter à son geste libérateur la signature du justicier. Ses propos bénéficièrent de l'adhésion de la moitié de l'assistance, tandis que l'autre moitié jugeait l'individu adepte d'un sensationnalisme de comptoir. «Si c'est aux paroles que ça se joue, moi je vous dis que notre révolution va renvoyer le bon peuple chinois à ses chères études», déclara ironiquement le plus jeune de tous.

Ne se doutant aucunement de la raison qui nous avait conduits au poste, le chef se tourna vers mon oncle et l'interrogea sur ce qu'il ferait si pareille situation devait lui arriver: «Mon frère, avoue qu'on est quand même dans une ville où le vice s'est érigé en vertu et où des porcs déguisés en agneaux corrompent les bonnes mœurs. Le Guide a beau prôner la morale ancestrale sans laquelle les animaux sauvages n'auraient rien à nous envier, il se trouve encore parmi nous des canailles déterminées à voler à autrui ce qui reste à un mari lorsque les contingences de cette chienne de vie lui ont tout arraché : l'honneur. Que fais-tu, mon frère, d'un porc qui te retire le courage de te regarder dans une glace et de marcher le buste droit dans la rue, hein ? » Mon oncle feignit de ne pas entendre la question, demanda les toilettes et s'éclipsa après m'avoir discrètement avisé de le suivre. Je le retrouvai dans la cour et le ramenai à la maison.

En raison de ma proximité avec son bourreau, oncle Kataguruma, qui n'était visiblement pas homme à faire son mea-culpa, déduisit que j'étais la balance à l'origine de son malheur. Ne disposant d'aucune preuve pour étayer ses soupçons, il fabriqua de toutes pièces un incident qui allait servir de prétexte pour me mettre à la porte. Les deux principales équipes de football de la capitale, dont la rivalité était une affaire aussi sérieuse que le triomphe de la révolution voulu par le Parti, s'affrontaient ce dimanche-là en finale de la coupe nationale qui portait le nom de la « Très Vénérée Maman » du Guide. Mon oncle soutenait les Vert et Noir, tandis que ma belle-tante et moi encouragions les Vert et Blanc. Pendant les quatre-vingt-dix minutes du temps réglementaire, oncle Kataguruma avait oublié ses douleurs à la jambe et à la mâchoire pour se foutre de nos gueules alors que son équipe menait par un but, obtenu par coup de réparation, qui plus est. Savourant son plaisir, il conspuait nos athlètes, tandis que le geste le plus anodin d'un joueur de son équipe favorite lui arrachait des cris à vous donner envie de lui en coller une. Quand il ne sautillait pas comme un cabri, il riait à gorge déployée, de ce rire inimitable que seul son respect m'empêche de qualifier d'idiot. Un rire qui, en d'autres circonstances, m'aurait indubitablement forcé à rire à mon tour, car je ne connais pas à ce jour un seul individu qui ait gardé son sérieux après avoir été exposé à l'hilarité tonitruante de mon oncle, parfois ponctuée de pets bien bruyants, foi de Modéro.

Soudain, à l'avant-dernière minute de temps supplémentaire, Casimir Kolongele alias Serpent des Rails a slalomé sur la surface de réparation du camp adverse, effacé le dernier défenseur des Vert et Noir et envoyé leur gardien de but brouter le gazon dans une feinte d'anthologie. Le but sublime qui en a découlé allait mettre le feu au stade et à la ville entière. Ma belle-tante a bondi et est venue se jeter dans mes bras. Lançant des cris de joie, elle m'a étreint de toutes ses forces et nous nous sommes surpris à célébrer cette égalisation tant attendue en nous trémoussant, l'espace de quelques minutes, aux pas de la *zangula*, la danse de chez nous. Or il n'y a pas danse plus obscène que la *zangula*; j'étais bien placé pour le savoir; on ne l'a pas surnommée «danse du cochon» par simple amour pour cet animal qui n'a pas son pareil dans l'art du coït. Oncle Kataguruma, qui aurait pourtant dû se douter qu'hormis cet élan spontané suscité par la magie du sport, je n'étais pas du genre à lui manquer de respect – surtout pas en essayant de séduire son épouse –, a pété deux câbles pour le prix d'un. Il a traité sa femme de «sale pute atteinte de nymphomanie» en lui jetant à la figure le verre de bière qu'elle venait de lui servir et j'aurais reçu son crachat sur le visage si je n'avais pas eu le réflexe de l'esquiver une fraction de seconde plus tôt. Fou de rage, il m'a ordonné de prendre mes cliques et mes claques et d'aller voir s'il traînait dans la rue. *Le chien ne change jamais de position pour s'asseoir*, disent les anciens. Un Kinois reste un Kinois, même avec les dix doigts pris dans la merde de sa propre sottise. En quittant l'avenue des Rois bakongo où je venais de passer les six premiers mois de ma présence dans la capitale, je pigeais que mon oncle était un voleur des plus ordinaires : il se levait le matin et se couchait le soir avec, dans les tripes, la peur qu'on ne le dérobe à son tour.

C'est alors que Batekol m'a demandé si j'accepterais de travailler pour sa cousine qui recherchait un garçon digne de confiance pour prendre soin de son jardin et apporter une aide à son domestique qui était très sollicité. Zeta était la fille d'une des tantes maternelles de Batekol qui avait bien voulu l'accueillir chez elle à la cité de Nsele, à l'extérieur de Kinshasa, après que le dernier copain qui l'hébergeait lui eut signifié qu'il était devenu l'occupant de trop dans la maison familiale. Le père venait tout juste de perdre son travail et lui faisait dire que nourrir une bouche supplémentaire allait vite s'avérer mission impossible. On lui avait fait comprendre que la seule chose qui pourrait faire en sorte qu'il restât serait qu'il revît à la hausse la contribution qu'il versait hebdomadairement au titre de participation aux charges. Puisque la principale activité rémunérée qu'exerçait Batekol au gré des besoins des clients – à savoir animer les petites soirées privées organisées dans les bars du centre-ville fréquentés par les coopérants européens – rapportait très peu, il avait préféré partir. Il avait passé la nuit suivante à la belle étoile, près de la Gare centrale, après avoir improvisé un petit spectacle à l'intention des touristes qui s'y attardaient ce soir-là. Au matin, alors qu'il traversait le grand boulevard, il avait failli se faire écraser par une jeune dame qui venait de perdre le contrôle de son Land Rover après avoir évité deux écoliers. Au moment où le désormais sans-logis s'était approché pour rassurer la conductrice épouvantée, celle qui n'était autre que sa propre cousine, Zeta, l'avait reconnu.

L'instant de surprise passé, elle avait insisté pour qu'il monte à bord. Ayant appris ce qui était arrivé à ce cousin qu'elle avait rencontré à quelques reprises lors des réunions de famille durant les dernières années, elle s'était emportée contre sa tante. Elle avait qualifié d'indigne le comportement d'une femme qui, pour « sauver son mariage », avait choisi de laisser son époux mettre son propre fils à la rue plutôt que de lui témoigner son amour inconditionnel de mère. Selon elle, cette dernière aurait dû infléchir la position du père irascible et encourager Batekol dans sa passion, fût-elle dépourvue de débouchées viables dans une ville où les artistes les plus talentueux vivaient de tout, sauf de leur métier. « Verrouiller le rêve qui fait se lever un jeune chaque matin, c'est pire que lui couper un bras : c'est lui voler son âme », avait-elle argué. Elle avait insisté pour que Batekol vienne vivre à Nsele où il pourrait aider aux petits travaux dans la maison, à son propre rythme, tout en s'adonnant à la chanson. Après une discussion longue d'une heure, mon ami avait fini par se laisser convaincre, non sans préciser qu'il se réservait le droit de partir de la cité du Parti sitôt qu'il se sentirait en mesure de se payer un loyer en ville.

Lorsque Batekol m'a fait la proposition, en ajoutant qu'il avait immédiatement pensé à moi parce que la condition imposée par sa cousine était que le garçon puisse habiter dans la villa avec toute la famille, j'ai tout de suite dit oui. Certes, résider en dehors de la ville présentait quelques inconvénients, notamment celui de m'éloigner géographiquement d'autres groupes musicaux que j'avais toujours l'intention d'approcher. Mais ce n'était pas insurmontable dès lors que Nsele était reliée à Kinshasa par des *fula-fula*, les taxis de masse à faible coût que les Kinois empruntent sur les lignes où les bus de la Société kinoise des transports sont en nombre insuffisant. Et, bien entendu, j'allais avoir un travail rémunéré ne présentant pas de défis allant à l'encontre de mes capacités, alors que mon problème de logement allait trouver solution.

Située en bordure du fleuve Zaïre, la résidence baptisée *Villa Empereur Haïlé Sélassié Ier* où nous habitons appartient au «patron», ainsi que tout le monde appelle le conjoint de Zeta. Il n'est pas dans la maison tout le temps, car il vit à Kinshasa avec la mère de ses deux enfants. Zeta est donc sa maîtresse officielle, sa deuxième épouse, le «deuxième bureau». Ils n'ont pas encore d'enfants. Elle en voudrait, ai-je appris, mais il lui aurait déclaré ne pas être pressé. À chacun de ses passages depuis mon arrivée à la villa, nous avons eu droit à la musique d'un chanteur américain du nom d'Elvis Presley dont la voix a résonné dans la maison sans discontinuer, jusqu'au départ du maître des lieux. Il ne faut pas être fin observateur pour noter que cette musique n'a pas un seul mélomane parmi les occupants permanents de la villa, si l'on exclut le patron, qui est le seul à connaître cet artiste blanc qu'il appelle «le Roi». Mais lorsqu'il nous a demandé samedi dernier l'effet que nous font ces mélodies chantées dans une langue que nous ne comprenons pas, tout le monde, en commençant par la patronne, a fait semblant de saluer le talent du fameux monarque. «Vous l'aimerez encore plus quand vous le verrez danser », a-t-il parié, et de nous promettre d'amener avec lui des images des derniers spectacles que son idole aurait livrés lors d'une tournée effectuée l'année passée. J'attendrai de voir ce qu'il fait de si extraordinaire sur scène, ce Presley dont il parle comme d'un demi-dieu, avant de savoir si monsieur conserve ses chances de me convaincre sur ses goûts en matière de musique. À dire vrai, la seule musique étrangère que j'ai entendue ici et qui m'a convaincu sans que j'en comprenne les paroles, c'est celle d'un type du nom de Louis Armstrong. C'est à la fois un trompettiste talentueux et un chanteur qu'on écouterait des heures sans s'ennuyer. Il faudrait que je songe à demander à la patronne s'il est un Noir ou un Blanc, mais le timbre de sa voix me fait plutôt penser qu'il s'agit d'un Noir. Lorsqu'il entrecoupe ses chansons de monologues ponctués de rires, sa voix a les mêmes intonations que celle de mon ami Sendos.

La patronne, pour sa part, est folle dingue de Zaïko Langa-Langa, dont elle semble connaître tous les tubes par cœur. Le hasard a donc voulu que nous soyons tous les deux mélomanes du même groupe et ayons presque les mêmes coups de cœur dans la riche discographie de ce dernier. Je l'ai surprise à quelques reprises en train de danser sur du Zaïko, sans qu'elle ne sache que du jardin, j'ai une vue imprenable sur la salle à manger et sur sa chambre à coucher lorsque les volets sont tirés. J'en ai eu la gorge sèche. Si je veux garder mon travail, je crois qu'il faudrait que je détourne mes yeux à la première seconde où ils se poseront à nouveau sur une scène comme celle-là. Il est de ces femmes dont les déhanchements sont capables de vous faire perdre la tête, et pas seulement au sens figuré. J'aime la vie et mourir pour du cul ne correspond pas exactement à l'idée que les gens de chez moi se font d'une mort honorable, celle dont l'ultime symbole est transmis d'une génération à l'autre.

Pour revenir au patron, malgré nos contacts jusqu'ici très limités, je l'aime bien. Il parle très respectueusement aux gens, y compris aux personnes ordinaires comme moi-même ou le domestique, qu'il appelle d'ailleurs « Papa » comme tout le monde. Ce n'est pas vraiment le style des patrons kinois, de surcroît s'ils ont l'insigne privilège de siéger à la fois au sein du Comité central et du Bureau politique du Parti, en plus d'avoir l'oreille du Guide en personne. Et lorsque je les observe, monsieur et madame, je me demande qui des deux a le plus de chance. Celle qui a accepté d'être, à seulement vingt-cinq ans, le deuxième bureau d'un homme de pouvoir? Ou celui qui s'est rattrapé en épousant en secondes noces coutumières une jeune femme belle comme un ciel étoilé, d'une infinie gentillesse, après un premier mariage de raison avec la femme que lui aurait fortement suggérée son père avant de mourir?

Cette dernière question repose sur la fascination que la patronne a tout de suite exercée sur ma personne, alors que je ne suis pas homme à me pâmer devant la première paire de seins venue. Et Dieu sait s'il manque des belles femmes dans Kinshasa! Il s'agit tout simplement d'une des plus jolies filles que j'aie vue depuis mon arrivée dans la capitale. Elle est grande, de teint clair avec de longs cheveux bouclés, signes de son métissage. Mais d'après ce que mon ami m'a dit, elle n'aime pas que l'on fasse allusion au sang européen qui coule dans ses veines. Elle préfère mettre la clarté de son épiderme sur le compte des gènes de sa famille maternelle africaine que tout le monde connaît.

Son père est un Belge qu'elle n'a pas connu, dont elle a peu entendu parler et dont elle aime encore moins parler. Selon Batekol, cet homme d'affaires aurait engrossé la mère de Zeta à la suite d'un viol intervenu huit ans avant les émeutes qui avaient précipité l'indépendance du pays.

De sa mère qui vit avec nous, ma nouvelle patronne a pris les deux fossettes qui creusent ses joues lorsqu'elle sourit et un petit espace entre ses dents supérieures du devant. Et ce sourire... Ce sourire pourrait par son seul éclat illuminer les quartiers de Kin privés d'électricité, si par un élan de générosité doublé de compassion pour le petit peuple, elle venait à en faire don à l'Office national de l'énergie dont la réputation renvoie à celle que traînent les pires associations de malfaiteurs.

Elle s'exprime toujours d'une voix très douce, un peu traînante, qu'elle accompagne de gestes de mains innocemment sensuelles: on dirait qu'elle fait de la poterie dans l'espace. En deux mois, je ne l'ai pas vue se mettre en colère une seule fois. Elle ne donne jamais d'ordre; elle suggère ou exprime un souhait que toute personne tant soit peu intelligente devrait interpréter comme une requête d'une patronne à son employé. Je crois que «s'il vous plaît», «merci» et «excusez-moi» sont les trois expressions qu'elle a le plus utilisées à mon égard depuis que je suis à son service. Elle pratique la natation dans la piscine du quartier des cadres du Parti, la plupart du temps seule, car la seule amie qu'on lui connaît à Nsele est la fille du doyen du Comité central dont le passe-temps favori est l'équitation. Cette amie s'appelle Malaïka. Mais à part ce prénom, peu de choses chez elle évoquent la féminité, puisque sa poitrine (pour ne mentionner qu'elle) est aussi dégarnie que la mienne. La patronne et elle m'ont l'air très complices. Aussi crois-je que cette jeune femme pourrait avoir bon cœur, car Dieu compense toujours ce dont Il vous prive et que vous enviez chez autrui, par un autre don qui vous vaudra tôt ou tard la convoitise des autres, et vice versa. Après tout, il y en a qui s'intéressent à une très belle femme pour découvrir au lendemain de la nuit de noces qu'ils ont pris place dans une barque trop chargée qui risque de prendre l'eau à la première secousse venue. D'autres, à l'inverse, se font mettre la corde au cou à reculons, avant de se rendre compte qu'ils auraient pu passer à côté de la seule femme susceptible de faire leur bonheur ici-bas.

Dans un monde parfait, je dirais que la belle Métisse aux allures de Mami Wata devrait être «premier bureau» et avoir un mari rien qu'à elle. Mais la vie a ses mystères et je ne suis pas venu à Nsele pour chercher les réponses aux questions que personne ne m'a posées. En tout cas, elle a l'air épanouie dans cette immense villa où son homme reçoit à intervalles réguliers certains visiteurs impor- tants qui préfèrent la discrétion de Nsele aux regards de monsieur et madame Tout-le-monde à Kinshasa. Et pour que les lieux correspondent à cette vocation tout en procurant à la maîtresse de céans un cadre où il fait bon vivre, le patron a dû mettre la main au portefeuille. La villa est «à l'abri du besoin», selon l'expression qu'a utilisée Batekol pour m'expliquer d'où venait le luxe dans lequel nous sommes plongés – je dis «nous» pour faire simple, car en réalité la petite baraque dans l'arrière-cour où j'ai ma chambre à coucher n'a rien à voir avec la résidence principale où vit Batekol et le reste de la maisonnée. Dans cette dernière, j'ai découvert un univers aux antipodes de la maison dégarnie de mon oncle et même du domicile de Wabelo qui pourtant m'avait impressionné à mon arrivée de Banza. Ici, les meubles viennent de Paris, la vaisselle et les peintures d'une ville d'Italie appelée Milan, les draps et les couvertures d'Inde, les tapis de Turquie et – chose absolument ahurissante – Liston, le gros chien à fourrure noire, vient tout droit des États-Unis d'Amérique. Que l'on fasse venir du beau mobilier d'aussi loin que la France peut se comprendre si on n'a rien trouvé à son goût dans les magasins zaïrois, portugais, belges ou autres qui foisonnent dans la ville. Mais que l'on fasse monter dans un avion un chien et qu'on lui fasse traverser un océan pour l'amener vivre en Afrique, alors qu'un chien en vaut un autre! Voilà quelque chose que je juge assez discutable, même si ce n'est pas demain que je l'avouerai à mes employeurs.

Liston est donc un chien d'Amérique qui mange de la bouffe très coûteuse qui provient de son pays d'origine. C'est dans ce pays que le patron a fait une partie de ses études. J'ai appris que pendant l'époque coloniale, son père s'était lié d'amitié avec un missionnaire presbytérien américain qui pensait que le futur État souverain gagnerait à exposer son élite naissante à différents types de gouvernement au lieu de couler tous ses futurs dirigeants dans le moule européen. Le bon missionnaire protestant avait réussi à décrocher une bourse d'études pour le brillant fils de son ami. C'est ainsi qu'à la différence de la grande majorité de ses pairs, le patron n'est pas un ancien de Louvain ou de la Sorbonne. Il est «le Yankee» du Guide, comme l'ont surnommé ses amis et comme l'appelle aussi son patron en privé. À la fois une référence à son séjour au pays de monsieur Presley et un diminutif pour celui dont le vrai

nom est Yankina. J'ai également appris que certains de ses
collègues du Comité central lui reprochent de rouler pour
les Américains, tandis que d'autres, qui ne doivent pas lui
vouloir du bien, le jugeraient «plutôt tendre envers les
ennemis de la Révolution»– bref, «plus intellectuel que
militant», sorte de «maillon faible» que l'on aimerait bien
tremper dans de l'acier en fusion.

Lui-même accuserait une poignée de ses pairs de souffrir du «complexe du colonisé». Ce mal se manifesterait
dans la croyance, chez ceux qui en sont atteints, que tout
ce qui est inspiré par nos anciens maîtres est forcément
bon pour les Négro-Africains que nous sommes. L'exact
contraire, semble-t-il, de la voie qu'a empruntée «le peuple
de Chine, ce peuple pionnier qui va secouer le monde de
demain comme l'ouragan secoue le cocotier»; mais surtout
le contre-pied de la doctrine de l'authenticité prônée par
le Guide en personne. Je me demande quand même si le
patron est cohérent là-dessus, vu que lui-même se vante
souvent de connaître Descartes et Kant sur le bout des
doigts, alors que ce sont deux philosophes blancs. Moi je
pense que Noir, Jaune ou Blanc, Éthiopien, Chinois ou
Américain, on est toujours «le colonisé» de quelqu'un, et
ce quelqu'un est souvent celui que l'on soupçonne le moins.

Depuis la fin de ses études au lendemain de l'Indépendance, le patron est déjà retourné en Amérique à quatre
reprises. Pour des raisons professionnelles, selon ce que
tout le monde sait. Mais Zeta reste persuadée que c'était
pour y retrouver une fille que son homme avait connue
à l'université d'une ville qui s'appelle Chicago, d'où il est
diplômé. Là, c'est un peu la faute du patron. C'est lui-même
qui aurait parlé de cette fille à sa charmante épouse, allant

jusqu'à lui confesser qu'il aurait pu se marier avec cette Noire américaine si le Guide ne lui avait pas intimé l'ordre de revenir au pays prendre la direction de la Générale des Mines. Il aurait même ajouté que c'est la femme la plus extraordinaire qui puisse exister sur la terre des hommes. On peut avoir de grands diplômes et ne pas savoir que ce n'est pas le genre de chose qu'on confie à la femme qu'on a épousée. Tout ne s'apprend pas dans les grandes écoles et j'ai souvent entendu mon grand-père dire que c'est sans doute l'une des principales raisons pour ne pas désespérer de ce dont accouchera l'avenir de l'humanité.

C'est aussi pendant ces années passées en Amérique qu'il serait devenu un fervent amoureux de la boxe, d'où le nom de Liston donné à son chien, en hommage à un boxeur noir américain qu'il aimait beaucoup, maintenant décédé. Pour ce qui est de la boxe, s'il est un sujet auquel personne ne peut plus échapper à Kinshasa et à cent kilo-mètres à la ronde, c'est bien celui-là. C'est devenu, de loin, le sujet de prédilection des Kinois, en tout lieu. Le combat qui va opposer Mohamed Ali à George Foreman aura lieu dans un mois exactement, mais c'est comme si le Stade du 20-Mai allait ouvrir ses portes dès demain pour accueillir les nombreux supporters des deux athlètes. Sur la route qui mène à Nsele en partant de Kinshasa, un panneau géant affiche en immenses caractères : *Super Choc et combat du siècle. Championnat du monde des poids lourds. Kinshasa, le 25 septembre 1974. George Foreman vs Mohamed Ali. Un cadeau du Guide de la révolution au peuple zaïrois et un honneur pour l'Homme noir[8].*

---

8 - Selon l'affiche authentique éditée par le Département (terme par lequel furent désignés tous les ministères zaïrois) de la Jeunesse et des Sports en prévision du combat.

2

D'APRÈS LES IMAGES DES COMBATS ANTÉRIEURS de ces deux colosses que diffuse régulièrement la télévision nationale, tout semble concourir à un choc de titans. Jusqu'ici, j'ai été très impressionné par la musculature et la force de frappe de George Foreman. Il serait capable d'envoyer un éléphant par terre d'un seul uppercut du poing droit. Avant et durant le combat, il a dans le regard cette sérénité que seuls ceux qui ne doutent de rien peuvent s'offrir. Depuis que j'ai vu son combat de l'année passée à Kingston – la patronne a dit que c'est dans cette ville que vit le grand Bob Marley – contre Joe Frazier, lequel était alors champion du monde des poids lourds, sa puissance hante mon esprit. Je me demande si Mohamed Ali peut tenir plus de cinq minutes devant une telle force de la nature. D'autant plus que ce même Frazier rossé sans ménagement par Foreman a déjà réussi l'exploit d'envoyer Ali au tapis, au 15ᵉ round d'un duel d'ailleurs qualifié de combat du siècle, il y a trois ans.

On a aussi montré des combats de Mohamed Ali, notamment sa revanche où il a battu Frazier aux points. Je doute qu'il ait la puissance de feu de son futur adversaire. Cependant, j'aime sa façon de boxer comme s'il était là simplement pour se payer du bon temps avant d'aller finir la soirée à un rendez-vous d'affaires. Si, comme on le prétend, la boxe peut être assimilée à un art, alors sans nul doute, ce gars qui donne une performance d'un bout à l'autre du ring comme si ses jambes répondaient à une musique savourée par lui seul, est un artiste qui ne manque pas de panache. Physiquement, c'est un bel homme aussi. Une beauté qui semble d'ailleurs dissuader ses adversaires de lui porter des coups susceptibles de l'abîmer. Il faut en convenir, ce n'est jamais très agréable de profaner le beau; ça frise le blasphème. Cela dit, et même si je n'y connais que dalle en boxe, ces deux facteurs ne sont pas de nature à me convaincre que le beau Mohamed fera le poids contre le champion en titre, plus robuste et plus jeune. Les jeunes filles que je croise en ville et qui disent qu'Ali devrait gagner parce qu'il est le plus beau des deux ont l'excuse de ne pas savoir de quoi il en retourne. « Dans un mois, au Stade du 20-Mai de Kinshasa, ça ne sera ni un concours de danse ni un concours de beauté masculine », mentionnait un chauffeur d'autocar en s'adressant à deux passagères assises à côté de moi sur la route de Nsele, il y a deux jours. Les deux partisanes d'Ali lui ont ri au nez et l'ont traité de jaloux. Le type a répondu qu'il avait une jolie femme qui lui faisait prendre son pied comme un roi, trois cent soixante-cinq jours sur trois cent soixante-cinq, beau temps mauvais temps, et qu'il envoyait Ali se faire circoncire en enfer. Tout le monde a rigolé dans le *fula-fula*.

J'ai fait remarquer à Batekol, qui a un faible pour Mohamed Ali, que le type avait raison de dire que ça ne serait pas une partie de plaisir pour son idole. Il m'a répondu que ce combat, peu importe l'issue, lui a déjà bâti un pont doré: « Grâce à lui, j'ai un pied dans Zaïko, Modéro. Dans moins d'une semaine, au terme du processus de sélection, je vais savoir si j'appartiens définitivement à la famille. Après, que l'un ou l'autre gagne, c'est kif-kif pour moi. Ils vont se faire plein de thunes et ils l'auront bien mérité. C'est le moins que l'on puisse dire. Moi, je continuerai ma carrière avec Zaïko. Tu veux savoir si je garderai une pensée pour eux? Ça, c'est sûr que j'en garderai une pour eux.»

Batekol est un pragmatique qui dit les choses comme il les conçoit, sans fioritures, en se fichant totalement de l'image qu'il envoie. Ça vous désarçonne un peu au début, mais si vous êtes de ceux qui ont appris de la vie qu'il vaut mieux accepter ses amis tels qu'ils sont au fond de leur âme, vous finissez par vous y faire.

Si la promesse d'un super choc m'a tout de suite paru certaine au vu des protagonistes que l'on nous présente à la télé à longueur de journée, c'est celle d'un «honneur pour l'Homme noir» que j'ai refusé de prendre pour argent comptant. Je pense que les officiels en font un peu trop là-dessus, comme à toutes les occasions où ils relient un fait aux mérites supposés de la révolution de l'authenticité. Dans le cas présent, je ne vois pas encore en quoi le combat de deux boxeurs noirs américains dans un pays noir est un honneur pour tous les Noirs. À l'issue du dernier round, aucun Noir d'ici ou d'ailleurs ne verra son sort changer d'un iota, indépendamment de l'issue du choc. Le Noir que je suis aimerait que George Foreman gagne au Stade du 20-Mai; mais même si mon vœu devait se réaliser, je sais bien que je n'en tirerai aucun motif de fierté personnelle car il faut savoir raison garder.

On nous apprend qu'en Amérique où vivent nos deux champions, Blancs et Noirs se regardent en chiens de faïence.

La patronne a dit l'autre jour qu'il y a à peine quelques années, dans le sud de ce pays, des groupes de Blancs sillonnaient des régions entières pour débusquer des Noirs qu'ils allaient lyncher aux portes des villes à la nuit tombée, juste pour le plaisir. Ils portaient un nom imprononçable qui se terminait par «clan». Quelque chose comme : «les clous du clan». Je ne sais pas de quel type de clan il pourrait s'agir, mais une fratrie faite d'égorgeurs d'innocents devrait être bannie par la loi et ses membres traînés devant les tribunaux. J'ai d'abord cru qu'elle parlait de l'Afrique du Sud dont un professeur d'histoire nous avait appris à l'école secondaire qu'elle avait à sa tête un gouvernement de cinglés qui traitait les Noirs pire que les microbes. Elle a confirmé que c'était en Amérique que ces pratiques barbares avaient eu lieu et continuaient d'avoir cours sous des formes à peine plus subtiles comme le marché de la drogue, l'emprisonnement sélectif et les exécutions judiciaires en veux-tu en voilà. Alors, même si je ne vais pas pousser la mauvaise foi jusqu'à prétendre que je ne suis pas heureux que le Guide ait donné aux Zaïrois la chance de voir ce grand combat chez eux, je reste réaliste. Je ne crois pas que la folle nuit kinoise à venir puisse amener un seul Blanc, là-bas, à se lier d'amitié avec le premier nègre venu.

Sur ce point, je me suis trouvé en opposition avec mon ami lorsque nous avons abordé le sujet pendant que lui et moi déchargions de la camionnette les bouteilles de vin et autres produits importés que le patron avait ramenés de Kinshasa.

— Je vois bien que tu n'as rien pigé, Modéro. Ce combat, ce n'est pas seulement un combat. C'est tout un symbole.

— En quoi est-ce un symbole ?

— Je croyais que tu suivais ce que disait le ministre de la Jeunesse et des Sports hier à la télé.

— Il a dit des tas de choses, en effet. Sur l'esclavage, la colonisation, le racisme, le pouvoir noir… Bref, il a lancé suffisamment de sujets en l'air pour embrouiller ses auditeurs. Et il s'est contredit à quelques reprises aussi, tu as dû le noter. Alors, si tu veux que je sois honnête avec toi, je te dirai que ce type-là maîtrise surtout l'art de parler pour ne rien dire qui puisse éclairer qui que ce soit. Comme la plupart de ses pairs.

— Pourquoi tu dis ça ? On dirait que tu trouves toujours matière à critiquer ; que rien de ce qui est fait par le Parti pour nous donner un peu de dignité, à nous les Noirs, ne trouve la moindre faveur à tes yeux.

— Justement, Batekol, je ne crois pas que ce combat soit une affaire de Noirs. C'est d'abord et peut-être uniquement du sport, non ?

Il ne m'avait pas entendu. Peut-être à cause du vent qui nous sifflait dans les oreilles, mais vraisemblablement parce qu'il avait déjà sa réplique toute faite. Ceux qui ont hâte de dire ce qu'ils pensent pendant que vous leur parlez sont de bien étranges interlocuteurs. Il arrivait de temps en temps à mon ami de céder à ce travers. Il s'est délesté d'une caisse de champagne et est revenu à la charge :

— Qu'est-ce que tu voulais qu'il dise, le ministre ? Il a dit qu'après ce combat grâce auquel les projecteurs du monde entier seront braqués sur Kinshasa, même les Esquimaux qui habitent dans le Grand Nord canadien, là où la planète Terre s'arrête, sauront situer le Zaïre sur une carte du monde. À part Modéro, quel citoyen de ce pays peut être contre ça ?

— Et comment pouvons-nous en être certains, déjà?

— Que le monde entier aura les yeux braqués sur Kin?

— Ouais.

— Nous pouvons en être certains parce qu'il y a maintenant cette chose qu'on appelle la télévision, Modéro. Et cette chose permet aux gens du monde entier de suivre en temps réel n'importe quel événement qui se produit dans n'importe quelle partie de l'univers.

— Dans n'importe quelle partie de l'univers, en es-tu certain?

— Et comment!

— Voyons… Disons que si quelque chose de très important devait se passer… mettons…

— Où ça?

— Attends. Je ne sais pas, mettons…

— Sur la Lune?

— Ben, disons ça, oui, sur la Lune!

— Modéro, si le Guide avait offert au pays la télévision deux ans plus tôt et si tu étais venu à Kin à la même période, tu aurais vu…

— …les Américains planter leur drapeau sur la surface de la Lune. Ouais, tu me l'as déjà dit. J'ai mis du temps à croire à cette histoire de deux gars se dandinant dans l'espace comme toi et moi le ferions sur une piste de danse, mais d'après ce que j'ai appris depuis mon arrivée à Kin, il s'agirait d'un fait établi.

— La «téloche» l'a montré. Ce n'est pas ma faute si tu l'as loupé, mon gars.

— Je sais.

— Tu me crois à présent?

— Je crois que tu as raison pour ce qui est de l'écho que devrait avoir un événement sportif du genre de celui que nous attendons.

Impossible de ne pas admettre que sur la question précise de la publicité, Batekol avait raison. Ce combat sera retransmis dans le monde entier, ce n'est pas rien. Même si je ne sais pas ce que notre pays a dû offrir en échange d'un tel privilège, je ne pourrais nier qu'il y a une certaine fierté à abriter pareil rendez-vous. Si par miracle je réussis à entrer au stade la nuit du 25 septembre, je pourrai raconter à mes enfants, dans quelques années, que j'étais parmi les dizaines de milliers de Kinois qui avaient vu George Foreman triompher de Mohamed Ali lors du premier championnat du monde de boxe organisé dans un pays africain. Et même si je devais me contenter de regarder le combat depuis la villa, l'émotion n'en sera pas moindre. Je pourrai toujours en témoigner auprès de ceux qui, à Banza, n'ont pas la chance d'apprécier à quel point cette invention des Blancs qu'est la télé est en train de changer le monde.

Mais le malentendu a subsisté entre Batekol et moi. Mon ami persistait à entretenir un lien entre la fierté nationale pour le pays qui accueille un événement regardé par le monde entier et une hypothétique dignité rendue à tous les Noirs du seul fait d'un combat de boxe. Du seul fait de la présence en pays noir de deux boxeurs noirs venus d'Amérique, cet événement était censé prouver que les Noirs avaient réussi à expurger l'histoire de cet héritage qui leur valait d'être regardés par certains esprits comme les damnés du Créateur. C'est à croire que le nouveau champion allait retourner dans son pays pour en prendre les commandes, y faire immigrer tous les Noirs qui triment aux quatre coins du globe et montrer au reste du monde comment l'ancien esclave pouvait surclasser son ex-bourreau dans l'art d'opprimer.

— Tu ne comprends rien à rien, Modéro. Il ne s'agit pas de foutre les Blancs dans les cales des navires, d'aller leur faire faire un tour en Europe avant de les accueillir à nouveau en Amérique où ils devront défricher les champs de canne à sucre. L'Histoire ne se réécrit pas. Une fois que l'encre a séché, elle a séché.

— Donc tu me donnes raison. Le *combat du siècle* ne changera pas le sort des Noirs, ni là-bas ni ici, à plus forte raison.

— C'est toi qui me donnes raison quand je dis que tu ne comprends rien. Ce n'est pas parce qu'on ne réécrit pas l'Histoire, c'est-à-dire le passé, qu'on ne peut pas décider aujourd'hui de ce que sera l'Histoire demain.

— Je pense que tu devrais te reposer, Batekol. Si tu t'écoutais parler…

— C'est toi qui as besoin d'un bol d'air, mec. J'essaie de t'expliquer que les peuples, surtout ceux qui souffrent, ont besoin des symboles, des figures auxquelles s'identifier afin de construire l'avenir…

— On parle du *combat dans la jungle*.

— Tu me laisses finir ?

— Certainement.

— Ton patron nous parle souvent des Noirs qui vivent dans la ville où il a étudié, certains dans des conditions que les pauvres de chez nous ne leur envieraient pas. Pourquoi un gosse noir né dans un quartier glauque de Chicago va-t-il rêver de devenir une grande personne si les Noirs qu'il voit dans sa rue et à la « téloche » sont soit des trafiquants de drogue qui jouent au chat et à la souris avec les flics, soit des petits traîtres qui balancent leurs frères avant de se faire descendre par les rescapés d'une bande de pourris, hein ?

— Je ne nie pas que Mohamed Ali et George Foreman soient des modèles pour les jeunes Noirs là-bas. Mais si tous les petits dont tu parles grandissent avec l'obsession de démolir des tronches à la chaîne pour devenir riches et célèbres, le médecin chez qui ils vont courir après un accident sera toujours blanc et le banquier qui va garder leurs sous, pareil. La vraie fierté, c'est quand les modèles ne sont pas seulement des cogneurs, même professionnels, mais aussi des chanteurs, des médecins, des banquiers et des politiciens, pourquoi pas ? Comment on arrive à ça avec un combat de boxe qui n'oppose même pas un Noir à un Blanc, mon frère ?

— Aujourd'hui la grande famille des Noirs a des champions du monde de boxe que la terre entière lui envie, demain elle aura sûrement des politiciens connus aux quatre coins de la planète. Le monde bouge, Modéro, tu ferais bien de rester informé.

Il y avait une faille quelque part. Une faille qui aveuglait mon ami, lequel restait enfermé dans son obsession d'attribuer au duel sportif Ali-Foreman des vertus que les deux intéressés devaient probablement ignorer au moment où quelqu'un était allé leur parler de Kinshasa. Le plus difficile n'était pas de trouver cette faille, mais de lui faire comprendre qu'il n'y avait rien de plus trompeur que les raccourcis, s'agissant des sujets qui, sous une apparente simplicité, cachaient des nœuds que le premier venu ne pouvait dénouer avec des formules toutes faites. Il fallait tenir à distance les amalgames, aller plus loin que ses propres certitudes.

— O. K., peut-être que ce que tu dis sur les symboles et tout le bazar est bien valable pour les Noirs d'Amérique à qui je ne peux que souhaiter tout le bonheur du monde. Mais notre fierté à nous, Africains, elle est où dans l'affaire du combat?

— On est tous noirs. On est solidaires parce qu'on est une famille. J'aurais pourtant parié que tu le savais.

— Un instant… Celui qui me parle ne serait-il pas par hasard le garçon qui, un jour, me reprocha de me fier à ses origines ethniques pour décréter qu'il était mon frère?

— C'était devant le Memling. On venait à peine de lier connaissance. C'était pour t'appeler à la vigilance à Kin, Modéro. Ne me dis pas que tu n'avais pas compris le message.

— Soit. Donc, pour toi, tous les Blancs sont une famille?

— Qu'est-ce que tu crois?

— Soyons sérieux, Batekol: tu ne penses pas que tous les Blancs se considèrent comme une famille?

— Écoute, mec. Je n'ai pas à me demander s'ils se considèrent comme une famille ou pas. Moi, je les observe – je veux dire que je lis les manuels d'histoire, je regarde la «téloche» – et ce que j'y vois ne laisse l'ombre d'aucun doute: ils agissent les uns vis-à-vis des autres comme des membres d'une famille. Et ceux qui ne leur ressemblent pas, ils les traitent au mieux comme des étrangers, au pire comme des moins que rien.

— Ils se sont fait la guerre. Deux guerres terribles. Deux guerres mondiales. Par amour fraternel, j'imagine!

— Dans le bonheur ou dans le malheur, moi je te dis qu'ils agissent entre eux comme des frères. Ça a toujours été comme ça.

— Et toi, tu l'as découvert tout seul en buvant ton café, un bouquin entre les mains?

— En buvant mon café, qu'il dit. Es-tu sûr d'avoir fait la moitié de ton secondaire, Modéro? Parce que si c'est le cas, il ne t'aura pas échappé que les frères ennemis d'hier, les Allemands et les Français, sont au cœur d'une Communauté européenne désormais unie pour faire main basse sur nos matières premières, bien campés derrière un écran de fumée nommé coopération. Solidaires dans le profit, les Blancs nous vendent à tour de bras ce dont nous n'avons pas besoin, nous passent les chaînes de la dette, et le temps de se pencher sur la facture, nous nous retrouvons crucifiés au Golgotha de la dépendance.

— M'enfin, Batekol! Ces gens-là nous forcent-ils à coopérer?

— De manière tellement efficace que des mecs comme Modéro s'imaginent qu'un continent entier se fait baiser au vu et au su de tous par choix.

— Il me semble que celui qui se fait baiser publiquement, comme tu dis, est au moins aussi responsable que celui qui le baise. Une baise à sens unique s'appellerait un viol.

— Là, on avance. Tu trouves le vocable auquel je n'avais pas pensé, voilà qui est rassurant. Le pillage dont je te parle est à sens unique, c'est donc un viol en bonne et due forme. Et pas n'importe quel viol. Nous parlons d'une sodomie extractive, menée pour briser le cul de l'Afrique, pour y puiser jusqu'au dernier gramme d'uranium, jusqu'à la dernière graine de cacao. Une sodomie économique violente et sans répit qui vise à épuiser la victime, à l'anéantir, à la réduire en état de rafiot déglingué allant à la dérive sur une mer de misère.

— Ils peuvent roupiller en paix, messieurs les capitaines de ce pauvre rafiot à la dérive. Ils ont en Batekol le plus zélé des avocats.

Le chauffeur est venu nous proposer des tranches d'ananas qu'il venait de découper. Batekol a décliné; j'en ai pris deux. Avant de s'éclipser, mon collègue m'a prié de signaler à la patronne, qui devait prolonger sa séance de natation, qu'il avait fait remplacer les plaquettes de freins sur le Land Rover. Mon contradicteur m'a à peine laissé le temps d'avaler le dernier morceau de fruit avant de me relancer :

— Si tu as fait la moitié de ton secondaire, Modéro, tu n'es pas sans savoir qu'il n'y a pas si longtemps, dans certaines villes d'Amérique, un Blanc qui sentait le pipi pouvait être accepté par ses semblables dans un autocar réservé aux Blancs ; mais pas un Noir tiré à quatre épingles. Un tocard blanc qui ne connaissait pas le nom de l'apôtre qui avait vendu le fils de Dieu pouvait aller voir son pasteur, flanqué d'une dévergondée ramassée dans un cabaret, et demander d'être marié à l'église avant d'aller massacrer de pauvres Vietnamiens. Le pasteur blanc les bénissait, bien entendu. Mais si le même jour un couple de Noirs bien réglo et tout, capable de chanter l'Angélus en latin, se présentait aux portes de la même église réservée aux Blancs, le même pasteur appelait la police pour qu'elle vienne leur botter les fesses. Si ce n'est pas une solidarité familiale et discrimina-toire entre Blancs, ça, dis-moi ce que c'est !

— Mon gars, dans cette ville où nous nous trouvons, des Noirs, aussi noirs que toi, m'ont botté le derrière pour…

— Mais je n'invente rien ! Il faut que tu arrêtes de croire que ton village de Banza est le centre de l'univers, mec ! Moi, je te parle du monde tel qu'il est : il y a une solidarité des Noirs comme il y a une solidarité des Blancs. Je ne dis pas que c'est bien, je ne dis pas que c'est mal : je me limite à constater comment ça marche. Peut-être qu'un jour on s'aimera tous et le monde sera alors un paradis. Mais ce jour n'est pas encore arrivé.

— Humm…

— Quelqu'un t'a fait lire Senghor, hein ?

— Quel Senghor?

— Combien de Senghor connais-tu? Je te donne une dernière chance pour répondre en toute franchise: tu as fini ton secondaire ou pas?

— Je connais Léopold Sédar Senghor, le président du Sénégal. C'est aussi un écrivain. Mais je ne vois pas de quoi tu parles.

— Ce type-là, que je te soupçonne d'avoir lu, est au service des Blancs et c'est pourquoi le Guide et lui ne s'entendront jamais.

— Senghor au service des Blancs! Et moi je suis le fils caché du pape. Mais de quoi tu causes?

Il a couru jusqu'à la fenêtre de sa chambre et est revenu avec un livre en couverture cartonnée. Avant que je ne jette un coup d'œil au titre, il a ouvert une page où il y avait une phrase soulignée à l'encre rouge:«Assimiler sans être assimilé.»

— Et alors?

— Attends, m'a-t-il coupé sèchement. Regarde ce qu'il raconte, là!

— «L'émotion est nègre comme la raison est hellène.» Je ne peux pas dire que je comprends le sens de cette phrase hors de tout contexte.

— Ça signifie, selon lui, que lorsque le Noir pleure, le Blanc, lui, choisit de réfléchir.

— Selon lui ou selon toi?

— Attends, il y a pire. Page 42... Lis-moi ça!

— «J'ai rêvé de soleil dans la fraternité de mes frères aux yeux bleus.»

— Et ça dirige un pays noir! Le type pense, comme toi, que les Blancs sont nos frères. Ils sont tellement nos frères qu'ils nous ont foutus dans les cales pour aller nous vendre en Amérique comme de la camelote bon marché!

Le retour du chauffeur m'a empêché de lui répondre. De toute façon, plus on discutait, plus on s'éloignait du sujet principal. J'ai fini par me dire que rien ne m'obligeait à jouer avec Batekol à qui avait appris le plus de choses sur le sort des Noirs américains. Ignorer des pans entiers de l'histoire de la ségrégation raciale au pays d'Ali et Foreman ou les idées que renfermaient les livres écrits par le président du Sénégal, ne pouvait m'empêcher de me rendre à l'évidence : les Noirs d'Amérique avaient leurs propres soucis, ceux de mon pays avaient les leurs. On pouvait mettre la solidarité à toutes les sauces qui puissent exister; personne ne pouvait sérieusement prétendre que le fardeau des uns nuisait au bonheur des autres et inversement.

Après avoir remis au préposé le trousseau de clés qu'il était venu lui réclamer, Batekol m'a demandé si j'avais entendu parler de l'apartheid. Après que je lui ai répondu par l'affirmative, il a déclaré, avec une émotion feinte ou réelle, je n'ai pas pu le déterminer sur le moment, qu'à l'instant même où il me parlait, en Afrique du Sud, chez les Zoulous, les Blancs logeaient leurs semblables dans des villes propres où il y avait l'électricité et l'eau courante. Pendant ce temps, m'a-t-il demandé, non pas pour que je lui réponde, mais pour m'enfoncer ses certitudes bien au fond du crâne, où habitaient les Noirs : où créchaient ces millions d'individus qui savent que cette terre-là leur appartient depuis la nuit des temps ? Je lui ai répondu qu'il devait cesser de me prendre pour un analphabète, que mine de rien j'avais été un élève très au-dessus de la moyenne, surtout en histoire et en géographie, que je savais que les Noirs d'Afrique du Sud n'étaient pas libres, mais que je savais aussi qu'on les trouvait dans les villes, les campagnes et les fermes, sur les bords d'un fleuve de là-bas qu'on appelle le Limpopo ; bref, partout où ils avaient envie de vivre. Il s'est alors fendu d'un rire qui m'était familier, un rire de petit colon nègre, un rire qui chez le Kinois ne vise qu'à péter plus haut que la fierté d'autrui.

— Non, mec. Ils ne sont pas dans les villes du tout et ils ne vivent pas où ça leur chante ; on t'a raconté des histoires. Tu es un petit Senghor qui s'ignore, mon pauvre gars. Tu es noir de peau, mais tu ignores tout de la misère noire et de ses causes. Afrodijazz te dit où ils sont, les Noirs au pays de l'apartheid : ils sont confinés dans des zoos avec les animaux et ne peuvent pas en sortir sans un laissez-passer signé de la main d'un Blanc. Nier la solidarité raciale, Modéro, c'est pire que prendre ses rêves pour la réalité. C'est se foutre de la gueule du monde.

Au risque de contribuer moi-même à un enlisement hors sujet, je n'ai pu m'empêcher de lâcher :

— Elle est bonne, cette affaire de solidarité ! Tu me parles de Noirs vendus comme de la camelote en Amérique. Mais toi qui lis tant de livres, tu n'as aucune idée de qui aurait vendu ces Noirs qui reviennent aujourd'hui sous les traits de Mohamed Ali et de George Foreman ? Tu ne crois tout de même pas que les Blancs se sont tapé des milliers de kilomètres dans nos forêts et savanes pour capturer de leurs mains les esclaves qu'ils allaient monnayer à l'autre bout de l'Atlantique !
— Écoute...

— Je sais que tu vas me sortir un truc du genre : « sans demande, pas d'offre possible » ; sauf que cela ne change en rien le fait que mon arrière-grand-père, et peut-être le tien aussi, ont échangé les leurs contre de la pacotille. Alors, dis-moi : *le combat dans la jungle* nous restitue-t-il l'honneur perdu par ceux qui ont troqué leur propre sang contre du sel ou des morceaux d'étoffe ?

Le sourire qu'il m'a opposé tenait davantage du triomphe que de l'embarras :

— Ma réponse est oui.
— Oui ? Oui quoi ?
— Le *combat du siècle* est la preuve que le peuple noir est capable de surmonter les compromissions des générations antérieures pour sceller, dans l'unité retrouvée, la grandeur de son destin.
— Mais tu répètes mot pour mot le discours pompeux du ministre des Sports, Batekol ! Ne me dis pas que les gens du Parti l'envoient maintenant vous prêcher la bonne parole chez Zaïko !
— Quand on a la peau du ventre bien tendue grâce aux gens du Parti, on ne passe pas son temps à leur chercher des poux sur la tête. Pour ton info, tout le monde ne mange pas à sa faim dans cette ville, Modéro.

Si j'aime discuter, je n'ai aucun faible pour les discussions qui partent en vrille. Celles qui, petit à petit, sortent du lit de la cohérence pour se creuser un sillon au milieu des quiproquos les plus improbables ; tant et si bien qu'en fin de compte, plus personne ne se souvient des prémisses du débat ni sur quoi repose la volonté farouche affichée de convaincre l'autre à tout prix.

Une de mes constatations au fil des mois passés à Kinshasa illustre à merveille la facilité avec laquelle le fil d'un échange enflammé du genre de celui-là peut se perdre dans la boucane de la mauvaise foi ou de la paresse d'esprit : quel qu'en soit le sujet – des conflits successoraux à l'éducation des enfants en passant par la religion –, plus une discussion se prolonge entre Kinois, plus les chances qu'elle débouche sur la colonisation belge et ses excès augmentent. Et lorsqu'elle atteint ce moment précis où l'on en vient à évoquer les amputations des mains des indigènes congolais par les hommes du roi belge Léopold II, la porte du non-retour est franchie. Remettre les pendules à l'heure en revenant au point de divergence initial devient alors mission impossible. Les protagonistes sont condamnés à rester enferrés dans ce trou noir qui aspire la raison comme la nuit le jour finissant. Je me souviens d'avoir partagé mon observation avec Wabelo. Il l'avait trouvée amusante avant de convenir qu'à la réflexion, sa propre expérience la corroborait : le fantôme de Léopold II finissait presque toujours par saborder le débat.

Ce jour-là, pour éviter que mon ami et moi ne nous retrouvions à déblatérer sur la taille de la chicotte que maniaient les colons (lesquels pouvaient tout anticiper, sauf un grand combat international de boxe en terre congolaise) –, j'ai allégué un mal de tête. Batekol m'a conseillé d'aller me servir dans la petite pharmacie dont la clé traînait dans un petit vase posé sur une des étagères de la bibliothèque.

3

DEUX JOURS PLUS TARD, LORSQUE LE SUJET A RESURGI, il a fallu que l'épouse du conseiller spécial s'invite dans notre discussion pour que mon ami et moi prenions connaissance de ce que «les gens du Parti», ou plus exactement le premier cercle autour du Guide, avaient derrière la tête au moment où l'idée du combat avait pris forme. Il s'agissait, en effet, des détails de l'affaire qui nous échappaient royalement à l'un et à l'autre, alors aux prises avec les brouillards de la cause noire universelle. Des détails que la grande majorité de mes compatriotes, qu'ils aient dévoré des manuels d'histoire ou appris par cœur Senghor, ne connaîtront sans doute jamais. J'allais découvrir que pour ce qui est de la dignité et tout le reste qui allait avec, «la fierté noire» était une incantation qui cachait une réalité moins reluisante que ce que le Parti voulait bien expliquer aux heureux bénéficiaires du cadeau présidentiel. Une réalité qui, cependant, n'allait pas changer le point de vue de Batekol. Avec ses idées bien arrêtées sur la solidarité raciale, mon ami continuait à se la jouer «racialosophe». À défaut de revendiquer la tunique de philosophe de l'authenticité, sans doute trop lourde pour ses frêles épaules d'applaudisseur des choix éclairés du Parti.

C'était au cours d'un après-midi, pendant que nous l'aidions à faire le tri dans un bric-à-brac de disques, de livres et de plein d'autres objets dont elle disait ne plus se souvenir de la provenance, que la patronne nous a confié sous le sceau de la confidence ce qu'elle a appelé la vraie histoire du *combat dans la jungle* qui devint par la suite le *combat du siècle*. Avec le recul, je crois que l'histoire qu'elle nous a racontée ce jour-là fait partie de celles plus ou moins croustillantes que chacun de nous aime à partager avec les êtres de son entourage. L'homme est ainsi fait que dès que les demi-secrets dont il s'agit échappent au grand nombre, nous cherchons à faire étalage de notre privilège d'en être l'un des rares dépositaires. Quelquefois, nous voulons simplement savourer le plaisir d'offrir à nos contemporains la preuve que chaque rumeur qui traverse la ville couve une vérité que la curiosité du commun des mortels n'effleurera jamais. Surtout lorsque les acteurs sont les hommes de pouvoir qui vivent de l'autre côté du mur de la faim.

Tout aurait commencé à l'occasion d'une discussion entre le Guide, son chef de cabinet et notre patron, qui est son conseiller spécial. La scène se serait déroulée à la *Villa Empereur Haïlé Sélassié Ier* où je travaille, il y a environ trois mois, un soir où le président était venu souper chez son collaborateur et éminence grise. Au menu, un de ses plats préférés que le chef de l'État s'était fait commander auprès de la patronne quelques jours auparavant: de la compote de bananes plantains – appelée *lituma* – servie avec du poisson-chat épicé, cuit à feu doux dans des feuilles de bananier. La maîtresse de maison, dont je découvrais à l'occasion d'indéniables talents de narratrice, nous a donc plongés, Batekol et moi, dans l'ambiance de ce souper des grands. Sa narration avait été si captivante que je pouvais m'imaginer en témoin invisible de ce repas, comme une mouche collée sur un des murs de la salle à manger. Pour des raisons évidentes, elle nous avait fait promettre sur la tête de nos êtres les plus chers de n'en souffler mot à personne. Comme si celui qui lâchait une confidence avait le moindre pouvoir de contrôle sur ce qu'elle allait devenir dans une heure ou dans dix ans.

— Avez-vous confiance en vos sources? avait demandé le Guide à Elima, son chef de cabinet, au moment où la patronne rapprochait le pot de piments.

Elle voulait éviter à son hôte de marque de se contorsionner le bras entre le bol de bananes plantains en face de lui, celui des poissons en diagonale et le verre de vin mousseux placé à sa droite.

Elima s'était raclé la gorge avant de confirmer de sa voix tonitruante:

— Oui, patron. Il n'y a aucun doute. Le président Senghor est bel et bien sur la *short list* des nommés au prix Nobel de littérature pour cette année.
— Bon, entendons-nous bien. Je n'ai rien contre mon ami Sédar Senghor, mais je ne vois vraiment pas pourquoi ces gens-là devraient lui donner le Nobel. Sa négritude, il suffit de gratter un peu, juste un peu, vous remarquez tout de suite que ça ne vole pas aussi haut qu'on veut nous le faire croire. Et puis, qu'est-ce qu'il a publié récemment? Vous vous rappelez, vous, de ce qu'il a publié cette année?

Le conseiller spécial sentait le mélange de nervosité et de contrariété dans la voix de celui dans le sillage duquel il officiait depuis plus d'une décennie.

— En fait, patron, pour le Nobel, ça se joue sur l'ensemble de l'œuvre de l'impétrant. Le président Léopold Sédar Senghor n'a certes rien publié cette année, mais ce que le Comité Nobel devra évaluer, c'est si l'ensemble de sa production littéraire est suffisamment remarquable pour lui décerner cette distinction.

— Je comprends ça, Yankee, répondit le Guide. Mais ça ne change pas mon opinion : Senghor est à l'image de son pays, le Sénégal. Trop de bruit pour pas grand-chose. Le peuple noir souffre au Nord comme au Sud et notre ami écrit de la prose pour raconter au monde son rêve le plus cher : la fraternité entre la victime et son bourreau séculaire qu'il cherche à rendre plus blanc que blanc !

Il toussa, cracha une arête de poisson, s'essuya délicatement les commissures des lèvres et but une gorgée d'eau. Une deuxième. Une rasade de vin. On sentait, autour de la table, qu'il serait difficile de changer de sujet tant que la question du président-poète sénégalais ne serait pas épuisée. Depuis l'organisation par ce dernier du 1er Festival mondial des arts nègres qui avait réuni à Dakar ce que le monde culturel noir comptait comme représentants de renom – de la littérature aux arts plastiques en passant par la musique et la danse –, le Guide s'était mis en tête de remettre à sa place « le petit grillon de Dakar », comme il appelait en privé son homologue ouest-africain. Il supportait mal que le Sénégal, partiellement désertique et plus pauvre que le district le moins nanti du grand Zaïre, par l'activisme de son président, essaie de jouer les paons

de l'Afrique noire, voire du monde noir tout simplement.
Cela ne pouvait pas continuer ainsi.

— Le Nobel de littérature au chantre de la négritude... Vous croyez qu'après cela quelqu'un va s'intéresser
à l'œuvre que je bâtis au cœur de ce continent pour la
renaissance de l'homme africain ? Senghor. Aussi petit
dans son minuscule Sénégal que la graine d'arachide dans
sa gousse, devrait-on dire ! Sénégal, pays de l'arachide,
terre aride, devrait-on retenir ! Sans blague ! Vous allez
me trouver une riposte à la mesure de cette distinction
manœuvrée par la France et qui vise moins à flatter un
nègre de service qu'à faire ombrage au Guide de la révolution zaïroise. Nous devons, je dois frapper avant ces gens-
là. De toute façon, ils ne me laissent pas le choix.

— Sans être dans les secrets des dieux, patron, je ne
crois pas que le président Senghor ait quelque chance de
remporter le prix, plaida le conseiller. D'abord, parce qu'il
n'y a pas de précédent historique qui laisse croire qu'un
Noir, même talentueux, puisse se voir décerner ce prix
que les Blancs se distribuent entre eux année après année
depuis le début du siècle. Ensuite, parce qu'il devra battre
au moins deux concurrents de poids.

— Et c'est qui, ces deux-là ?

— Harry Martinson, un Suédois, et Eugenio Montale,
un Italien. Ce sont les deux favoris.

— L'un ou l'autre pourrait être primé, en effet. Ou
même un troisième larron que la presse sous-évalue ; cela
est déjà arrivé dans le passé. Mais ce que vous devriez
comprendre, mes amis, c'est que ce n'est pas tant le prix
qui est en jeu ici, que le fait que mon ami Senghor réussisse une fois de plus à faire du bruit. C'est le bruit qui
pose problème. Le Nobel, on est d'accord là-dessus, les

Blancs ne vont pas le donner à un nègre. Pas aujourd'hui ni demain. Quand vous et moi serons morts, peut-être. Mais cela n'empêche pas Senghor de faire la une des journaux du monde ni de rêver d'un siège à l'Académie de la grammaire en se rasant tous les matins…

— Il se verrait bien à l'Académie française, en effet, corrigea le chef de cabinet.

Ni Elima ni le conseiller Yankina n'ignoraient que chaque flèche décochée au chef d'État sénégalais était tirée depuis le fil d'un arc intérieur qui se nommait mégalomanie. Mais cette maladie-là était une fournaise dont nul n'était assez idiot pour s'en approcher de trop près, si ce n'était pour y apporter son propre morceau de bois sec afin que le feu ne s'éteigne jamais. La doctrine de la négritude dont Senghor était l'un des concepteurs avait franchi les portes des amphithéâtres universitaires sur le continent. Dès les débuts du mouvement qu'elle avait permis d'enclencher, l'aura des amis écrivains du Sénégalais, Aimé Césaire de la Martinique et Léon Gontran Damas de la Guyane française, en avait fait répercuter l'écho jusqu'aux Amériques. À l'opposé, l'authenticité concoctée à la hâte par un des nègres du Guide ne dépassait les frontières du Zaïre que pour faire sourire intellectuels et dirigeants étrangers. Qu'est-ce que le petit Sénégal et son président avaient que le grand Zaïre et son Timonier ne pouvaient supplanter?

— Tout est à votre goût, Son Excellence? avait demandé Zeta pour briser le silence et donner aux deux autres convives le temps de trouver le moyen de calmer leur patron.

— C'est l'une des meilleures tables à laquelle j'ai été invité depuis la fête de l'Indépendance en juin dernier, lui avait répondu le Guide avec un grand sourire.

Il avait ajouté d'un ton ironique : « Si j'étais Yankee, je passerais plus de temps dans cette villa que dans les brouhahas de Kinshasa. » Puis il s'était ressaisi, soudain conscient de la délicatesse du terrain sur lequel il s'était avancé : « Mais je suis celui qui tient l'église au milieu du village, je n'ai pas le droit d'avoir de parti pris. »

Le premier polygame officieux du pays savait mieux que quiconque qu'il fallait savoir ménager la chèvre et le chou pour que la paix règne autour de lui. Sauf si lui-même décidait d'être le fauteur de troubles. En se servant chez le voisin, par exemple. Mais ça, c'était une autre paire de manches.

— Je suis quand même honorée par votre compliment, Excellence, avait répondu la maîtresse de céans, tandis que les trois hommes échangeaient des regards pleins de sous-entendus.

Lorsqu'il était sous son meilleur jour, le Guide était le maître de l'humour et du cynisme. Le conseiller Yankina et le chef du cabinet Elima le savaient très bien, eux qui le côtoyaient quotidiennement au Palais présidentiel de Kinshasa ou à la résidence secondaire de la cité du Parti.

Pour le dessert, Zeta avait préparé un cocktail de fruits tropicaux de son cru, arrosé de *tangawissi* à base de jus de gingembre et de noix de cola, autre péché mignon du Guide. Le service s'était poursuivi dans une atmosphère un peu plus détendue, après qu'Elima eut évoqué le président centrafricain Jean-Bedel Bokassa. Après s'être promu maréchal d'une armée de pacotille, l'homme voulait se convertir à l'islam dans le but avoué de recevoir l'aide financière du dirigeant libyen, le jeune et fringant colonel Mouammar Kadhafi.

— Mon aîné court derrière la médaille du bouffon officiel du continent, lança le Guide. L'empêcher de décrocher ce titre est une tâche à laquelle je ne m'aventurerais pas. Quand il voudra l'argent des Indiens, se convertira-t-il à l'hindouisme?

— Cela ne m'étonnerait pas, répondit Elima.

— Alors moi, ce qui m'étonne, chers amis, c'est que huit années se soient écoulées depuis le Festival de Dakar sans que vous ne me proposiez la moindre idée, le moindre projet pour donner à ce grand pays la place qui lui revient de droit au cœur de l'Afrique et du monde noir. Pas un mois, pas un an, mais huit ans pour faire preuve de créativité! Il faut avouer qu'avec vous, Senghor peut dormir tranquille. Son immortalité est assurée!

Le chef de cabinet considéra que le moment était venu de rendre publique son idée. Il l'avait déjà testée auprès du ministre de la Jeunesse et des Sports. Ce dernier l'avait saluée comme étant dans la droite ligne de la vision que le Parti s'était donnée pour le pays. En plus, lui avait-il fait observer, le pari projeté permettrait de rectifier le tir sur le terrain où le pays venait de subir une cuisante humiliation à la face du monde. Le parcours catastrophique de l'équipe du Zaïre, représentante du continent à la Coupe du Monde de la Fédération Internationale de Football Association (FIFA) organisée par l'Allemagne fédérale deux mois plus tôt, était encore frais dans tous les esprits. Le Guide, qui n'avait toujours pas digéré le camouflet, continuait à clamer qu'il avait été trahi. Il avait signifié à ses collaborateurs qu'il ne souhaitait pas entendre un seul d'entre eux évoquer en sa présence cette déconvenue qui avait fait pâlir l'étoile du pays. Sauf si c'était pour lui dresser la liste des « traîtres » à la cause nationale et ainsi lui permettre de laver l'affront.

— Vous pouvez et vous allez faire cent fois mieux que le président Senghor, patron.

— Je ne demande que ça, Elima. Le Sénégal n'a que l'arachide. Avec notre cuivre, nos diamants, notre uranium, notre or, notre cobalt, notre bois et tout ce que les grands de ce monde nous envient, nous devrions en mettre plein la vue à la planète entière ou c'est moi qui suis trop ambitieux pour ce grand peuple !

— Justement, patron. Le projet dont j'aimerais vous parler est suffisamment grand pour que nous en mettions plein la vue au monde entier.

— Je vous écoute, Elima.

— Bien avant la dernière Coupe du Monde de football…

— Vous n'allez certainement pas me reparler de la dernière Coupe du Monde, monsieur le chef de cabinet ! M'enfin, vous le faites exprès ?

Elima tressaillit, mais réussit à garder son sang-froid.

— Non, patron. Je voudrais me situer bien avant cela. Ce que je voudrais dire, c'est que jusqu'à la veille de l'opération terroriste qui devait tout gâcher et endeuiller l'État d'Israël de même que l'ensemble du monde sportif, nous avions tous compris une chose : l'éclat que l'Allemagne de l'Ouest voulait s'offrir avec l'organisation des Jeux olym-

piques de mil neuf cent soixante-douze à Munich risquait
de marquer les esprits pour longtemps.

— Sans la folie des fanatiques du mouvement Septembre
noir, c'est une édition qui aurait tenu toutes ses promesses,
admit le Guide.

— Certainement. Dans deux ans, comme vous le savez
peut-être, les Jeux sont censés être abrités par le Canada.
Mais la presse étrangère rapporte que la ville de Montréal
accuse un retard non rattrapable au niveau logistique. Le
Stade olympique serait une véritable tour de Babel qui
risque de faire tomber le maire de la ville. Vous savez, au
Canada, entre le Québec et le reste du pays, en plus de ne
pas parler la même langue, ils ont parfois du mal à parler
le même langage…

— Nous avons plus de quatre cents ethnies ici et, avant
la Révolution que je mène avec le succès que vous savez,
nous ne parlions pas le même langage non plus. Laissez les
Canadiens à leurs hivers et allez à l'essentiel, je vous prie.

— Nous pourrions soumettre notre candidature au
Comité international olympique et faire remplacer Montréal
par Kinshasa.

Cette partie de la discussion s'était déroulée alors
que le maître des lieux s'était excusé pour aller donner
des instructions à son chauffeur. Les yeux clos, le Guide
semblait réfléchir à l'idée de son collaborateur.

— C'est certainement un grand rêve avec un grand
coup à la clé. J'en vois immédiatement les retombées pour
l'image du Zaïre et le leadership de son Guide. Mais allons
un peu plus en détail, s'il vous plaît.

— Image de marque assurée pour le Zaïre. Il ne faut
pas être né sur les bords du Rhin pour comprendre qu'avec

ces Jeux d'il y a deux ans, les Allemands de l'Ouest pour-
suivaient deux buts. L'un avouable, consistant à damer le
pion à leurs rivaux communistes ; et l'autre inavoué, se
résumant à la volonté d'enterrer, une fois pour toutes, le
spectre de la culpabilité que leur avait léguée le IIIe Reich.
Nul ne saurait nier que n'eût été l'épisode tragique de la
prise d'otages, ils auraient remporté ce double pari.

— Je n'ai pas de génocide à faire oublier, Elima. Me
direz-vous le contraire ?

— Certainement pas, patron. Mais l'ignoble génocide
commis contre notre peuple par le roi des Belges Léopold
II au siècle dernier, tout comme l'agitation inconséquente
de Patrice Lumumba aux lendemains de l'Indépendance
du Congo, sont des désastres que vous avez eu la sagesse
de gommer en rebaptisant le pays. Il nous manque une
grand-messe universelle pour que ce Zaïre, que vous avez
sorti du néant tout comme l'aube ensoleillée surgit d'une
longue nuit tropicale, soit vu comme le nombril du monde
noir. Parce que notre peuple le vaut bien.

Le Guide eut du mal à réprimer un rictus de satisfaction.

— J'aime ce que vous dites, Elima. Tout cela commence
à ressembler à ce que je peux me représenter quand j'ai
les yeux fermés et que je pense au destin de ce pays jadis
humilié par l'esclavage et la spoliation des Belges. Mais
dites-moi, cher ami ; dites-moi, quelles sont les difficultés
auxquelles on devrait s'attendre sur le chemin de cette
grande aventure olympique ?

Elima avait prévu cette question. Il avait inventorié
au moins quatre difficultés – et pas des moindres ! Mais
il avait décidé, dès le départ, de n'en mentionner qu'une,

la principale. Si son patron estimait que ce verrou-là pouvait sauter, alors tous les autres sauteraient à coup sûr le moment venu, comme autant de dominos.

— Je n'en vois qu'une : convaincre les membres du Comité de préférer notre candidature à celle des Russes qui sont arrivés en deuxième position lors du vote de Munich. Les Soviétiques voudront le gâteau si les Canadiens devaient rater le coche.

— Ce n'est pas une difficulté, corrigea le Guide.

— Je crois que c'en est une et de taille, patron, insista Elima.

— Pourquoi ça en serait une ? C'est vrai, on n'est pas sur la liste des candidats présentée à Munich. Mais c'est qui, ces membres du Comité international olympique ? Des saints descendus du ciel ou des êtres de chair et de sang que l'on peut acheter avec quelques enveloppes bien garnies ?

— Je n'avais pas pensé à ça, mentit Elima en louchant du côté de la maîtresse des lieux.

Zeta était occupée à débarrasser, sans louper un seul mot de la discussion. Son mari avait regagné sa place et s'était fait expliquer l'idée de son collègue par le Guide lui-même. Le conseiller avait répondu tout de suite que parier sur une hypothétique vénalité des membres de l'organe qui avait la décision en la matière, alors que le processus était mondialement connu pour sa transparence, était pure chimère. Il avait également mis en garde le Guide sur le peu de réalisme entourant un tel projet.

— Patron, les Jeux olympiques, c'est des millions de fois le Festival de Dakar. Là, nous sommes dans une autre dimension, et je pèse mes mots. À supposer même que par quelque miracle nous ayons acheté... – que dis-je ? – convaincu l'ensemble du Comité. Il nous faudrait alors bâtir au moins un nouvel aéroport international, un grand stade olympique, pas moins d'une dizaine d'hôtels de haut standing comme l'Intercontinental de Kinshasa, offrir une flotte aérienne suffisante et capable de relier le pays d'est en ouest et du nord au sud, et j'en oublie. Tout cela, en moins de deux ans !

— Le cours du cuivre bat tous les records depuis deux ans, Yankee, intervint Elima. Et les Nord-Coréens son intéressés par notre uranium. Ne sois pas si pessimiste. Le patron a toujours dit que pour offrir au Zaïre la place qui lui revient dans le concert des nations, l'argent ne devrait pas être un obstacle. En serait-il devenu un à mon insu ?

— Il ne faut pas prendre tout ce que le patron dit au premier degré. Lorsqu'il répète qu'il rêve d'aller danser sur la tombe de Senghor, nous savons tous qu'il s'agit de la mort politique du leader noir et non d'une mort physique qu'il est le dernier à souhaiter.

— « Leader noir » est une expression que je n'utiliserais pas pour désigner notre aîné le président Senghor, particulièrement dans le cadre de cette discussion, mais nous laisserons la sémantique aux amoureux de la chose. Si le patron veut aller danser sur la tombe de son estimé homologue, il faut lui en donner les moyens. C'est tout ce que j'essaie de faire.

Le Guide n'avait pas réagi.

— Toi et moi sommes dans le même bateau, cela va de soi. Le seul problème, mon grand, c'est que nous restons malgré tout un pays sous-développé...

— Un pays en développement, vous voulez dire, corrigea le Guide.

— En effet, reprit le conseiller, nous restons un pays en développement. À ma connaissance, la stratégie du patron a toujours été – et je parle sous son contrôle – de concilier ambition et réalisme. Je ne pense pas que les Jeux olympiques nous permettent d'honorer ces deux critères.

— Tout dépend de ce qu'on veut et à quel point on le veut, contra Elima. Nous parlons d'un projet qui soit à la grandeur de notre Guide et de son peuple. Nous ne sommes pas le Rwanda et on ne peut pas se lancer à la chasse à l'éléphant muni d'un simple couteau de cuisine. Le président Senghor, sans être celui que j'appellerais personnellement un « leader noir », n'en est pas moins un homme que les Blancs écoutent. S'ils ne faisaient que l'écouter, ça serait déjà beaucoup, de notre point de vue au sein du cabinet. Eh bien, ils le respectent. Pire : ils le lisent. Lui damer le pion requiert plus que du réalisme.

— Mon grand, répliqua Yankina, je ne te surprendrai pas en déclarant que malgré leurs acquis technologiques et la présence d'infrastructures de qualité ne datant pas d'hier, les Allemands de l'Ouest ont dû consacrer quatre ans à la préparation de leurs Jeux. Quatre ans ! Et les Canadiens, qui ne sont pas des petits rigolos, peinent en ce moment.

— Et moi je ne t'apprendrai rien en te disant que le Guide a terminé son discours de clôture au dernier Congrès du Parti avec ces mots qui seront bientôt imprimés sur notre monnaie fiduciaire : *Impossible n'est pas zaïrois* !

— Eh bien, veillons à ce que le ridicule ne le soit pas non plus !

4

LE GUIDE S'ÉTAIT LEVÉ. On le vit faire les cent pas dans la pièce, les mains enfoncées dans ses poches. Il s'arrêtait devant chaque peinture accrochée sur le mur de la salle à manger, comme si chacune de ces œuvres cachait un morceau du puzzle qu'il cherchait à rassembler pour hisser le Zaïre au firmament des nations modernes. Il les scrutait d'un regard perçant comme s'il s'attendait à ce que, dans un élan de compassion, ces objets inanimés lui soufflent la grande idée du siècle. Mais ces toiles qui avaient traversé les mers après être passées entre des mains aux fortunes diverses avaient-elles la moindre idée de ce que pouvait bien inventer l'un des hommes les plus puissants d'Afrique pour exorciser son peuple des fantômes du Congo de l'auteur de *Heart of Darkness*[9]? Pour annihiler à jamais l'écrasante mémoire de Patrice Émery Lumumba, ce héros ténébreux qui s'était révélé plus menaçant mort que vivant? Mais par-dessus tout, pour remporter à tout

---

9 - Titre original de la nouvelle *Au cœur des ténèbres* de Joseph Conrad, parue en 1899 en feuilleton dans le *Blackwood's Magazine* et plus tard adaptée pour devenir *Apocalypse Now*, téléfilm produit en mil neuf cent quatre-vingt-treize et dirigé par Nicolas Roeg. Le récit relate le voyage de Charles Marlow, un jeune officier de marine marchande britannique embauché par une compagnie belge, qui remonte le cours d'un fleuve au cœur de l'Afrique noire.

jamais le duel intime qui l'opposait au président-poète ? C'était à lui de relever le défi qui donnerait un lustre intemporel à son règne, dans une réalisation si osée qu'elle en deviendrait inoubliable.

Tandis qu'il regagnait sa place sous son propre portrait officiel qui trônait dans la pièce, il semblait ruminer les paroles de son conseiller dont il avait si souvent eu à saluer le sens de la tempérance. Celui-ci formait, avec le chef de cabinet, les deux béquilles dont il avait besoin pour avancer dans les eaux troubles de la politique : la passion et les excès chez l'un, la prudence et la critique chez l'autre. Ces pôles lui permettaient de prendre le meilleur des deux et de décider en connaissance de cause, en privilégiant tantôt l'audace du premier, tantôt la prudence du second. Mais il lui arrivait aussi et même assez souvent, de faire ce que lui dictait son désir souverain ou de suivre les conseils de son féticheur pygmée. C'était le cas chaque fois qu'il s'agissait d'enjeux beaucoup trop complexes pour être abandonnés au seul jugement des mortels. En l'espèce, devait-il avouer plus tard à son conseiller, il venait de se convaincre d'une chose. S'il ne pouvait plus attendre longtemps avant de prendre sa revanche sur Senghor et de conforter sa place de leader du monde noir, le coût de son entreprise à venir ne devait déborder que légèrement les limites du raisonnable. Et c'est précisément ce paramètre, avait-il également confessé lors d'une discussion ultérieure, qui lui avait fait opter pour ne pas leur dévoiler ce soir-là son propre rêve.

Pendant de longs mois et dans le silence de ses cogitations personnelles, le Guide de la révolution de l'authenticité avait, en fait, projeté de mettre en œuvre un programme de conquête spatiale entièrement zaïrois, sur le modèle du *programme Apollo* de la NASA. Celui-ci devrait passer par l'embauche à coups de millions de dollars américains d'éminents savants des deux côtés du rideau de fer. Il devait inclure une réplique de la base de lancement spatial de Cape Canaveral construite par les Américains en Floride, cette fois au cœur de la forêt équatoriale africaine. Le Guide pourrait alors envoyer dans l'espace des fusées fabriquées au Zaïre avec son image grandeur nature et l'emblème du pays qu'il dirige gravés dessus. La révolution zaïroise pourrait ainsi tutoyer les étoiles et les deux super-puissances mondiales, tout en renvoyant les Sénégalais à la culture de l'arachide tout comme les Ghanéens de Kwame Nkrumah étaient retournés à la forge et les Guinéens d'Ahmed Sékou Touré aux plantations de bananes. Plus personne ne reviendrait sur la déculottée de l'équipe nationale de football qui avait déshonoré les nouvelles couleurs du drapeau national. S'il décidait un jour de donner vie à ce mégaprojet du siècle, quelques milliards de dollars devraient suffire. Tant que les entrailles du Zaïre seraient des coffres naturels bourrés de minerais, ce projet-là reste-rait en veilleuse dans son esprit, ballotté entre l'audace d'Elima et la prudence de Yankina.

Mais ce soir-là, à la fin du souper, ce fut le conseiller spécial qui sortit le lièvre du chapeau.

— Alors, Yankee, on invente quoi pour faire comprendre au monde que le Zaïre n'a rien à voir avec les années sombres du Congo ? On fait quoi pour creuser une petite tombe à mon ami Senghor avant de laisser le temps y souffler le vent de l'oubli ?
— Vous faites, patron, une chose relativement simple qui nous coûtera moins que le dixième du budget des

Jeux olympiques, mais dont la visibilité sera sans doute équivalente à l'échelle planétaire.

— Allons, allons, Yankee. Accouchez donc! Je fais quoi? Je sais que l'Amérique continue de vous hanter. Vous voulez que je construise la réplique de la statue de la Liberté dans mon village natal pour que le président sénégalais et toute l'Afrique se foutent de ma gueule?

— Vous faites bien mieux que ça, patron.

— Heureux de vous l'entendre dire!

— J'ai remarqué, en entrant dans votre bureau hier, que vous aviez placé à côté du portrait de Nelson Mandela une jolie sculpture en bronze de Mohamed Ali, l'ancien champion du monde des poids lourds.

— Un cadeau de l'ambassadrice américaine. J'aime ce gars et j'aime ce qu'il fait sur et en dehors du ring. Et alors?

— Comme vous le savez, Ali a gagné sa cause devant la Cour suprême des États-Unis. Il est revenu sur les rings, mais il n'a livré jusqu'ici que ce que j'appellerais des combats d'échauffement.

— C'est l'amateur de boxe qui parle, commenta le Guide qui connaissait le faible de son conseiller pour le noble art.

— Son rêve est de reconquérir le titre qu'on lui a retiré dans les conditions extra-sportives que l'on sait.

— Je ne peux que le lui souhaiter. Le commandant en chef que je suis n'a pas trop de sympathie pour les hommes valides qui prêchent la paix quand c'est encore le temps de faire la guerre; mais Ali avait de bonnes raisons de refuser d'aller massacrer du Viêt-Công. Comme il l'a expliqué lui-même, ce sont les Blancs de son pays qui bafouent ses droits de citoyen et sa dignité d'Homme; pas de pauvres Asiatiques qui n'ont jamais croisé son chemin et qui ne demandent que de vivre en paix chez eux.

Comme son interlocuteur ne semblait pas pressé d'abréger, il le relança :

— Alors, si je comprends bien, son retour sur les rings vous intéresse ?

— Et comment ! Il entre désormais dans le plan que je devrais bientôt vous soumettre, poursuivit le conseiller. Disons pour l'instant que grâce à des amis américains, j'ai pris des contacts avec un promoteur de boxe noir américain du nom de Donald King. Monsieur King, qui a déjà travaillé avec Mohamed Ali dans des campagnes au profit d'œuvres sociales implantées dans la communauté noire, a approché l'ex-champion ainsi que le tenant actuel du titre, George Foreman. Les deux sont d'accord pour se disputer le titre de champion du monde des lourds que Foreman va devoir remettre en jeu après sa dernière victoire en Jamaïque. King est maintenant à la recherche d'un mécène pour organiser ce qui sera incontestablement le *combat du siècle* entre ces deux boxeurs qui fascinent le monde entier. S'il leur offre ce qu'il leur a promis, Mohamed Ali et George Foreman sont prêts à s'affronter n'importe quand, n'importe où. Vous l'aurez sans doute compris, dans l'affaire, c'est le « n'importe où » qui m'intéresse.

— Ça par exemple ! exulta Elima. Là, j'avoue que tu m'en bouches un coin, Yankee. Si jamais on organise ce combat à Kin, le monde entier sera encore en train d'en parler dans cent ans !

— Et le Guide du Zaïre se sera offert une place dans l'Histoire qu'aucun autre dirigeant noir ne pourra jamais revendiquer, conclut Yankina.

Le conseiller spécial avait terminé sa phrase en ouvrant ses bras à la manière d'un chef d'orchestre qui signe la fin de son morceau favori dans une salle conquise. Elima était tout sourire. Madame se sentait fière de son homme, mais n'en laissait rien paraître. De son côté, le Guide avait écouté les détails du projet suggéré par son hôte en se tapotant la tempe de son index droit. Il avait ce tic chaque fois que, de la bouche d'un collaborateur, sortaient des propos qui récoltaient son adhésion. Ses yeux ne disaient pas autre chose lorsqu'il se tourna vers Zeta :

— Et votre cher mari faisait semblant d'ignorer ce que danser sur la tombe de Senghor voulait dire. Il aurait préféré rester en Amérique à danser sur la musique de ce narcissique de Presley ? Eh bien moi, je suis content de l'avoir ici où il apporte sa contribution à la grandeur du Zaïre et au rayonnement de sa révolution.

— C'est vrai qu'on n'est jamais nulle part mieux que chez soi, Excellence, avait répondu l'épouse du conseiller avec le sourire.

Le récit que nous a fait la patronne de ce souper me fait donc dire que « le cadeau du Guide au peuple zaïrois » est aussi, en partie, un cadeau indirect du président du Sénégal. Même si ce dernier ne se doute probablement pas que son homologue de l'Afrique centrale a décidé de l'affronter dans un défi de cour de récréation qu'il compte gagner à tout prix. Défi qui semble consister, pour le Guide, à se hisser sur les épaules de Mohamed Ali et de George Foreman pour pisser plus haut que le chef de l'État sénégalais, voire plus haut que tous les dirigeants noirs réunis.

La patronne, elle, est loin de se douter que de ce récit détaillé qui nous a permis de connaître le Guide sous un jour différent, seul un point de détail sans lien direct avec le sujet principal avait captivé son cousin Batekol, au point qu'il veuille me replonger dans un passé que j'avais commencé à oublier. C'était l'allusion de la patronne au fait que le Guide se payait les services d'un féticheur pygmée qui devenait l'ultime recours lorsque les conseils de ses collaborateurs ne lui semblaient pas de mise.

— J'attends toujours le bracelet que tu m'as promis, Modéro. T'as entendu ça? Même le Guide, pourtant si bien entouré, ne pourrait se passer des services d'un bon *nganga*. C'est tout dire.

Je devais admettre que la trêve n'allait pas durer à perpétuité. J'avais réussi à le faire patienter à coups de subterfuges pendant deux mois, mais le temps était venu de lui donner le seul gage d'amitié qui ait du prix à ses yeux. Mon ami voulait que je lui fasse – non pas dans un mois ni dans une semaine, mais là, sans délai supplémentaire – un gris-gris ancestral qui lui garantirait le succès chez Zaïko. Il m'avait prouvé son amitié, c'était à mon tour de m'en montrer digne. Ces mots-là n'étaient pas sortis de sa bouche, mais le fait pour moi de ne pas les entendre était justement ce qui les rendait contraignants. Autant dire que j'étais dos au mur.

— Je ne sais pas si ton esprit et l'esprit de mon grand-père Zangamoyo seront en harmonie. C'est la condition première pour que le bracelet que je vais te donner étende sur toi ses pouvoirs. Dans ces affaires-là, il y a parfois des charlatans dont on parle beaucoup, mais il y a aussi des clients dont l'esprit peut s'avérer en disharmonie avec celui de l'entité ancestrale qui transmet le pouvoir recherché.

— Et comment le savoir ?

— Il n'y a aucun moyen de le savoir à l'avance. Je vais travailler cette nuit et tu auras ton bracelet demain avant d'aller à *La Rumba Casa*. Je te dirai tout ce que tu dois savoir quant à ses pouvoirs et au mode opératoire. Tu auras intérêt à m'écouter attentivement et après, à ne pas en faire à ta tête, à la kinoise.

Le lendemain, à son retour de Kinshasa, aussitôt franchi le portail de la villa, Batekol s'est précipité vers le jardin où je me trouvais. Il arborait le sourire du porteur d'une de ces nouvelles que l'on pourrait balancer au premier inconnu croisé dans la rue, tellement on se sent pousser des ailes :

— Va te changer, Modéro ! On sort boire un grand coup. Un putain de grand coup !

— En quel honneur ? ai-je demandé, tout en rangeant mon râteau et mes deux pelles dans l'entrepôt où je gardais mon matériel de travail.

— Ton grand-père est trop fort, Modéro !

— Oui mais ça, je le savais déjà, fis-je, en m'efforçant de donner l'air du type convaincu. Alors, raconte !

Il me rapporta qu'il venait de sortir gagnant de la dernière séquence de tests à l'issue de laquelle le groupe devait le départager avec une autre jeune recrue. Il m'avait déjà parlé à quelques reprises d'un garçon qui, en plus d'être sur le même registre de voix que lui, dansait mieux que tous les nouveaux venus qui se bousculaient au portillon de Zaïko. Il parlait de lui comme d'un concurrent sérieux et je sais que c'est en pensant à la bataille qu'ils se livraient pour convaincre Joss, le patron du groupe, que Batekol revenait constamment à la charge pour réclamer son fameux porte-bonheur.

— Ils m'ont pris. Je suis de la famille à partir de ce soir. Tu te rends compte ? Tu as réussi un truc énorme, Modéro ! Énoooorme !

Le temps que j'ouvre la bouche pour lui demander comment les choses s'étaient déroulées, il avait sauté à mon cou et m'agrippait de toutes ses forces. Si fort que nous nous sommes retrouvés par terre ; lui rigolant comme un enfant, moi essayant de comprendre le rôle de mon bracelet fabriqué avec un morceau de fil de fer ramassé dans le jardin dans cet heureux dénouement. En même temps, j'étais partagé entre deux sentiments d'égale intensité. D'un côté, la joie de voir se réaliser le rêve de mon meilleur ami qui m'avait aidé à trouver un emploi dans un milieu que je n'aurais jamais approché de toute ma vie. D'un autre côté, une certaine jalousie de ne pas être à sa place, alors que j'avais fait tout le chemin depuis Banza avec une idée fixe : partager la scène avec le grand Joss, Monsieur Lokéto, le Prince de la rumba zaïroise.

Nous nous étions assis sur la pelouse, entre une motte de terre fraîchement retournée et du fumier moisi que je comptais utiliser le lendemain sur la pépinière de tomates.

— Tu peux m'expliquer maintenant ?

Il était hors d'haleine. Je ne l'avais jamais vu aussi excité.

— C'est simple, Modéro. J'arrive sur les lieux. Comme tu me l'avais dit, je ne serre la main à personne. Mystère qui traînait dans le coin insiste un peu, mais je l'ignore. Il m'interpelle quelques minutes plus tard et m'envoie lui chercher une bouteille de Coca-Cola. Au bar, je croise Pecho Drigo.

— Pecho Drigo?

— C'est le surnom du mec; je ne connais pas son vrai nom. Mon concurrent qui danse presque aussi bien que Joss lui-même.

— Oui, tu le croises au bar…?

— Je caresse discrètement mon bracelet et je prononce en bougeant à peine les lèvres l'incantation que tu m'as fait répéter hier soir: *Zangamoyo. Zangamoyo. La larve deviendra papillon et…*

— Inutile de me répéter le mantra. Je le connais par cœur, Batekol.

— Ouais. Donc, je récite cela en caressant mon bracelet. Dans les dix secondes qui suivent, je le rejoins au bar. Je lui tends la main et puisqu'il ne peut se douter de rien, il me serre la pince comme à un vieux pote. Je lui fais la tape dans le dos du revers de la main comme tu me l'avais dit. Deux petits coups, pas un de plus… O. K.? On échange quelques banalités sur le temps pourri qu'il fait, puis il m'apprend que Mohamed Ali arrive à Kinshasa dans trois jours, et blablabla. Je paie la bouteille de Coca-Cola et je retourne voir Mystère à qui je peux alors serrer la pince.

— Et après?

— Ah! C'est *après* que ça devient intéressant. Environ dix minutes s'écoulent. On est là en petit comité; on fait les réglages habituels avant de démarrer la répétition. Et soudain, on entend du bruit du côté du bar. «Appelez une voiture, vite!» crie une voix. On déboule sur les lieux, on découvre Pecho Drigo étendu sur les carreaux, les yeux révulsés comme un épileptique. De la bave toute blanche coule de sa bouche entrouverte, mais il respire. Le barman avec qui il parlait quelques minutes auparavant nous dit qu'il est tombé sans crier gare. Ils discutaient du combat de boxe et hop! le voilà qui tombe comme un boxeur atteint là où ça fait très mal chez les mâles.

— Il a été conduit à l'hôpital?

— Oui. On l'a embarqué dans la voiture du *boss* jusqu'à l'hôpital central où il a été admis aux urgences. Le *boss* est revenu nous faire le compte-rendu en fin d'après-midi.

— Il s'en est tiré?

— Pas tout de suite, mais il va s'en tirer certainement. Les médecins – parce qu'il faut bien que la science des Blancs explique l'inexplicable – ont diagnostiqué une appendicite aiguë. Ne me demande pas d'où sort ce truc; j'ai vu le mec solide comme un roc à peine quelques minutes plus tôt. Ce que je peux parier, c'est qu'au moment où je te parle, il est sorti de la salle d'opération. Ceux qui l'entourent ne sont pas pressés de le revoir danser, mais le *combat du siècle*, lui, est dans trois semaines et demie. Pecho Drigo vient de passer son tour, Modéro. Voilà pourquoi ils n'ont pas eu le choix de me confirmer ma participation. On va boire comme des trous ce soir. Comme des putains de trous! Je te le dois, mon frère. Je te dis que ton grand-père est trop fort! Vraiment trop fort, ton grand-père. Putain! Je n'en reviens pas. Zangamoyooooo!

Il s'agrippa à nouveau à mon cou et m'entraîna dans sa chute. Il poussait des cris de joie comme un gamin qui vient de réussir à un examen scolaire pour lequel le monde entier lui prédisait un cuisant échec. Mille pensées s'entrechoquaient dans ma tête. J'étais perdu.

IV

DE LA CUISSE DE JUPITER

Nu est le prophète chez lui

1

LA CONFÉRENCE DE PRESSE ALLAIT se mettre en branle dans un peu plus de dix minutes. Mohamed Ali était assis sur un fauteuil artisanal en rotin, dans la grande paillote au centre de la *Villa Nelson Mandela* qui lui avait été attribuée à Nsele. Son futur adversaire occupait une autre villa de même taille et de même apparence, à cinq cents mètres de là. Les deux Américains étaient arrivés à Kinshasa trois semaines plus tôt et cela avait radicalement changé l'ambiance dans la capitale et ses environs. Le patron était en charge de l'organisation du combat à venir, y compris le séjour des athlètes et de leurs accompagnateurs, une cinquantaine de personnes au total. Seuls les boxeurs, leurs épouses, leurs partenaires d'entraînement et leurs médecins étaient logés à Nsele. Tous les autres proches étaient descendus à l'hôtel Intercontinental au centre-ville.

Il y avait d'abord eu la grande réception organisée par le Guide à son palais du Mont Ngaliéma sur les hauteurs de Kinshasa, deux jours après l'arrivée des athlètes en sol zaïrois. Juste avant le toast, Foreman s'était exprimé en premier et avait sobrement remercié le Zaïre et son président pour l'accueil chaleureux dont il était l'objet, ainsi que pour l'investissement personnel du dirigeant des Zaïrois dans l'organisation du combat. Il avait l'air perdu à ce souper de gala où tous les gros bonnets du pays hôte s'étaient donné rendez-vous, accompagnés de leurs épouses sapées comme des candidates à un concours de mode africaine. Engoncé dans un très beau costume bleu sombre, il s'était exprimé d'une voix faible, comme un adolescent timide que sa mère oblige à réciter son poème à table pour impressionner un père qu'il voit rarement.

Par la suite, Ali qui avait enfilé un pagne africain fleuri comme un Kinois lambda, s'était approché du micro en tirant le Guide par la main, geste que personne avant lui n'avait jamais osé poser. Il pétait l'assurance et avait l'air de se trouver dans un endroit où il avait l'habitude de faire la fête avec ses copains tous les samedis soir. L'interprète avait traduit ses paroles à l'intention du public présent et des téléspectateurs: «J'aimerais dire à mon peuple qui nous regarde de partout sur le territoire zaïrois que je suis très honoré d'être enfin arrivé dans ce beau pays qui est le mien. Oui, je sais, il y en a qui vont dire que je suis un citoyen américain et qui voudront en tirer un motif pour me traiter comme un étranger sur le continent noir. Mais ceux-là ont tort, car comme le dit notre frère Malcom, un Noir ne peut pas être un vrai citoyen américain. Il peut seulement posséder un bout de papier qu'on appelle passeport qui dit qu'il a une relation avec un pays connu sous le nom des États-Unis d'Amérique. Mais s'il était vraiment un Américain, il aurait les mêmes droits qu'un Américain de race blanche. Or ce n'est pas le cas au moment où je vous parle. Et ce n'est pas parce que George Foreman pense, lui, qu'il est Américain, que cela est vrai pour un seul Noir qui vit là-bas. Mes amis, mes frères, vous le découvrirez vous-mêmes, George Foreman est un garçon bien sympathique. Mais pour une raison qu'il n'a encore jamais pu expliquer à personne, même pas à son chien ici présent, il est convaincu que le Noir ne peut être libre que s'il baisse sa culotte devant le maître blanc, s'il fait docilement ce que le maître blanc lui dit de faire. C'est son droit de croire cela ; mais surtout, laissons-le se bercer de cette illusion dans son petit coin aux côtés de tous ceux qui rêvent d'une fraternité universelle qui neutraliserait les frontières de la peau. Nous, au Zaïre, terre de l'authenticité africaine, sommes fiers d'être qui nous sommes. Que cela plaise ou non ! »

Cette fois, en regardant le Guide dans les yeux : « Excellence Colonel, vous ne pouvez pas savoir combien cette réception dans votre palais du Mont Ngaliéma est un honneur pour Mohamed Ali. Mohamed Ali a tout gagné en Amérique, son nom fait la fierté de ce pays partout sur cette terre où il y a une âme qui vit. Mais pas une seule fois, même pas en rêve, Mohamed Ali n'a été invité à la Maison-Blanche, ne serait-ce que pour y goûter un bout de chocolat. Non, à la Maison-Blanche, on doit considérer que Mohamed Ali est trop africain pour franchir le seuil de ce lieu du pouvoir blanc. Je suis donc plus qu'honoré que Son Excellence m'ait ouvert les portes de la Maison Noire du Mont Ngaliéma, ce lieu d'où il préside aux destinées du vaillant peuple zaïrois que j'ai hâte de rencontrer. Le Guide oyé ! Zaïre oyé ! »

« Oyé ! Oyé ! Oyé ! » avait répondu, sous un tonnerre d'applaudissements, une assistance totalement séduite. Du salon où nous suivions la cérémonie retransmise par la télévision nationale, je m'étais dit que ce type-là devait connaître les Africains sans les avoir jamais rencontrés. S'il devait continuer à s'exprimer de cette façon-là, dans quelques jours, toute la ville, voire tout le pays, serait dans sa poche. Et si, de son côté, Big George s'amusait à jouer au sage garçon qui ne souhaite pas fendre sa carapace pour se kinoiser tant soit peu, les gens d'ici finiraient par croire tout ce que son futur adversaire lui mettrait sur le dos.

Je savais bien qu'Ali jouait un petit numéro visant à amadouer le Guide et le public de ce pays qui ne le connaissait que par les images diffusées à la télévision. Mais sa personnalité semblait tellement en phase avec ce qu'il racontait que son parler très kinois et sa flamboyance allaient infailliblement l'emporter sur toute critique de fond. J'espérais du fond du cœur que George Foreman changerait dans un avenir proche l'image froide et distante qu'il avait transmise à ses partisans dont moi-même cette nuit-là. J'espérais aussi qu'il arrêterait de se montrer en public avec son chien si impressionnant qui n'était pas sans rappeler ceux que les Belges lançaient contre les indigènes avant l'Indépendance. Ce n'est pas avec un compagnon de ce genre qu'il allait collectionner les amis parmi les Africains. Y aurait-il quelqu'un pour le lui faire comprendre ?

Il y avait eu ensuite la scène que nous a relatée la patronne et qui date d'il y a quatre jours. Précisons d'abord que, pour une raison qui n'a pas seulement à voir avec l'acclimatation à un pays chaud, Mohamed Ali a pris l'habitude, depuis une semaine, de s'adonner au jogging dans les quartiers populaires de Kin. La grande popularité qu'il s'est forgée dans Kinshasa découle en très grande partie de ce choix. Avant, il allait courir le grand matin le long du fleuve, entre sa villa et la grande pagode chinoise, à l'autre bout de la cité de Nsele. Il commençait ses entraînements vers dix heures, pour s'arrêter à midi. Il reprenait ensuite à cinq heures du soir, jusqu'à sept heures et demie. Quelquefois, sa femme Belinda, ceinture noire de karaté, se joignait à lui. Mais depuis une semaine, lui, ses deux entraîneurs noirs, Dundee et son adjoint Bundini, ainsi que leur interprète zaïrois embarquent tous les après-midi vers quatre heures dans une voiture banalisée et filent jusqu'à Kin. Une fois là-bas, ils abandonnent la voiture et se tapent pas moins d'une heure et demie de marathon dans les ruelles ensablées des quartiers pauvres de la ville.

Il y a quatre jours donc, alors que le patron se trouvait dans l'escorte présidentielle qui quittait la ville pour l'aéroport, lui et le Guide se sont retrouvés bloqués pendant près d'une heure par une marée humaine lancée à la suite du boxeur. Ce dernier venait de terminer son jogging et, s'étant égaré, il se retrouvait sur le grand boulevard en direction de l'aéroport avec à ses talons une cohorte de fans déchaînés qui criaient comme un seul homme «*Ali, boma yé!*». Selon le patron, la dernière fois qu'une scène semblable s'était produite en sa présence, il n'avait pas réussi à empêcher l'irréparable. Des étudiants qui protestaient contre l'arrestation d'un de leurs professeurs qui avait publié un livre qualifiant de désastre économique les mesures de nationalisation que le Guide s'apprêtait à officialiser, avaient eu la mauvaise idée de bloquer le grand boulevard. Ils espéraient ainsi obliger le président à ordonner la remise en liberté de l'économiste avant de s'envoler pour un sommet international. Mais le Guide n'était pas d'humeur à jouer les pères de la miséricorde ce jour-là. Il avait, en dépit des supplications de son épouse et du conseiller Yankina qui l'accompagnaient, ordonné au très redouté capitaine Bokoliana Kala-Te, son aide de camp, lequel avait à son tour répercuté l'ordre auprès des gardes du corps, de «dégager la voie». Les tirs à bout portant, sans sommation, avaient endeuillé trente-six familles. Les douze kilomètres qui les séparaient de l'aéroport avaient été avalés à la vitesse de la lumière, toutes sirènes hurlantes. Puis on avait fermé pendant un an la principale université du pays, dont on avait enrôlé de force dans l'armée le tiers des étudiants. L'ordre revint. Le professeur, lui, réussit à s'évader de prison et gagna l'Europe, la France, d'où il critique désormais le régime avec une virulence rare. Le Guide s'est juré d'avoir sa peau, tôt ou tard. En attendant, prononcer son nom à l'intérieur des frontières nationales est assimilé à un crime punissable d'une peine d'emprisonnement pour sédition anti-révolutionnaire. Ceux d'entre ses frères d'ethnie qui ont le malheur de porter le même patronyme que lui ont beau remuer ciel et terre pour trouver un travail, rares sont les miracles qui leur sourient. Que l'un d'entre eux soit traîné devant un tribunal et les juges n'ont pas besoin d'examiner la cause : ils l'envoient en taule d'abord, sollicitent des ordres auprès de leur hiérarchie ensuite ; et si au bout d'une année l'infortuné a réussi à se maintenir en vie malgré tout, ils se donnent enfin la peine de jeter un œil sur l'acte d'accusation.

Trois ans plus tard, au même endroit, l'escorte populaire d'Ali avait réussi l'impensable. Face à la marée populaire, le Guide avait choisi de faire attendre dans le salon d'honneur de l'aéroport l'hôte de marque qu'il allait accueillir. Pas n'importe lequel : son ami le roi du Maroc qui arrivait en visite officielle de deux jours. Il serait allé jusqu'à relativiser l'incident en faisant le commentaire ci-après à l'adresse de ses collaborateurs, après qu'on leur eut rapporté l'identité de l'empêcheur de rouler en paix : « Ce garçon est absolument fabuleux. Arrivé il y a à peine quelques semaines, le voilà qui devient cent fois plus populaire que le locataire de l'Hôtel de ville de Kinshasa ! Il baragouine le lingala, trouve le temps de s'amuser avec les gosses dans la rue et prépare le combat de toute une vie en parfaite décontraction. Sa Majesté saura se montrer indulgente quand je lui aurai parlé de ce prodige noir qui est d'ailleurs son coreligionnaire. »

Les journalistes avaient tous pris place dans les premières rangées, leur matériel déposé à même le sol ou sur les deux petites tables placées à l'aile gauche de la paillote. Il faisait chaud, mais le vent qui soufflait procurait suffisamment de fraîcheur à l'assistance – une centaine de personnes environ – qui avait pris d'assaut la villa occupée par l'ex-champion du monde. Ma patronne avait voulu y faire escale avant qu'elle et moi ne prenions la direction du centre-ville de Kinshasa pour effectuer quelques achats. Il fallait préparer le retour au village d'une tante de son mari de passage dans la capitale. Le patron, qui venait d'entrer dans la paillote coiffé d'un joli chapeau de cow-boy couleur cendre, allait aussi venir avec nous.

C'était la première fois que je voyais Ali en chair et en os. Il avait la peau encore plus claire qu'à l'écran. Un bel homme, rien à redire. En Amérique, les femmes devaient lui manger dans la main. La première question revint à un journaliste de la télévision nationale qui présentait *Sportivement vôtre*, l'émission sportive culte du dimanche après-midi. D'une voix mal assurée et à peine audible, il voulait savoir ce qui aurait marqué le boxeur depuis son arrivée dans le pays. Celui-ci répondit que c'était incontestablement l'accueil chaleureux que *son* peuple lui avait réservé. Il disait toujours « mon peuple » quand il parlait des Zaïrois. Un journaliste blanc qui avait une grosse moustache poivre et sel et qui déclara travailler pour la chaîne BBC lui demanda si le fait que le Zaïre était un pays à dominance chrétienne n'était pas censé placer une distance entre lui et les Zaïrois. La réponse fut cinglante : « Il y a une époque, pas si lointaine, où les écoles de journalisme avaient pour vocation d'apprendre à ceux qui étaient attirés par ce métier à poser des questions intelligentes. Je suis probablement le seul en ce lieu à regretter ce bon vieux temps. »

Je devais être l'un des rares à ne trouver rien d'hilarant à cette réponse pleine de condescendance. Les rires qui fusèrent de l'assistance couvrirent la voix féminine qui posait la question suivante. N'ayant pas entendu, Ali ne répondit pas et passa la parole au suivant. Un type trapu aux longs cheveux attachés en queue de cheval et portant une boucle d'oreille s'empara du micro : « Chez George Foreman, on dit que vous devriez commencer à vous préparer pour le combat au lieu de perdre votre temps à aller courir comme si vous vous étiez inscrit au marathon de Boston. » À ma grande surprise, Ali arbora un large sourire et mit quelques secondes avant de répondre : « Écoute, Ron, il y a trop de connards chez Foreman. À ta place, je n'irais pas écouter ces braillards. Je resterais à mon hôtel à manger du *fufu*. C'est fou comme c'est bon ! Tu devrais venir en goûter chez moi. C'est une spécialité locale que seuls ceux qui cherchent à saisir l'âme de ce grand peuple sauront apprécier. Et ça donne de la force. Je dirais même que c'est le secret du *ngolo* ou du *makasi*, si tu préfères!» Une jeune femme blonde au joli sourire lui demanda s'il avait besoin de perdre quelques livres avant la nuit du combat. Il répondit que ça se jouait à «quelques poussières» et qu'il n'avait aucun souci sur ce plan-là. Il visait deux cent cinq livres. Il ajouta que c'était pour cela que sa ration de *fufu* était juste assez pour rester du bon côté de l'aiguille qui indiquerait dans quelques jours le seuil à ne pas dépasser. Dans la foule des curieux et des fans zaïrois, quelqu'un implora l'interprète de traduire sa question:

— On dit que vous envisagez d'ouvrir un centre de formation pour initier les jeunes Kinois à la boxe. Info ou intox?

— Mohamed Ali a plus d'un projet pour les jeunes de Kinshasa et de tout le Zaïre. Le moment viendra d'en livrer les détails, répondit le boxeur avant de se saisir d'une bouteille d'eau minérale.

Il y eut des applaudissements et des «*Ali, boma yé!*». Suivirent des questions plutôt banales, pas celles auxquelles je m'étais attendu pour un tel rendez-vous. J'avais la nette impression que l'ex-champion du monde intimidait son public. Il me semblait évident que personne n'osait poser une question qui puisse lui déplaire. Je l'entendis ainsi répondre sur des sujets aussi improbables que la portion de la nourriture locale qui se trouvait dans son assiette pour chacun des trois repas de la journée; la couleur du ciel zaïrois au matin; le cours du dollar américain qui valait moins que la monnaie locale, le zaïre; les températures des nuits kinoises et leur incidence potentielle sur la forme de l'athlète la nuit du combat; la raison de son choix d'occuper la villa portant le nom de l'avocat noir et militant anti-apartheid qui séjournait en prison, alors que son futur adversaire avait choisi la *Villa Président John F. Kennedy,* etc. C'était un jeu ennuyeux qui ne semblait satisfaire aucun des deux camps. Finalement, celui qu'Ali avait appelé Ron posa une série de questions qui animèrent une assistance qui commençait à trouver le temps long:

— Un commentaire sur la doctrine de l'authenticité chère au Guide du Zaïre?

— Vous tous connaissez mon opinion sur la question noire. Il y a ceux qui parlent et parmi eux certains écrivent de beaux ouvrages que les Blancs aiment, livres dans lesquels ils essaient de nous faire croire que Noirs et Blancs sont des frères condamnés à s'aimer. Il y a ceux qui agissent et les actes qu'ils posent leur valent le dénigrement du camp d'en face. Vous aurez compris dans quel camp le Guide du Zaïre et Mohamed Ali se retrouvent.

— Et moi qui croyais bêtement que j'étais votre ami!

— Tu es un grand connard, Ron! C'est parce que tu n'es pas mon frère que tu as le privilège d'être mon ami. Ce n'est pourtant pas si compliqué!

— Si vous deviez donner un conseil à George Foreman ce matin, ça serait lequel? L'ami promet de jouer les messagers.

— De renoncer aux cinq millions de dollars qui nous ont été promis à chacun et de se réserver la chance de gagner d'autres combats dans l'avenir.

— Vous voulez dire qu'il devrait déclarer forfait?

— C'est le seul conseil que je pourrais lui donner, oui. Mais cela décevrait tant de monde, en commençant par mon peuple qui attend impatiemment ce moment. Alors, non, je lui conseillerais plutôt de passer plus de temps devant son miroir dans les jours à venir.

— Pourquoi ?

— Parce que le visage qui sera le sien au lendemain du combat n'aura rien à voir avec celui que lui renvoie son miroir aujourd'hui.

— Son *coach* dit pourtant que son poulain va vous faire regretter d'avoir cherché à récupérer votre ceinture de champion du monde, lança un journaliste blanc qui n'avait pas encore pris la parole.

— Son *coach* sait très bien que son poulain va livrer à Kinshasa son premier combat. Jusque-là, monsieur Moore l'a accompagné sur le ring pour se faire caresser le visage par des mecs trop gentils pour faire le moindre mal à une mouche. Face à Mohamed Ali, son maître, il va apprendre ce que boxer veut dire. S'il ne dit rien lui-même, c'est parce qu'il sait que je vais lui faire très mal. Vraiment très mal. Ça ne sera pas beau à voir. Ouhhh pas beau du tout !

Il se mit à faire des grimaces en déformant son visage. Tout le monde rit. Bundini, son entraîneur qui était resté debout à sa droite, s'approcha et lui donna une tape sur l'épaule.

— Ça sera donc un grand combat ? renchérit le nommé Ron qui griffonnait fébrilement dans un gros carnet dont les feuilles subissaient les assauts du vent.

— Ce ne sera pas seulement un grand combat, cher ami. Ce ne sera pas seulement le plus grand événement de la boxe. Ce sera le plus grand événement de l'Histoire, le plus important cataclysme jamais vu. Et pour ceux qui ignorent tout de la boxe, cher Ron, ce sera le plus grand des miracles[10] signé des gants de Mohamed Ali qui te parle ! *Right ?* Tu peux écrire cela en caractères gras, noir sur blanc.

---

10 - Paroles authentiques de Mohamed Ali.

Tant de suffisance devenait insupportable à mes oreilles. Je n'avais encore rencontré personne d'aussi imbu de lui-même. Comparé à Ali, même le Guide devenait le prototype de l'humilité en politique. Je voulais bien croire qu'il était un grand boxeur, qu'il avait battu les meilleurs de sa catégorie et que la boxe était devenue ce qu'elle était grâce à la marque qu'il avait imprimée dans ce sport. Mais cela ne lui donnait pas le droit de péter plus haut que son cul. Je fis signe à ma patronne que je les attendais près de la piscine. Durant toute cette partie de la conférence, son homme et elle m'avaient semblé sous le charme arrogant du boxeur. Je ne comprenais pas que le narcissisme exacerbé d'Ali ne révulse pas le moins du monde des personnes aussi équilibrées que ces deux-là. Et ils n'étaient pas les seuls à se bercer dans cette fascination collective qui étouffait d'office toute critique contre l'Américain. Même les journalistes à qui le boxeur s'adressait avec une désinvolture bien sentie semblaient ne pas lui en tenir rigueur. On aurait dit qu'ils avaient développé à son égard cette indulgence assumée que les parents réservent à l'enfant unique qu'on désespérait de voir naître. Je devais être le seul à avoir envie de dire à l'enfant gâté des rings américains que la grandeur dénuée d'humilité faisait souvent le lit de la déchéance.

2

SUR LA ROUTE DU CENTRE-VILLE DE KINSHASA, le patron était revenu sur l'attitude d'Ali. Il m'avait surpris en déclarant que si les journalistes s'étaient montrés aussi « complaisants » avec le boxeur, ce n'était pas seulement du fait de son tempérament bien connu ou des relations orageuses qu'il entretenait avec le monde de la presse depuis des années. Il avait prétendu que c'était surtout parce qu'il n'y avait à cette conférence aucun journaliste américain ou européen qui soit d'avis que l'ex-champion ait de sérieuses chances de reconquérir son titre face à l'invincible George Foreman. Dans ces conditions, ils supportaient volontiers les saillies du challenger qui devait y puiser, pensaient-ils, une sorte de remontant psychologique. Il avait ensuite ajouté qu'à titre personnel, il était convaincu à cent pour cent qu'Ali allait opérer le miracle qu'il annonçait depuis son arrivée le 11 septembre à Kinshasa. À l'en croire, Foreman allait repartir en Amérique sans sa ceinture de champion du monde des poids lourds. Étant donné qu'il connaissait déjà le point de vue de la patronne, il s'était tourné vers le siège arrière où je me trouvais pour me demander si j'avais un penchant pour l'un ou l'autre.

La patronne me devança de quelques secondes :

— Modéro pense que George va gagner le combat. C'est Batekol qui est dans notre camp, tout comme ma bonne amie Malaïka.

— Vous confirmez, Modéro ? s'enquit le patron.

— Oui, patron, répondis-je. J'ai du respect pour Ali qui est un grand boxeur, mais je crois qu'il ne peut pas tenir le coup face à Foreman.

Le patron émit un rire.

— Vous ne suivez donc pas la majorité des Kinois, constata-t-il.

— Je ne suis jamais la majorité lorsque mes convictions me placent dans le camp de la minorité, répondis-je.

— Je ne savais pas que vous étiez si intéressant, Modéro.

— Merci, patron.

— C'est votre droit d'appuyer George Foreman, car c'est un très grand boxeur. Mais je reste convaincu que son invincibilité touche à sa fin. Dans quelques jours, ici même à Kinshasa, il pourrait fort bien la perdre.

— C'est possible, dis-je.

— Plus qu'une semaine et cinq jours, ajouta la patronne qui était au volant.

— Plus qu'une semaine et *quatre* jours, rectifia le patron.

Arrivés en ville, nous avons fait escale au Département de la Jeunesse et des Sports, où le patron devait honorer un rendez-vous. Il nous a prévenus que cela ne durerait qu'une heure. Nous pourrions ensuite nous rendre tous ensemble sur l'avenue de la Table Ronde pour choisir dans un magasin italien la literie que sa tante convoitait. Cette dernière était censée nous y attendre.

La journée était très ensoleillée, le ciel d'un bleu pur semblait convier les hirondelles au-dessus de nos têtes à un festival aérien. Les oiseaux rivalisaient d'adresse en dessinant dans les airs des courbes plus fascinantes les unes que les autres. Plus loin, tout au sud, on voyait se déplacer entre ciel et terre des points noirs ressemblant à des cauris pendant au bout de fils invisibles. Seule la minuscule silhouette de l'avion volant à moyenne altitude conférait à ce ballet aérien un caractère singulier: non loin de Nsele, les soldats de la célèbre Division des troupes aéroportées de choc créée avec l'aide de la France, fierté du commandant en chef des armées, se livraient à un exercice de saut en parachute. Plus près de nous, devant le grand édifice du Département, aux pieds de la grande statue du Guide tenant entre ses mains un trophée, deux gamins parodiaient un combat de boxe sous les regards amusés des passants. C'était une scène que l'on retrouvait un peu partout à travers la ville depuis que les images télé des deux boxeurs américains, de même que les fameux joggings d'Ali, avaient commencé à rythmer la vie des Kinois.

À un jet de pierre de l'endroit où nous nous étions garés, se trouvait une boutique où l'on vendait des équipements sportifs importés. Je m'y étais déjà rendu une fois en compagnie de Bobo, le boy que j'avais pris pour le fils de Wabelo, mon ancien bourreau devenu mon parrain avant que je ne quitte le domicile de mon oncle. La patronne m'a demandé d'aller m'y renseigner si on pouvait y acheter des maillots de l'équipe nationale allemande de football. Elle en voulait un pour son mari dont l'anniversaire approchait et un autre pour son amie Malaïka, les deux étant supporteurs de la même sélection. Elle avait précisé qu'elle parlait de l'Allemagne de l'Ouest dans laquelle jouait l'idole de son homme et non pas de « l'Allemagne rouge ». Au cas où je ne me souviendrais pas de la bonne Allemagne, elle m'avait griffonné sur un bout de papier le nom du joueur vedette de la sélection dont il était question. Je savais très bien distinguer les deux pays ; j'avais même entendu parler de ce Franz qui était un grand défenseur, même si je n'avais jamais pu prononcer son patronyme. J'avais cependant jugé inutile de la rassurer.

J'ai traversé la rue et je me suis présenté devant les vendeurs, un couple d'origine portugaise. Comme la dame servait un monsieur qui s'intéressait aux chaussures de sport, je me suis tourné vers l'homme. Dans la cinquantaine, il avait des verres correcteurs qui lui tombaient sur le nez comme en portent les savants qu'on voit dans les livres de science. Il portait un T-shirt sur lequel était gravé un grand visage de Mohamed Ali. En bon commerçant, il m'accueillit avec un large sourire de spot publicitaire, pendant que la radio diffusait une chanson du groupe O. K. Jazz avec la voix puissante du grand maître Franco :

— Salut, mon ami ! Qu'est-ce que je peux faire pour vous en cette belle journée ?

— J'aimerais savoir si vous vendez des maillots de l'équipe d'Allemagne de football. Celle qui a battu le Zaïre pendant la dernière Coupe du Monde.

— L'Allemagne n'a pas battu le Zaïre en Coupe du Monde, mon ami. Le Zaïre a été battu par l'Écosse d'abord, la Yougoslavie ensuite, et enfin le Brésil, sans Pelé. L'Allemagne a surtout battu l'Allemagne.

— Euh…?

— L'Allemagne démocratique a battu l'Allemagne fédérale le 22 juin 1974 à Hambourg, mon ami. Score final : un but à zéro. Un but splendide de Jürgen Sparwasser à la soixante-dix-septième minute de jeu.

— Je ne savais pas cela.

— Un moment historique, mon ami. Et vous savez pourquoi ? C'est le 22 juin 1941 qu'Hitler a attaqué l'URSS. On ne badine pas avec les symboles derrière le rideau de fer.

— Ouais, ça devait être un grand symbole, commentai-je pour ne pas avoir l'air complètement ignorant des querelles entre Allemands et Russes.

J'étais soudain moins sûr de mes connaissances sur les footballeurs. Le Portugais devait avoir entraîné une équipe de foot dans son pays ou quelque chose dans ces eaux-là. Il parlait du sujet avec une petite flamme dans les yeux, de celles qui permettent de distinguer le fin connaisseur de l'amateur qui se contente de rabâcher des statistiques. Je sortis mon bout de papier et le lui montrai :

— Dans quelle équipe il joue, lui ?

— Franz Beckenbauer est le vrai héros de l'équipe ouest-allemande, qui lui doit d'ailleurs le trophée remporté à Munich. Ils auraient pu se passer de Gerd Müller, mais pas de Beckenbauer.

— C'est sûr, ai-je dit, sans craindre le ridicule.

— Mais pour ce qui est du Zaïre, il ne faut pas se fier à ce que raconte l'homme de la rue, mon ami. On brûle aujourd'hui ce qu'on a adoré hier. Ces gars ont quand même offert une Coupe d'Afrique des nations à ce pays ! Ils ont fait vibrer les stades d'Afrique ! Et c'est parce qu'ils sont les meilleurs sur le continent qu'ils se sont retrouvés en ambassadeurs africains en Allemagne. Moi je dis qu'ils n'ont pas démérité. Le reste n'est qu'autoflagellation et haine de soi.

— Ils auraient pu gagner ne serait-ce qu'un match, lança sa compagne. Ils en avaient les moyens.

— C'est vrai qu'ils en avaient les moyens. Mais une équipe sans motivation n'est plus une équipe, *querida*! répondit l'homme. On leur avait promis des primes, le Guide a libéré les fonds et là, hop! quelques crapules s'en sont mis plein les poches. Et on s'étonne qu'ils aient fait la grève de buts?

Le type était bien sympathique et, en d'autres circonstances, j'aurais probablement choisi de le laisser étaler son savoir en matière de football. Je devais cependant aller droit à l'essentiel. Il me confirma que la boutique vendait les maillots de l'équipe championne du monde.

— Très bien. Ma patronne viendra vous en prendre deux. Peut-être même trois. Ce dont j'ai besoin pour moi-même, c'est d'un T-shirt identique à celui que vous portez, mais avec le visage de George Foreman.

— Je vois que vous et moi sommes dans le même camp, lança-t-il avec un sourire encore plus large. Il m'en reste encore, mon ami.

— Vous êtes un supporteur d'Ali, répliquai-je.

Il jeta un coup d'œil vers l'entrée du magasin, comme s'il craignait d'être entendu par l'un des deux boxeurs qui aurait pu y faire irruption. Il se pencha vers moi et souffla à voix très basse, sans se départir de son fort accent portugais:

— Je ne suis pas un supporteur d'Ali, mon ami. Je suis un fan de George comme vous. Mais je crois que j'ai perdu quelques clients depuis que les Kinois qui me connaissent ont commencé à me voir avec le visage du champion du monde sur le torse. Alors, pour que la maison continue à tourner, Jose Ferreira fait comme la majorité des Kinois.

Il éclata de rire et sa femme qui avait sans doute deviné ce qu'il venait de confesser lui lança quelques mots en portugais. Il rit de plus belle. Je notai qu'il avait deux dents en or. Les autres avaient subi les ravages du tabac, dont l'odeur empestait le magasin tout entier.

Pas si étonnant qu'un Blanc qui aime la boxe choisisse de se ranger derrière le champion en titre. Aux Africains, Mohamed Ali demande de se méfier de «la peau mensongère» de son adversaire. Foreman est un Blanc, prétend-il. Un Belge. Un colon. Le type manipule les gens comme il tape dans son sac de boxe : sans façon et sans répit. Le plus fou, c'est que ça marche. À un point tel qu'il a réussi à mettre Kinshasa dans sa poche. Moi, il me donne la nausée. Au Portugais aussi, apparemment.

— Vous me dites que vous avez choisi de trahir vos convictions pour gagner…

— Non, non, mon ami, protesta-t-il vigoureusement. Jose Ferreira n'a rien trahi du tout. Il a seulement compris que quelquefois, ce n'est pas ce que les hommes pensent de vous qui importe, mais ce que vous pouvez obtenir d'eux si vous les laissez se méprendre sur ce qui se cache au fond de votre cœur.

— Il y a un adage chez moi pour ça, dis-je.

— Ah ! lequel donc ?

— *Celui qui mange la bouche ouverte avalera une mouche ;
celui qui la ferme ne court qu'un seul risque : vivre en santé.*

— Tu es un sage, mon ami !

— Je dirais plus modestement que je viens d'un monde
où la parole est un outil que les gens ont l'habitude de
manier avec la même prudence qu'un couteau à deux lames.

— Moi, je viens d'un monde où ceux qui ne parlent
pas courent autant de risques que ceux qui parlent. C'est
pour avoir le luxe de n'appartenir à aucun de ces deux
camps que Jose Ferreira a choisi le Zaïre et tourné le dos
à l'Estado Novo de son pays natal. Mais c'est une longue
histoire. Une très longue histoire.

Il partit chercher le T-shirt et vint le déposer sur le
comptoir. Je le soulevai et le déployai verticalement en le
tenant par les deux manches, afin de m'assurer qu'il était
de la bonne taille. J'entendis sa compagne, partiellement
cachée de ma vue par une étagère remplie de chaussures,
demander à son client :

— Est-ce qu'il y a autre chose que je peux faire pour
vous, monsieur l'agent ?

— Non, madame. Merci. J'attends mon ami qui choisit
son T-shirt. Je vais bientôt partir.

Je tournai mes yeux vers celui qui venait de parler et que
je n'avais vu que de dos au moment où j'étais entré dans le
magasin. D'abord un vague souvenir. Puis, en une fraction
de seconde, une identification qui balayait tout doute. Mon
sang ne fit qu'un tour. Légèrement adossé au comptoir,
l'homme me fixait d'un air qui ne trahissait ni la surprise ni
la colère. Quelque chose qui ressemblait à cette satisfaction
qu'on éprouve lorsqu'on retrouve un objet de valeur qu'on

avait longtemps cherché et que l'on croyait perdu à jamais. Lorsqu'il comprit que je venais de mettre un souvenir sur son visage, il arbora un sourire aussi enchanté que pouvait l'être celui d'un fauve à la vue de sa proie. En un clin d'œil, j'évaluai la distance qui me séparait de la porte de sortie. Inutile de tenter de fuir. De là où il se trouvait, il n'avait qu'un pas à faire pour me maîtriser. Il venait de lire dans mes pensées et articula d'un air détaché :

— Cher ami, j'ai retrouvé ta bestiole, figure-toi. Ce n'est donc pas un hasard si tu es là aujourd'hui. Nous allons pouvoir finir en beauté notre histoire commencée à Matonge, place de l'Indépendance, il y a deux mois.

— Vous faites erreur, monsieur, lançai-je. Vous… vous devez me prendre pour un autre.

— Toi qui es né sous l'arbre à palabre, ne devrais-tu pas connaître la sagesse des anciens ?

— Monsieur…

— *Qui chie dos au Malin finit dans le ravin.* Tu ne connais pas celle-là, hein ?

— Je ne…

— Tu as déjà fait ton malin et on sait ce qu'il en est sorti. Mais c'est mon tour à présent.

— Je ne comprends rien à…

— Oh, bien sûr que si, monsieur le sorcier à la voix si candide. Bien sûr que si. Mon fils est mort. Une mort atroce. Une mort comme je ne l'aurais pas souhaitée à mon pire ennemi. Une mort survenue deux jours après que nos chemins se sont croisés. Comme tu peux l'imaginer, au moment où je te parle, je n'ai plus rien à perdre.

Le Portugais et sa femme nous regardaient sans rien comprendre. Il n'y avait que nous quatre dans le magasin.

Comme pour souligner le sens de ces retrouvailles, à la radio, la voix du grand maître Franco clamait, dans un tube chahuté par la critique et par ceux que les velléités provocatrices de cette grande gueule nationale agaçaient, que «la vengeance, mes frères, mes sœurs, mes amis, est un plat qui se mange le couteau à la main». Bulldozer, lui, semblait s'armer de patience. Mais je sentais une grande détermination dans la voix qu'il s'efforçait de rendre la plus neutre possible.

— Vous devriez aller discuter ailleurs, finit par suggérer le commerçant au moment où deux nouveaux clients franchissaient le seuil du magasin. Ceci est un espace privé placé sous la protection des services de l'ordre.

— Vous avez en face de vous la loi en personne, lui répondit Bulldozer avec le sourire. Vous n'avez rien à craindre. Mon ami et moi allons partir tout de suite et vous laisser vaquer à vos occupations.

Il fit deux pas et me saisit par le poignet, exerçant sur moi une pression qui me fit perdre l'équilibre au moment où j'essayais de lui résister. Le temps de constater que son visage changeait d'expression, je reçus la pointe de sa botte droite au bas du ventre. Je me pliai, en proie à une horrible douleur qui semblait traverser chaque veine de mon corps. Je sentis du liquide chaud couler le long de ma jambe gauche. Au moment où l'un des clients qui venait d'arriver cherchait à s'interposer, il m'expédia un violent coup de matraque au milieu du visage, juste au-dessus du nez. La dernière image que je vis avant d'être avalé par un trou noir fut celle de deux bouches et de deux paires d'yeux du couple portugais, ouverts aussi grands que s'ils avaient vu un buffle sur le point de se glisser dans le chas d'une aiguille.

Combien de temps s'était écoulé avant que dans la vallée embuée où je nageais entre hallucinations et cauchemars, ne me parviennent les voix auxquelles je devais m'accrocher afin de ne pas perdre pied dans le néant ? Il y avait celle de la patronne : « Tout ira bien, Modéro. Tout ira bien. Ils vont bientôt te sortir de là. » Celle de Batekol : « Il le paiera très cher. Je ne voudrais pas être à sa place, le salaud. Tu vas t'en sortir, mon frère. » Le patron : « Je veillerai personnellement à ce que ce fils de chien paie pour son acte barbare. »

Une odeur de médicaments. Les pleurs d'un nourrisson au loin. Des claquements de portes. Un bruit sec. Un silence si lourd que je le ressentis sur moi, froid et dominant, de la tête aux pieds. À nouveau un grincement de porte. Un homme d'âge mûr qui crie : « Je veux de l'eau fraîche ! De l'eau fraîche ! » Une femme qui lui répond du bout des lèvres, comme si elle redoutait que le son de sa voix ne fasse débouler l'apocalypse : « Tu devrais arrêter de boire et remettre tes Pampers. Tu as failli pisser dans la bouche de la pauvre infirmière tout à l'heure. »

Longs éternuements saccadés qui suscitent des rires étouffés d'abord, puis des fous rires ici et là. Une voix d'homme, d'une douceur enveloppée d'une autorité paternelle qui a l'air de douter d'elle-même. Un prêtre ? « Les voies de notre Seigneur sont insondables, ma fille. » La fille : « Il n'a pas condamné la putain, mon père ? » Le père : « Tout au contraire. Il a dit aux pharisiens : "Que celui qui n'a jamais péché lui jette la première pierre." Quand il a relevé la tête, il n'y avait personne, que la pécheresse. »

Un long silence. Des chuchotements. Le patron, à voix basse : « Tu dis n'importe quoi, Zeta ! C'est lui qui décide et les deux choix qu'il m'offre sont ceux-là. New York, je connais et je parle anglais. Moscou, c'est affreux à crever. Je n'ai pas la moindre envie d'apprendre le russe ni de savoir à quoi ressemblent les hivers sur la place Rouge. Mais s'il insiste, tu sais bien que je n'aurai pas le choix d'y aller. Il est… [inaudible], je suis celui qui exécute. L'amitié dont il me fait bénéficier me rend encore plus conscient de… [inaudible] qu'il place en moi.» La patronne: «Moscou, ça sera sans moi.» Le patron: «Mon amour, ce n'est pas le lieu. On en reparlera, veux-tu?» Silence.

De nouveau, le prêtre: «Les Saintes Écritures nous disent qu'elles le suivaient partout ou presque. C'était un homme à femmes, comme on dit de nos jours. Mais à sa sainte manière. À sa résurrection d'entre les morts, c'est à une femme, Marie-Madeleine, qu'il réserve sa première apparition. Il en fait sa première messagère. Il l'envoie annoncer à ses… [suite inaudible].» Un homme en proie au bégaiement: «Mon fils est né sous la révolution de l'authenticité. J'aurais aimé… [inaudible] Daniel. Comme le prophète. Mais vous pouvez juste écrire Dani. Oui, D-a-n-i.»

Un cliquetis. Une serrure qui fait des siennes. Des pas pressés. Une voix rauque, caverneuse, qui se précipite rageusement comme des cascades d'eau dans une galerie souterraine: «On va l'envoyer au tapis et lui broyer les testicules, à ton idole. Il s'est amené ici avec une Blanche et il a l'audace de traiter George Foreman de colon. Pouvoir noir par-ci, pouvoir noir par-là. Il nous prend pour des zozos, je vous jure!» La réplique: «Et ton champion de momie, il était où quand les Panthers recrutaient les frères, les vrais? Il se tenait à l'écart pour ne pas froisser les Blancs. Un nègre de maison. C'est comme ça qu'on les appelle là-bas. On ne va nulle part avec des traîtres de son genre. On commence par lui botter les fesses, ici à Kin la belle. On laisse le reste aux Ricains.» Une voix de femme, une infirmière, peut-être un médecin: «Ali et Foreman, c'est au Stade du 20-Mai. Nous sommes dans un lieu de repos et les heures de visite sont maintenant écoulées.»

3

J'ÉTAIS RESTÉ QUATRE JOURS À L'HÔPITAL. Batekol en avait avisé l'oncle Kataguruma et, à ma grande surprise, lui et sa femme étaient passés me rendre visite. Wabelo aussi était venu un après-midi. Il m'apprit qu'il avait mis sa femme à la porte et décidé de pardonner à mon oncle. Ce dernier aurait amorcé une médiation dans laquelle le meilleur ami de la victime aurait joué un rôle déterminant. Laquelle victime m'avait sorti un principe qui aurait pesé dans son cheminement vers le pardon : «Celui qui te permet de découvrir que ta femme n'est pas digne de ton amour et encore moins de ta confiance te sauve la vie, Modéro. Maintenant au moins, je sais que j'ai passé douze années de ma vie avec une personne qui aurait pu me décapiter pendant que je dormais à poings fermés à zéro centimètre d'elle.»

Wabelo ne m'avait pas convaincu, mais si la mansuétude recherchée par mon oncle avait emprunté cette voie-là, ne valait-il pas mieux saluer la sagesse retrouvée de l'ex-justicier? «Les voies du pardon sont parfois insondables», avait un jour déclaré mon père à l'un de ses grands amis. C'était après que le second eut reproché au premier de ne pas avoir traîné devant le Conseil des anciens du village un jeune tocard qui avait profité de l'état d'ébriété dans lequel il s'était trouvé pour le traiter de pédophile.

Ma tragédie m'avait été rapportée. Après que je suis tombé dans les pommes, les deux clients qui étaient arrivés dans le magasin avaient réussi à immobiliser Bulldozer. Dans la minute qui avait suivi, ma patronne qui commençait à s'impatienter était arrivée sur les lieux pour constater la scène. Son mari dont la réunion venait d'être annulée était sur ses talons. Ayant vu que ma vie était en danger, ils avaient sollicité de l'aide pour m'embarquer dans le Land Rover en même temps que mon agresseur. Ce dernier n'avait, semble-t-il, opposé aucune résistance. Sur le chemin de l'hôpital, le patron avait livré Bulldozer au premier poste de police militaire. Il avait précisé au sous-officier à qui il s'était présenté que l'homme qu'il lui confiait était «son hôte de marque personnel». Dans le langage du milieu, cela voulait dire qu'il avait, lui seul, droit de vie et de mort sur l'intéressé. Ce droit lui était conféré par le titre de chevalier de l'Ordre Révolutionnaire et Authentique du Léopard auquel le Guide l'avait élevé.

Tous les frais d'hospitalisation avaient été mis sur le compte qui regroupait les dépenses entraînées par les soins administrés au personnel de la Présidence de la République. Je n'en revenais pas de voir ma modeste personne bénéficier d'un tel privilège, alors que moins d'un an auparavant, je ne valais pas plus qu'un moineau dans la nature. Un paysan qui vaquait à ses travaux de champ tout en faisant partie d'un groupe musical dont la réputation ne dépassait pas le cinquième du district dans lequel j'avais vu le jour. J'aurais voulu que mes parents et mes amis soient là, qu'ils voient à quoi ressemblait la chambre luxueuse dans laquelle ma patronne m'avait installé à mon retour à la *Villa Empereur Haïlé Sélassié Ier* de Nsele. J'aurais aimé que Sendos goûte lui aussi à cet immense lit douillet, qu'il s'enroule dans ces draps et dans ces couvertures venus du bout du monde. Lui qui n'a jamais dormi dans une maison bâtie en matériaux durables, j'aurais aimé qu'il profite de la grande baignoire dans la salle de bains que je partageais depuis quelques jours avec Batekol. Batekol à qui je devais ce rêve qui dépassait tout entendement. Batekol qui m'avait ouvert les portes de ce monde inaccessible à tant de Zaïrois, même si notre histoire reposait sur un mélange de demi-mensonges, de malentendus et de troublantes coïncidences.

J'étais perdu dans ces pensées lorsque la porte de ma chambre s'était ouverte sur le patron. Comme il n'était pas commun qu'il vienne à la villa de si bon matin, cette apparition m'avait intrigué. Il m'avait demandé si les douleurs que je ressentais la veille dans le dos perduraient. Je l'avais rassuré avant de lui réitérer mes remerciements pour tout ce qu'il avait fait pour moi.

— C'était mon devoir, Modéro. Vous êtes à mon service – enfin, au service de ma femme, mais c'est pareil. Alors vous êtes sous ma protection.

— Je l'apprécie beaucoup, patron, dis-je.

— Ce type…

Il s'était arrêté, avait jeté un regard vers le couloir menant au salon par la porte entrouverte, puis s'était levé pour aller refermer le battant. Revenu sur ses pas, il s'était assis sur la chaise qui se trouvait au pied du lit. En l'observant, je pouvais deviner qu'il était soucieux. Préoccupé par un bien égaré dans la maison? De l'argent liquide? J'en voyais traîner çà et là et jamais il ne me serait venu à l'idée de me servir. Autant crever de faim. Et Dieu sait que je mangeais à ma faim à Nsele! Me soupçonnait-il d'une indiscrétion qui était sur le point de troubler la paix conjugale? J'étais aussi bavard qu'une tombe pour ce qui touchait de près ou de loin la vie de mes maîtres. D'ailleurs, que savais-je qui revête de l'importance?

La seule lumière qui s'était alors allumée dans mon cerveau concernait un aspect que personne ne pouvait savoir. Il m'était arrivé à quelques reprises de prendre mon pied en solitaire sans quitter la salle de bains, aidé de ma main droite, avec une photo de la patronne – en bikini orange sur une plage dans un pays que j'ignorais – posée sur le lavabo. Cette photo très suggestive était la seule chose que j'avais volée à la maîtresse de maison et l'usage que j'en faisais n'était connu de personne. C'était ma solution temporaire pour ne pas laisser se rouiller définitivement mon «engin», le temps de me trouver une bonne petite Kinoise pas trop compliquée. Ce n'était pas très digne, mais j'aimerais bien que quelqu'un me désigne un seul individu sur cette terre qui n'a pas au fond de lui un petit secret bien gardé. Un petit secret qui lui ferait perdre la face si tous les gens qui le respectent devaient un jour le percer ou s'il devait le retrouver à la une des journaux de sa ville. Il était impossible que le patron ait percé le mien.

«Je disais donc que ce Bulldozer – je veux dire votre agresseur – restera sous les verrous le temps qu'il me plaira. Pour ça, vous pouvez compter sur moi.»

J'étais rassuré qu'il revienne sur ce sujet-là au lieu d'un motif de plainte dont j'aurais pu être tenu responsable. Mais je ne savais pas si je devais commenter cet engagement qu'il prenait ni s'il attendait que je formule une requête particulière touchant cet individu.

«Je vais aller droit au but, Modéro.»

Il se racla la gorge, puis marqua une pause. Derrière lui, le poste transistor, dont le faible bruit se faufilait dans la pièce, annonçait l'arrivée imminente dans la capitale des personnalités qui allaient être présentes au stade le soir du combat. Une liste d'où émergeaient surtout des noms à consonance américaine ou européenne qui n'évoquaient rien dans mon esprit.

«Comme vous pouvez vous en douter, pendant que vous étiez dans le coma, j'ai eu le temps de parler avec cet individu. Et j'ai aussi parlé avec votre ami Batekol, qui est en quelque sorte mon beau-frère, comme vous le savez.»

Il s'était tu de nouveau et avait pris quelques secondes à m'observer, comme s'il espérait un signe qui lui fasse comprendre que je savais où il voulait en venir. Ce qui n'était pas tout à fait le cas.

«Alors, ils m'ont tout dit. Ils m'ont expliqué ce qui est arrivé à la place de l'Indépendance; parce qu'il n'y a pas d'agression chez les Portugais sans l'épisode de la place de l'Indépendance. On est bien d'accord?»

La visite avait alors pris tout son sens dans mon esprit. Néanmoins, j'avais décidé de le laisser exprimer tout ce qu'il savait et les conclusions qu'il en tirait.

Il m'expliqua qu'amené au poste, Bulldozer lui avait raconté l'incident de la place de l'Indépendance, puis avait ajouté que son fils de sept ans avait trouvé la mort électrocuté alors qu'il jouait avec deux de ses copains près d'une cabine à haute tension. Des voisins l'avaient trouvé carbonisé après qu'il eut reçu une décharge de plusieurs milliers de volts. Ses deux jeunes compagnons s'en étaient tirés sains et saufs. Pour le père, cette mort portait ma signature et était la suite prévisible de ce qui était arrivé deux jours plus tôt, lors de notre rencontre.

Lorsque le patron s'était informé auprès de Batekol, mon ami avait corroboré la version de Bulldozer quant à la présence insolite du lézard dans ma sacoche et aux prétendues menaces que j'aurais prononcées. Il était allé un tantinet plus loin. Pour une raison que je ne peux cerner, il s'était senti obligé de confirmer mes soi-disant pouvoirs de jeteur de sorts en évoquant la mise à l'écart dans des circonstances pour le moins troublantes du gars à qui il devait son recrutement chez Zaïko. Or mon patron, du haut de son doctorat décroché en Amérique, prenait tout cela pour argent comptant.

— Ce n'est qu'une suite de malheureuses coïncidences, admis-je, en adoptant l'air le plus contrarié possible.

Il me répondit avec le sourire.

— Des coïncidences malheureuses, en effet. Et vous devez vous dire qu'un homme qui a fait les études que j'ai faites et qui occupe mes fonctions ne devrait logiquement y voir que de bien malheureuses coïncidences.

— Ce n'est rien d'autre, patron. Je vous le jure sur la tombe de ma grand-mère!

— En science, Modéro, il existe un principe appelé «la loi des probabilités». Je ne vais pas vous donner un cours là-dessus, mais pour que vous compreniez que cela ne sert à rien de jurer sur quoi que ce soit, je vais vous poser une question simple avant de retourner m'occuper des préparatifs du combat qui approche à grands pas.

— J'essaierai de vous répondre le plus honnêtement du monde, patron.

— Je n'en doute pas. Alors, dites-moi: selon vous, combien de chances sur mille y a-t-il que nous trouvions un crocodile si nous devions vider tout de suite notre piscine que vous voyez là?

Il pointait son doigt vers la fenêtre dont les rideaux étaient tirés.

— Euh… moins d'une chance sur mille, peut-être? tentai-je.

— Très bien. Parce qu'il ne faut jamais dire zéro chance. Maintenant, ayant vidé la piscine et découvert tout de même notre crocodile, combien de chances sur cent y aurait-il, selon vous, que ce reptile sorte de l'eau portant des lunettes semblables à celles que vous voyez sur mon nez en ce moment?

J'ouvris la bouche, mais aucun mot n'en sortit. Il sourit de nouveau, se leva et posa sa main sur mon épaule:

— Avez-vous déjà mangé à *L'Éloge du Piment*, le restaurant de l'hôtel Intercontinental?

— Non, patron.

— Eh bien, je viendrai vous chercher et nous irons faire un petit tour là-bas ce soir. On y mange très bien, vous verrez. Et on pourra parler un peu de ce cher grand-père qui doit beaucoup vous manquer depuis que vous êtes à Kin la belle. Au fait, quel est son nom, au vieux, déjà ?

— Zangamoyo.

— Nous parlerons du vieux Zangamoyo, lança-t-il, avant de s'éclipser.

Le restaurant grouillait de monde. On nous avait installés à une table placée tout au fond de la salle, dans un coin où la lumière bleuâtre et tamisée semblait avoir été choisie par une personne aux goûts raffinés et dotée d'un indéniable sens de l'esthétique. À notre gauche, un couple dans la cinquantaine mangeait sans échanger un mot, comme si l'homme et la femme essayaient de noyer dans ce souper une dispute dont eux seuls connaissaient les tenants et aboutissants. Je jetai un regard dans leurs assiettes et ce que je découvris ne ressemblait à rien que je connaisse. Mes yeux se portèrent alors sur la table en face de nous, où deux hommes dans la trentaine discutaient en anglais. Là, c'était un plat que j'avais déjà goûté à Nsele, mais que je n'avais pas apprécié. Je ne me souvenais plus du nom exact, mais la patronne avait dit que c'était des fruits de mer. Cela m'avait intrigué, car il n'y avait rien qui ressemble à un fruit, pas plus ce jour-là que dans l'assiette de nos voisins qui semblaient se repaître avec un grand appétit. Le patron s'était déplacé pour aller s'entretenir avec le directeur général de l'hôtel. Je sirotais mon verre de whisky Johnny Walker en attendant son retour, lorsqu'un type s'approcha de moi. Il avait les cheveux noués à l'arrière en queue de cheval, portait des jeans délavés et un veston kaki sur une chemise mauve clair. Je reconnus le journaliste que Mohamed Ali avait appelé

Ron lors de la conférence de presse. Il essaya d'abord de me parler en anglais, mais je lui fis comprendre que je ne parlais pas cette langue.

— Oh, bien sûr. Vous êtes Zaïrois. Excusez-moi, monsieur, dit-il en y mettant tous ses efforts pour ne pas diluer son français dans un accent américain extrêmement marqué. Votre nom, s'il vous plaît ?

— Je m'appelle Modéro. Je travaille pour…

— Le conseiller spécial Yankina ?

— Oui, monsieur.

— D'accord. Vous êtes… son assistant ?

— Euh… non. Je suis… l'assistant de son épouse, dis-je pour faire simple.

— Je comprends. Moi, c'est Ron Baxter. Je suis journaliste. Je travaille pour un journal américain qui s'appelle *The Chicago Chronicle*. Je suis un vieil ami du conseiller.

— Je suis heureux de vous connaître, monsieur Baxter.

— Vous pouvez m'appeler Ron.

— Vous êtes gentil. Vous cherchez monsieur le conseiller ? Il ne va pas tarder.

— Je sais. Il est à l'*É-Kin'Ox* avec le directeur de l'Inter. Je le verrai tout à l'heure.

— L'*É-Kin'Ox* ?

— La discothèque de l'hôtel, au rez-de-chaussée. Je voulais plutôt savoir si vous participez au pari que nous organisons. Nous enregistrons encore ceux que la chose intéresse, jusqu'à demain soir.

— Euh…

— Je parle des paris pour le *combat du siècle*, bien entendu.

— Vous voulez savoir si je participe au pari ou vous parlez de monsieur le conseiller ?

— Monsieur le conseiller s'est déjà enregistré. Je voulais savoir si c'était votre intention de le faire à votre tour.

Il dut voir à l'expression de mon visage que je ne comprenais rien à son histoire de gageure. Je me dis que c'était le genre de chose qui vous tombe dessus lorsqu'on vous amène, vêtu comme un clerc, à un souper de grandes personnes où tout le monde parle des choses que tout le monde comprend, sauf vous qui êtes monsieur Tout-le-monde. Je fus sauvé par le retour du patron. Ron me fit un au revoir rapide, n'attendit pas ma réponse et alla lui couper le chemin. Ils discutèrent quelques minutes, se tapèrent dans la main comme de vieux potes au moment de se séparer, puis l'Américain alla rejoindre une jeune dame assise plus loin. Je reconnus la journaliste blonde qui avait aussi pris part à la conférence de presse.

Le repas fut délicieux. J'aurais préféré rester en terrain connu et commander un plat local bien pimenté, mais sur l'insistance du patron, j'acceptai de goûter à la viande de lapin cuit dans du vin et des épices importées. C'était un de ses plats préférés, m'avait-il dit. Contrairement à ce que j'appréhendais, c'était une viande plutôt exquise. C'eût été un régal parfait si je n'avais pas eu l'estomac noué par le suspens et l'angoisse causés par les circonstances qui avaient présidé à cette invitation. Je me rappelai les dernières paroles que le patron avait prononcées dans ma chambre plus tôt le matin : « Et on pourra parler un peu de ce cher grand-père qui doit beaucoup vous manquer depuis que vous êtes à Kin la belle. » Que voulait-il savoir, au juste ? Si mon grand-père avait réellement des pouvoirs qui lui permettraient d'asseoir davantage son influence auprès de son propre patron dont il était déjà l'éminence grise? Lui qui conseillait aux gens de lire les philosophes blancs pour trouver les réponses qu'ils cherchaient en vain dans l'alcool, comment pouvait-il accorder du crédit à des événements qui auraient pu avoir mille et une explications, même si je n'en connaissais moi-même aucune?

4

Nous avions évoqué des sujets plutôt banals tout au long du repas. À mon stress, s'ajoutait le poids de l'intimidation que faisait peser sur moi ce politicien qui était l'une des personnalités les plus puissantes du Zaïre. Alors que des centaines de personnes attendaient durant des semaines avant d'être présentées à « l'homme qui murmure à l'oreille du Guide », j'étais à causer football, musique et cuisine avec lui, au beau milieu de gens venus des quatre coins du monde assister à l'événement sportif du siècle.

Il commença à évoquer le sujet de la soirée après que la serveuse nous eut apporté le dessert. De la crème glacée pour lui, un cocktail de fruits pour moi. La dernière fois que j'avais essayé d'avaler cette crème-là, j'ai cru que j'allais perdre toutes mes dents, tellement c'était froid.

— Mon ami Ron et moi nous sommes connus à l'Université de Chicago, commença-t-il. C'est un garçon très sympathique. Il a voulu vous enregistrer pour le pari, qu'il m'a dit.

— C'est vrai.

— J'ai prétendu que vous étiez du côté de George Foreman, mais que votre éducation religieuse vous interdisait de jouer. Juste pour qu'il arrête de vous infliger son français qui doit être très difficile à comprendre pour vous, j'imagine.

— Il fait des efforts pour se faire comprendre et cela ne peut que disposer ses interlocuteurs à être à la fois patients et indulgents, répondis-je.

— Vous êtes quelqu'un de très réfléchi, Modéro. J'aime cela.

Il alluma une cigarette et poursuivit :

— En fait, au risque de vous surprendre, c'est au sujet de ces paris autour du combat que j'ai voulu m'entretenir avec vous ce soir. Attention, rien à voir avec ce dont vous a parlé Ron tantôt. Lui et ses amis américains s'intéressent aux dollars. Peut-être ne le sais-tu pas, mais il n'est pas exagéré de dire que c'est leur dieu, là-bas.

— Il a prétendu que vous étiez dans le coup, si je peux me permettre.

— Oui, je me suis joint à eux ; mais ce n'est pas ce pari-là qui compte le plus pour moi. J'ai misé sur Mohamed Ali et je pense que ça va me rapporter comme à tous ceux qui l'ont fait. Cela étant dit, il n'est même pas certain que je passe réclamer mon dû le lendemain du combat. Le pari dont j'aimerais vous parler n'a que très peu à voir avec l'argent.

Ce pari, il l'avait fait avec son patron, le président de la République en personne, m'a-t-il expliqué. Il m'a d'abord dit que le Guide et lui avaient l'habitude de parier à certaines occasions spéciales, notamment lors de grandes rencontres de football, un sport dont ils étaient tous les deux de grands fanatiques. Les gains en jeu étaient de valeur variable, mais jamais de l'argent. Ainsi récemment, lorsqu'il a gagné pour la première fois un pari contre son patron qui avait prédit que l'équipe nationale de foot remporterait au moins un des trois matchs de son groupe à la Coupe du Monde de la FIFA, le gain lui a permis de faire un heureux dans la famille. Tel que convenu, le Guide lui a laissé le choix de la personnalité à nommer à la tête du Grand Tam-Tam Zaïre-Afrique, l'office national de radiodiffusion. Lorsqu'il a proposé le nom de son propre demi-frère qui rentrait au pays après des études de journalisme en France, le chef d'État s'est exécuté sans rechigner. Pour le même poste, le président penchait pourtant pour un des doyens de la maison qui s'était illustré en créant un programme baptisé *Une Grande Nation, un Grand Peuple, un Guide perpétuel au cœur de l'Afrique*. D'avoir perdu le pari l'avait contraint à offrir à ce serviteur zélé un prix de consolation que l'intéressé aurait accueilli avec grand plaisir. Il devenait le nouvel attaché de presse du président de la République. Selon le patron, depuis qu'il le connaissait, jamais le Guide ne s'était dédit après qu'il lui avait donné sa parole. La même rectitude aurait été notée par les très rares collaborateurs avec qui le chef suprême avait noué des rapports qui débordaient du cadre professionnel strict. Cette fidélité sans failles serait ce qui le rendait impitoyable à l'égard de quiconque succombait à la faiblesse de revêtir le manteau de traître après avoir été nourri de sa main.

Était arrivé le *combat du siècle*. Selon le patron, malgré toute l'admiration qu'il vouait à Mohamed Ali, le Guide restait convaincu que l'actuel champion du monde des lourds conserverait son titre à l'issue de la confrontation tant attendue. Ses doutes sur l'aptitude de son idole à l'emporter se seraient amplifiés après deux déplacements à Nsele où il avait assisté aux séances d'entraînement des deux Américains. De son propre aveu, il en était reparti avec la conviction inébranlable que la souplesse et la volonté de fer d'Ali ne seraient pas suffisantes pour parer à la puissance de feu d'un Foreman qui frappait dans le sac et dans ses partenaires d'entraînement comme une vraie machine à tuer. Parlant en connaisseur de la discipline, le patron aurait tenté de lui faire comprendre que la force de frappe du champion du monde pourrait devenir un lourd handicap s'il devait miser principalement sur elle et minimiser l'aptitude de son challenger à encaisser les coups les plus forts tout en conservant sa capacité de nuisance.

Après avoir essayé pendant quelques semaines de le convaincre d'accepter le poste d'ambassadeur du Zaïre en URSS – alors que monsieur le conseiller faisait des pieds et des mains pour aller passer au moins trois ans au siège des Nations unies à New York –, le Guide avait sorti l'idée du pari. Il s'était dit prêt à se montrer accommodant, mais en associant le sort à la démarche, ce qui revenait à offrir à son protégé la possibilité de « gagner » ce qu'il convoitait. En clair, si Mohamed Ali remportait la victoire le 25 septembre, son collaborateur qui misait sur l'ancien champion du monde aurait son poste à New York et y resterait pendant trois ans, sauf cas de force majeure. Si, par contre, Big George conservait sa ceinture comme le prédisait le Guide, Yankina devait consentir à aller servir à Moscou pour la même durée, selon le souhait du président. Le patron m'a dit qu'il n'avait pas la moindre envie d'aller « chez les communistes ». Il a toutefois ajouté que s'il devait perdre le pari, il devrait absolument se plier à la volonté de son chef comme pour les quatre paris précédents que ce dernier avait gagnés. L'accord avait été scellé devant témoin. Pour la forme.

Dans mon esprit, New York ou Moscou, ça devrait être deux villes magnifiques. Je ne voyais pas pourquoi le futur ambassadeur était si désarçonné. J'aurais compris son désarroi si le Guide avait mis sur la balance New York et N'Djamena au Tchad, par exemple. Qui accepterait de quitter Kin la belle, dont on rêve depuis toutes les capitales d'Afrique noire − ainsi que me l'a confirmé Wabelo qui a eu la chance de parcourir le continent −, pour aller trimer en plein désert, dans un pays qui ne comptait aucun groupe musical de renom ? L'URSS, c'était tout de même l'URSS ! Mais au fond, ce qui me préoccupait réellement, c'était ce qu'un départ dans un des deux pays cités allait signifier pour moi. Nul doute que Zeta partirait aussi. Et il ne fallait pas être très intelligent pour comprendre qu'elle n'allait ni garder un jardinier dans la villa inhabitée de Nsele pendant trois ans, ni emmener dans ses bagages un type qui n'avait pas de talent introuvable au pays des Blancs. Le patron avait dû lire dans mes pensées :

— Modéro, vous n'avez pas de souci à vous faire au cas où je devrais gagner le pari et donc être envoyé en poste en Amérique.

J'ai dû tendre l'oreille pour bien comprendre où il voulait en venir.

— Car dans ce cas, vous viendriez avec nous. Vous pourriez − si vous le souhaitez, bien entendu − continuer à travailler pour Zeta à New York. Elle aura besoin d'une personne en qui elle a confiance. Or, à l'en croire, vous êtes, de ses trois employés, celui pour qui elle a le plus d'estime. D'ailleurs, pour ne rien vous cacher, elle me parle de vous en des termes très élogieux.

— C'est bien gentil à elle, répondis-je, encore sous le choc de ses révélations.

— C'est normal. Vous faites votre travail comme il se doit et votre comportement peut être qualifié d'irréprochable, sauf si elle m'a menti.

Moi, Modéro, me retrouver à New York, en terre d'Amérique? Sans le moindre diplôme, sans m'être joint à un groupe de musique kinois qui, par miracle, aurait été invité à effectuer une tournée au pays de Louis Armstrong? C'était trop beau pour être vrai. Tellement beau que le patron ne pourrait que perdre le pari. Un pari à l'issue duquel je pourrais mettre mes deux pieds dans un avion, fouler le sol d'un des pays les plus puissants du monde et vendre mon âme au diable si nécessaire pour y déployer mon talent en musique, ne pouvait pas se dénouer en faveur de celui qui m'offrait un tel rêve. Il y en a qui sont nés sous une bonne étoile, mais il y a une limite à ce que les étoiles peuvent changer dans la vie d'un homme ici-bas. L'Amérique!

«Je dois néanmoins préciser que si jamais le Guide gagne et si je suis obligé d'aller à Moscou, les choses se passeront différemment. Votre patronne n'a pas envie de me suivre chez les Russes, et je peux la comprendre. Mais en même temps, mon départ signifierait qu'on attribuerait la villa qui appartient au Parti à un autre cadre du Comité central ou du Bureau politique.»

Je n'avais pas envisagé les choses sous cet angle. Mon patron tenait à mettre en lumière que son sort et le mien étaient liés, même si de nous deux j'étais celui qui avait le plus à perdre d'une décision du Guide l'envoyant à Moscou. Dieu sait ce que cette ville avait de détestable pour que les deux époux la haïssent à ce point. Être diplomate à New York plutôt qu'à Moscou, est-ce que ça changeait vraiment quelque chose ? Les Américains étaient allés sur la Lune, les Russes en avaient les moyens. Les uns comme les autres disposaient de la bombe atomique. C'étaient les deux pays les plus riches et les plus puissants au monde. Aller représenter son pays dans l'un ou dans l'autre, cela revêtait-il une si grande importance ? Apparemment, oui. Mais je n'avais aucun rôle à jouer dans ces caprices de grands hommes. Du moins, c'est ce que j'ai pensé avant qu'il ne revienne à la charge.

— Il y a, me semble-t-il, un moyen de simplifier tout ça. Un moyen pour que ce ne soit pas un coup du sort qui décide des trois prochaines années de ma vie.

Je le voyais venir. J'essayai cependant de bluffer :

— Le seul moyen que je vois, patron, serait que votre idole Mohamed Ali vous donne raison. Qu'il gagne et vous fasse gagner du même coup… et moi aussi, en quelque sorte, ajoutai-je du bout des lèvres.

— Oh ! je ne doute pas qu'il puisse gagner. Vous avez parlé avec Ron tantôt ; il a enregistré mon pari bien avant ce que je viens de porter à votre connaissance. Ali est une valeur sûre, cela ne fait pour moi l'ombre d'aucun doute.

— En effet.

— Sauf que la boxe, Modéro, ce n'est pas les mathématiques que nous avons apprises à l'école. Celui qui croit gagner un pari comme celui-là doit aussi envisager l'hypothèse inverse. Et pour moi, l'hypothèse inverse, c'est la victoire de George Foreman qui me vaudrait trois ans à Moscou. Il n'y a qu'un moyen d'éviter que cette hypothèse se réalise. Vous voyez à quoi je pense ?

— Non, patron.

— Ne feignez pas l'idiot, Modéro. Celui qui vous parle est certes un homme instruit, mais il n'est pas que cela. Il est un Noir issu du peuple bantou comme vous. Alors, rien de ce qui appartient aux Bantous ne lui est étranger. Il partage les croyances de son peuple et communie dans ses rites et traditions. Il fait corps avec cet univers bantou en dehors duquel il perdrait son âme et se dessécherait comme une plante hors de l'humus qui enrichit le sol.

— Ce sont des paroles de grande sagesse, patron. Hors de l'humus de nos rites et traditions, nous flétririons à coup sûr.

— Avant de devenir qui je suis, j'ai été élevé au village comme vous, Modéro. J'ai donc été nourri à la même sagesse que vous.

— Je pense que c'est tout à votre honneur, patron.

— Lorsque le Guide parle de notre révolution fondée sur l'authenticité, c'est cette impérieuse nécessité de retourner à nos sources qu'il nous inculque à nous tous, du paysan du Kwilu à l'ingénieur des mines du Katanga.

— Nos sources sont notre force, patron. Je suis heureux de savoir que cette croyance est partagée par les grands hommes qui nous dirigent. Je veux dire, certains parmi eux. L'autre jour, Batekol m'a fait lire une phrase écrite par le président Senghor du Sénégal qui va dans le sens de ce que pense le Guide…

— Intéressant. Et qu'a-t-il écrit ?
— «Assimiler sans s'assimiler.»

Il arbora un sourire.

— Si je voulais utiliser une image forte, je dirais qu'il y a plus de divergences entre ma femme et moi qu'entre le Guide et le président Senghor. Vous ne le savez sans doute pas, mon patron est souvent en désaccord avec ce que raconte son homologue sénégalais, mais de vous à moi... c'est une histoire que les natifs du village que nous sommes, vous et moi, connaissons très bien : il n'y a pas un seul chasseur qui aime son métier et qui ne déteste pas secrètement le petit veinard qui ne rentre jamais bredouille au village, même lorsque le gibier se fait rare dans la savane. Le président Senghor est un chasseur qui a du métier. C'est surtout un digne fils de ce continent. Un grand Africain.
— Il me semblait aussi.
— Au fait, il a également écrit quelque chose de beau sur votre passion à vous, Modéro. Je vais le citer : «Danser c'est découvrir et recréer, surtout lorsque la danse est danse d'amour. C'est le meilleur mode de connaissance.»
— C'est beau.
— N'est-ce pas ?
— Vous... Tout ce que vous dites ce soir me laisse sans voix, patron.
— Cher Modéro, la seule chose à retenir de ce que le Guide et le président Senghor vous disent par l'entremise de ma personne, c'est que nous n'allons pas étudier au pays des Blancs pour devenir des Blancs, mais pour ajouter à notre richesse authentique ce que la science et la pensée occidentales ont révélé de bon pour le mieux-être de l'indi-

vidu et l'organisation des sociétés modernes. Sur ce, trêve de grands discours et venons-en aux faits. Ces pouvoirs ancestraux que votre grand-père vous a transmis par le biais du bracelet en fer que vous portez… s'ils peuvent… punir quelqu'un qui vous a causé un tort comme c'est déjà arrivé, ou permettre à votre grand ami de réussir un test déterminant pour entrer dans un groupe comme Zaïko Langa-Langa, ils peuvent bien…

Il marqua une pause, chercha ses mots tout en s'assurant qu'aucune oreille indiscrète n'entende. Il n'y avait plus que deux couples attablés près de l'entrée de *L'Éloge du Piment*. Les serveurs avaient disparu du décor. Après plusieurs tubes américains, les haut-parleurs diffusaient *Chouchouna*, la chanson préférée de la patronne. Sur un disque en vinyle qui devait avoir subi des éraflures, la voix de Papa Wemba, l'une des plus belles de Zaïko, semblait me rappeler que j'étais en train de me diriger vers la croisée des chemins qui allait ranger ma rencontre avec la seconde épouse du conseiller spécial du Guide au rayon des souvenirs. Le prince charmant promettait à sa muse que « là où elle irait, il irait, dût-il pour cela voler ses ailes à l'oiseau du ciel, ses nageoires au poisson des courants du fleuve Zaïre, sa force au lion des savanes du Kivu… ». Sous quels cieux les vents allaient-ils souffler mon destin ?

— Je veux dire… ils peuvent bien faire pencher la balance en faveur d'Ali, non ? finit-il par conclure en me fixant des yeux.

Je ne savais pas quoi répondre. Certes, je comprenais l'enjeu et j'aurais fait n'importe quoi pour voir Ali gagner ce combat, même si mon cœur battait pour son adversaire.

Dans la vie, il est des moments où il faut savoir réagir avec sa tête, voire avec son ventre, et museler son cœur. Me retrouver en Amérique aurait bien valu le sacrifice de ma sympathie pour George Foreman. Mais s'il y avait quelqu'un qui savait que les deux «miracles» évoqués par mon patron n'avaient rien à voir avec mes prétendus pouvoirs ancestraux, c'était bien moi. Cela ne faisait malheureusement pas de moi la personne la mieux placée pour faire comprendre à mon éminent client qu'il se fourvoyait totalement, que sauf à donner un sacré coup d'épée dans l'eau, je ne pouvais hélas lui être d'aucun secours.

— Modéro, vous pouvez me dire tout ce dont vous aurez besoin pour faire gagner Mohamed Ali. Si cela passe par une somme d'argent, vous l'aurez. S'il vous faut un cadeau particulier, faites-le-moi également savoir. Je ferai le nécessaire. N'oubliez pas, le combat est dans dix jours exactement.

Je réfléchissais à une vitesse à me faire sauter le crâne.

— Est-ce que je peux compter sur vous ?
— Euh… Sur moi, malheureusement non, patron.
— Que voulez-vous dire par là ?
— Je dirais qu'il s'agit d'un cas qui dépasse… mes pouvoirs. Vous savez, patron, dans cet univers-là, c'est un peu comme dans le monde des sciences académiques. En médecine, par exemple, il y a des cas qui relèvent des compétences d'un infirmier, tandis qu'il y en a d'autres qui appellent le savoir-faire d'un médecin. On va dire que je suis plutôt proche de l'infirmier.

Il fixait un point au-dessus de ma tête. Impossible de savoir ce qui se passait dans la sienne. Au bout d'un silence, il déclara d'une voix posée, comme si chacun des mots que je venais de prononcer avait coupé un fil dans l'écheveau d'optimisme qui l'avait hissé au sommet de l'espoir :

— Votre franchise vous honore, Modéro. Soyez rassuré : je vous comprends parfaitement.

— Merci, patron, répondis-je, soulagé. Mais si vous le permettez, je pourrais m'adresser à quelqu'un qui serait fort probablement en mesure de vous donner un coup de main.

Je vis son visage s'illuminer dans un grand sourire.

— Votre grand-père, évidemment !

— Oui. Je crois ou plutôt, j'en ai la conviction : mon grand-père serait capable de faire gagner Mohamed Ali. Il suffirait de solliciter ses services.

V

Décibels

Piqûre d'Épicure n'est pas mortelle

1

JE LE SAVAIS DÉJÀ, POUR SORTIR LE SOIR À KIN LA BELLE, il n'y a pas meilleur endroit que la place Victoire ou, si on veut élargir le rayon, le triangle qui la relie au pont Président Joseph Kasa-Vubu et à la place de l'Indépendance. Matonge, le cœur de Kin. C'est probablement ici que fut prononcée pour la première fois l'expression « Ville en orgasme continu ». Ainsi certains Kinois désignent-ils cette capitale avec laquelle ils ont tissé la même complicité que celle qui lie le souteneur sans visage, le client sans nom et la putain sans mémoire. Celle vers qui l'on va à l'abri des regards, en sachant qu'on pourra tout lui confier sans être jugé. Qu'elle gardera volontiers nos petits secrets, elle qui en a tellement vu et entendu qu'elle deviendrait folle si elle devait passer son temps à cogiter sur les ténèbres des profondeurs humaines. Elle n'aurait de toute façon pas assez de pages dans le journal intime de son commerce aux origines antédiluviennes si elle devait y consigner la chronique sans fin des grandes et petites misères des acheteurs de tranches de bonheur à la petite semaine. Telle est Kin. Témoin de tout, responsable de rien, dégoulinante de vie et de vices, mais hermétique et aussi muette qu'une carpe.

Ici bat son cœur, à Matonge, pour tous ceux qui refusent de rendre les armes de la jouissance aux déesses de la révolution et aux dieux du travail. Eux veulent vivre à deux cents kilomètres à l'heure. Non pas demain, lorsque le Parti aura triomphé de l'ennemi impérialiste et des petits sorciers qui se faufilent au sein des masses populaires pour saborder l'œuvre salvatrice du Guide. Ils n'ont de comptes à rendre qu'au présent, ce créancier qui attend patiemment que lui soient livrés père et mère, frère et sœur, pour une dette colossale contractée la rage au ventre. Pourquoi travailler si dur, sous un soleil qui n'est pas toujours des plus cléments, sinon pour manger, boire, danser et s'envoyer en l'air pendant que le corps répond encore présent? Pourquoi placer à la banque des rêves de demain le cash du possible qui ne demande qu'à brûler ici et maintenant? *La ville sur laquelle le soleil ne se lève jamais, car personne ne le voit se coucher,* scandent les Kinois. Plus que nulle part ailleurs, c'est à Matonge que chaque nuit que Dieu crée, le diable sort de la bouteille afin d'annihiler la crainte des hommes pour des lendemains qui pourraient déchanter, si de la révolution de l'authenticité le grand soir devait rimer avec foutoir. À Matonge, Kin jouit et fait jouir. La ville vibre au diapason des Kinois qu'elle étreint de l'énergie vertigineuse de ses excès.

Batekol m'avait déclaré à son retour de *La Rumba Casa*, le temple de son nouveau groupe, qu'il venait de bénéficier d'un congé de quatre jours chez Zaïko. Au terme de cette relâche au cours de laquelle tous les artistes pouvaient s'acquitter de leurs obligations importantes sur le plan personnel, ils allaient être internés quelque part pour les dernières répétitions intensives précédant le jour J.

J'en ai profité pour lui demander s'il voulait bien venir avec moi à Banza où – ai-je prétexté – je comptais rendre visite à ma mère malade. J'ai précisé que le patron mettait une camionnette à ma disposition, mais que je préférerais y aller avec lui s'il le voulait bien, puisqu'il avait son permis de conduire, plutôt qu'avec le chauffeur du conseiller spécial. J'ai ajouté que ce dernier s'était dit favorable à ce scénario, pour autant que lui, Batekol, y réserve une suite positive. Il a accueilli chaleureusement ma demande, tout excité à l'idée de visiter mon village qui se situait dans la même contrée que celui dont sa propre mère était originaire. L'idée de faire la connaissance de ma famille et de mettre un visage sur le nom de Zangamoyo ne lui était pas non plus désagréable. Toutefois, l'euphorie passée, il m'a déclaré en me regardant droit dans les yeux, comme chaque fois qu'il doute de ce que je lui raconte: «Je suis un peu plus futé que tu ne le crois, Modéro. Monsieur le conseiller spécial ne donne pas une camionnette et un chauffeur au jardinier de son épouse pour faire cinq cents kilomètres de route et aller voir sa maman prétendument souffrante. Non pas que je doute de sa générosité, mais il ne faut pas trop pousser le bouchon, mon gars. Cela dit, que ton *boss* et toi ayez des trucs que vous souhaitez garder entre vous, c'est votre droit. Je ne cherche pas à fourrer mon nez là-dedans; c'est pas mon genre. Mais ne cherche pas à jouer au petit malin avec Afrodijazz. Je suis Kinois jusqu'à la mœlle des os; on ne me la fait pas. Même pas en rêve!»

Je lui ai répondu par un simple sourire. Nul besoin de nommer les choses qui tombent sous le sens. Il a proposé de prendre un verre pour célébrer autant mon rétablissement après ma sortie de l'hôpital que «le miracle

Zangamoyo », prodige dont il s'estimait l'heureux bénéficiaire. À quelques jours du concert qui lui avait permis de se joindre à Zaïko, un verre pour la route qui nous attendait ne pouvait se refuser.

S'étant rappelé sur le tard que les autorités venaient d'ordonner la fermeture du bar *Voir Kin et Mourir*, son espace préféré, Batekol a voulu me faire découvrir le *100 Pur Sang Soukouss*, l'enseigne rivale. Un lieu très en vogue de la place Victoire, dont j'avais entendu parler, mais sans en connaître la localisation précise. Il connaissait le patron et y avait livré quelques prestations, accompagné de sa guitare, du temps où il habitait chez un de ses amis. C'était bien avant notre rencontre, la période où il était à la galère, après que son père l'eut mis à la porte. Nous avons pris un taxi jusqu'à Matonge où nous sommes arrivés aux alentours de vingt et une heures et demie. « C'est encore trop tôt pour aller au *100 Pur Sang*. Nous allons faire un tour chez *Kin É-bouger*, à dix minutes d'ici », a suggéré mon ami. Aussitôt dit, aussitôt fait.

Terrain connu. J'étais déjà venu y prendre un verre tout seul, un soir où je rentrais du marché Pascal. Une serveuse aux longues tresses et aux lèvres pulpeuses nous a installés à l'entrée de la terrasse et a pris nos commandes. Une bouteille de bière Primus pour moi, une de Simba pour le bien nommé Monsieur Afrodijazz qui ne buvait que les bières noires dont la forte teneur en alcool, prétendait-il, était une bonne alliée avant un plan cul. Si c'était ça, son fameux aphrodisiaque, mon ami était décidément un cas à suivre de près, car peu de gens que j'avais rencontrés dans ma vie, y compris le grand amateur de vin de palme de mon village en la personne de Sendos, auraient pu affirmer qu'une consommation significative d'alcool soit la panacée au moment de se mesurer à ce qu'il appelait lui-même les douze travaux de cul.

Et parlant de plan cul, c'était, selon toute vraisemblance, la raison non avouée de cette sortie improvisée. Mon ami m'a désigné deux filles assises seules quelques tables derrière nous. Entre vingt-quatre et vingt-huit ans environ.

— Laquelle tu veux, mec? m'a-t-il demandé d'une voix assez forte qui m'a fait craindre que les donzelles ne comprennent qu'on parlait d'elles comme de deux gigots de chèvre exposés sur un étal de boucher.
— Euh… je ne sais pas, ai-je balbutié en me retournant plus ou moins discrètement.
— Tu devrais savoir, sinon tu pourrais prétendre que je t'ai laissé la moins sexy des deux. C'est ta soirée, alors je te laisse choisir.

J'ai lorgné une deuxième fois en leur direction, question d'avoir une idée un peu plus détaillée du fameux choix offert.

— Tu n'as pas à faire semblant, Modéro. Elles sont là pour ça. Deux filles ne viennent pas seules à *Kin É-bouger* pour discuter *combat du siècle* ou prêcher la parole de Dieu aux clients. Ce ne sont pas des Témoins de Jéhovah. Elles sont en mode chasse, comme toi et moi.
— Tu veux dire que c'est des putes?
— Tout dépend de ce que tu entends par «putes». Est-ce que toi et moi sommes des gigolos?
— Non, voyons!

— Alors, pourquoi deux filles dans un bar seraient-elles nécessairement des putes? Elles sont jeunes, du sang chaud coule dans leurs veines; elles pourraient juste se sentir bien seules ce soir et avoir envie de se faire inviter à danser par deux mecs galants. Et ces mecs, ça pourrait être nous!

— Je vois...

Après un dernier coup d'œil par-dessus l'épaule, j'ai jeté mon dévolu:

— Ça sera celle qui porte un chandail de couleur orange.

— Je le savais, répondit Batekol en souriant. Comme beaucoup de mecs, tu te laisses impressionner par les gros seins. Mais c'est ailleurs que ça se passe, mon gars.

— Donc, ça ne t'embête pas de te rabattre sur sa copine?

— Je ne me rabats pas. Je la veux, la copine. La dernière fois que je suis venu ici avec des potes à moi, je l'ai ratée parce qu'elle partait juste à notre arrivée. Elle m'a promis une danse la prochaine fois qu'on se verrait. Ici ou ailleurs.

— Donc, tu la connais un peu...

— Si ça peut s'appeler connaître. Je ne me souviens même plus de son nom, en fait. Ça devrait commencer par Be... Peut-être Béata. Mais ce dont je me souviens très exactement, c'est qu'elle a un derrière à damner la moitié de l'évêché catholique de cette ville.

La serveuse est revenue avec quatre bouteilles de bière au lieu des deux que nous avions commandées. Lorsque Batekol l'a relevé, elle a souri et a répondu que c'était un cadeau de la maison ou plus exactement, un geste de la part de la patronne. Elle a ajouté que nous n'avions pas

à payer les consommations supplémentaires. J'étais interloqué. Il était de tradition à Kin d'offrir de la bière à ses
visiteurs, mais se faire offrir gratuitement à boire dans un
bar par la gérance ne pouvait pas être une pratique très
courante. Ne serait-ce que parce qu'elle ne procédait pas
nécessairement du meilleur sens des affaires.

J'ai demandé à mon ami s'il connaissait la généreuse
patronne. Au moment où Batekol chargeait la fille de
transmettre nos remerciements, Malaïka, l'amie de Zeta,
est apparue à l'entrée de la terrasse. Arborant un large
sourire du haut de ses cent quatre-vingt-dix centimètres,
elle nous a fait un salut de la main. J'ai imité son geste,
tandis que Batekol levait son pouce droit, dans une
mimique que les Kinois affectionnent lorsqu'ils veulent
exprimer leur satisfaction. Elle s'est ensuite dirigée vers
un type qui réparait une lampe fluorescente à l'intérieur
du bar.

— C'est une fille formidable, a commenté Batekol.
— La preuve qu'il ne faut pas se fier aux apparences.
— Ouais. C'est une fille à papa, elle est friquée comme
tu ne peux pas savoir, mais elle garde les pieds sur terre.
Surtout, elle respecte les gens sans tenir compte de qui ils
sont. Qu'elle soit la seule amie de ma cousine n'a rien de
surprenant pour qui connaît Zeta.
— Sans doute. Mais pour les apparences, je voulais dire
– sans être méchant – qu'avec son physique… disons très
athlétique, on serait tenté de croire qu'elle est une femme
plutôt dure avec les hommes, ai-je expliqué, sans être
certain que ce que j'avançais ait le moindre sens.
— Là encore, tout dépend de ce que tu entends par
«être dure avec les hommes». Parce qu'on peut être dure

avec certains hommes en fonction de leur conduite et être un ange avec d'autres hommes. Malaïka est une fille super.

— Je n'en doute pas.

— Elle fait du sport, alors son physique est plutôt un atout pour elle qu'un quelconque handicap. Pour le reste, tous les goûts sont dans la nature. Y a des mecs qui doivent la trouver vachement attirante.

— Certainement, ai-je approuvé, gêné, d'autant plus que dans le fond, je pensais la même chose.

Je la voyais discuter avec l'électricien, lequel opinait du chef pour marquer son accord, puis secouait la tête pour signifier l'inverse à son interlocutrice qui s'exprimait avec force gestes. Pour sa part, Batekol n'entendait pas cautionner le délit de faciès dont je venais de me rendre coupable à l'égard de celle qui nous réservait un si bon accueil à Matonge :

— Et puis, on a beau dire, c'est au lit, et nulle part ailleurs, qu'une femme te sort les seuls arguments qui valent la peine. Le reste n'est que tape-à-l'œil et publicité mensongère.

— N'est-ce pas valable pour les hommes aussi ?

— Tout à fait. Depuis Adam et Ève. Il y en a à qui la nature a donné plus que ce dont ils avaient besoin, mais qui ne savent pas quoi faire en présence d'une fille à poil. Et il y a des comme moi qui te parle : tous les jours que Dieu crée, nous sommes des millions sur terre à faire des miracles avec les moyens du bord ou presque.

— Les moyens du bord ?

— Laisse tomber. T'es un mec, alors à quoi ça t'avancerait même si je te faisais un dessin, hein ?

Sitôt qu'il marquait un point et m'incitait à la pondé-
ration, le voilà qui retombait dans le travers commun aux
fanfarons : leur ego est à l'étroit dans leur petite poitrine et
le seul moyen qui leur convienne pour lui assurer un espace
à la grandeur de leur vice est de sauter par-dessus les murs
de la modestie. J'ai choisi de tourner le dos à la confrontation stérile. Inutile de perdre temps et énergie à rappeler
constamment à mon ami juché du haut de sa kinoiserie
qu'en matière de sexe plus qu'en tout autre domaine, ce
qu'il qualifie de « miracles » s'opère loin du bruit, tandis
que le bruit, sur fond d'autocongratulation, ne fait jamais
présager qu'un écran de fumée. Les femmes sont moins
dupes que certains hommes le croient. Mais sans cette
retenue féminine qui rassure les faibles, des types comme
Batekol mettraient une croix sur l'acte sexuel.

Il s'est mis à remplir les deux verres du liquide mousseux. Je me suis à nouveau tourné vers Malaïka. Au bout
de quelques minutes, n'étant apparemment pas satisfaite
du travail du technicien, elle s'est fait remettre le tournevis
que l'homme tenait dans sa main et a commencé à désin-
cruster le ballast électronique à allumage instantané de la
lampe défectueuse.

— Je suis content pour elle qu'elle ait acheté *Kin
É-bouger*. C'est une bonne affaire, a poursuivi Batekol.
— C'est donc elle la patronne ?
— Ouais. Depuis trois mois environ. Avant, ça appar-
tenait à un Belge et ça s'appelait *La Rage de Vivre*. Elle l'a
rebaptisé.
— Je préfère *Kin É-bouger*.
— Il y a moins d'expatriés qu'autrefois, mais ça swingue
plus qu'avant. Et la sécurité est mieux assurée. Le père de

Malaïka peut envoyer des membres des unités spéciales de la police à tout moment. Un simple claquement des doigts de sa fille suffirait.

Il a accompagné sa dernière phrase du geste correspondant et le vendeur des noix de cola qui passait à côté a cru que nous voulions acheter son produit. Batekol a secoué la tête pour dire non et le jeune homme s'est dirigé vers d'autres clients.

— J'espère qu'elle n'aura pas à le faire trop souvent, ai-je avancé.

— J'ai appris qu'il y a deux mois, un groupe de Guêpes – encore ces salauds – s'était pointé ici. Ils étaient quatre. Ils ont bu comme des trous toute la soirée et à la fin, ils ont refusé de régler la note. Ils devaient croire que l'endroit appartenait toujours au Belge. Comme les mesures de zaïrianisation décidées par le Guide s'accompagnent d'un sentiment anti-Blanc dans certaines couches de notre société, ils se sont dit qu'ils ne risquaient rien. Quand les gros bras sont arrivés et qu'ils leur ont bien botté les fesses devant les clients, ils ont dessoûlé en un battement de cils. Les connards ont déboursé trois fois le prix qu'ils auraient dû pour ne pas finir en taule.

— Au fait, c'est quoi exactement la zaïrianisation dont on parle tant à la télé depuis que je suis à Kin? ai-je demandé.

— Une mesure économique voulue par le Guide pour redonner aux Africains le contrôle de leur économie.

— En langage simple...?

— Tu es un homme d'affaires belge, français ou grec. Tu gères une entreprise, grande ou petite, qui aurait dû appartenir à un Africain si la colonisation n'avait pas été une vaste escroquerie pour nous dépouiller de ce qui nous appartenait depuis la nuit des temps. Eh bien, le Parti te la prend et la donne à un de ses hauts cadres qui va la gérer dans l'intérêt du Zaïre. Tu peux ensuite décider de rentrer dans ton pays si tu as la haine, mais comme beaucoup de Portugais l'ont fait, tu peux aussi accepter de devenir le gentil petit gérant au service du nouveau patron noir. Je ne dis pas que le résultat est meilleur après coup, mais personne ne peut prétendre que l'intention du Guide n'était pas bonne au départ.

— Serais-tu…

— Ce dont il faut toujours se rappeler, mon gars, c'est qu'un jour de 1885 à Berlin, un barbu nommé Léopold II s'est approprié un territoire grand comme son propre royaume la Belgique, la Hollande, la France, la Grande-Bretagne, les deux Allemagnes et l'Italie réunies. Il lui a plu que ce vaste pays où il ne s'aventura jamais de son vivant, y compris tout ce qui s'y trouvait sans aucune distinction d'espèces, soit inclus dans son patrimoine personnel. Cela veut dire que les poissons de nos rivières, la sève de l'hévéa qui coulait dans nos forêts, les couilles de feu mon grand-père, et j'en passe, tout cela lui appartenait de droit. Il a récolté les signatures qu'il voulait autour de la table et le tout s'est terminé dans un toast pour le pillage de l'Afrique.

C'était couru d'avance: si j'avais répliqué pour lui signi-fier mon désaccord, cela nous aurait enlisés dans une longue discussion qui allait déboucher à un moment ou à un autre sur les amputations des mains des indigènes et autres chicottes du temps des hommes de Bula-Matari. J'ai jugé préférable de nous en épargner. Nous avons bu à ma santé, au succès de Batekol dans Zaïko et à notre voyage dans le Kwilu.

À l'intérieur du bar, la piste de danse a commencé à se noircir de monde. J'ai demandé à mon ami si le moment n'était pas venu d'aller à l'assaut. Les deux filles étaient toujours à leur table et les autres clients ne semblaient pas leur accorder une attention particulière. Il a affirmé que la meilleure façon de maximiser nos chances de succès était de les inviter à danser après avoir commandé une chanson qui se prêtait à une danse lascive. Il est allé leur parler pendant quelques minutes, puis il est revenu à notre table après avoir fait escale au coin où se trouvait le « maître ambianceur ». Cinq minutes plus tard, nous étions sur la piste de danse, lui aux bras de Béata, la fille au « derrière à damner la moitié de l'évêché catholique de la ville », moi dans ceux de Lola, la nana aux seins tellement gros qu'on aurait parié qu'elle y avait enfoui des ballons de football.

2

PROBABLEMENT PARCE QU'IL PASSAIT toutes ses journées
à chanter et à danser sur du Zaïko Langa-Langa, mon ami
avait commandé la chanson *Moséka* de l'artiste Tabu Ley
Rochereau, icône du groupe Afrisa International et grand
parolier devant l'Éternel. Voix suave, rythme envoûtant,
orchestration hypnotisante, la rumba au plus-que-parfait.
Autour de moi, les couples respectaient scrupuleusement
la règle kinoise dite de « zéro millimètre » : les deux cava-
liers s'incrustaient l'un dans l'autre, s'imbriquaient de
façon si parfaite qu'on aurait parié qu'ils finissaient par
ne former qu'un seul et même individu doté de deux
têtes, quatre bras et autant de jambes. « Zéromillimétrés »
en diable, nous nous laissions tous ballotter par les notes
musicales qui ajoutaient à la lumière tamisée éclairant
la pièce, une ambiance d'Île-aux-Fruits-défendus. À
mesure que la chanson s'égrenait, que l'artiste louait la
beauté sublime de sa muse couleur d'ébène, mon plaisir
se changeait en calvaire. Lentement mais sûrement, telle
une faible flamme commencée en bordure du sentier qui,
à la faveur du vent, s'emploie à dévorer la savane entière.
Pyromane malgré lui, Rochereau enchaînait sur le troisième couplet, en français dans le texte et la mélodie. Avec

cette fine touche inimitable qui provient de son petit
défaut de prononciation, de ce cheveu sur la langue qui
confère au phrasé du crooner un charme seigneurial :

Tout en toi transpire la splendeur, Moséka
Es-tu vraiment née d'une femme
Ou serais-tu plutôt tombée
Du haut des cieux
Fruit trop mûr
Sans tache
Disputé par les anges
Et jeté ici-bas
Par le Créateur
Pour préserver la paix
Au paradis ?

Et de nouveau le refrain, chatoyant et enivrant, en
lingala cette fois :

Nalinga yo lolenge nini, Moséka ?
(Par quelle équation devrais-je t'aimer, Moséka ?)
Kelasi ya bolingo o mboka nini ?
(Sous quels cieux se niche l'École de l'amour ?)
Boma ngai n'élengi
(Achève-moi de plaisir)

Il y avait de l'électricité sur la piste de danse. La charge
venait de passer d'insupportable à mortelle. Dilatés par le
feu du désir, les fusibles de la volonté cédaient les uns après
les autres. Mon chemin de croix devenait de plus en plus
glissant. Plus dur que pierre, mon engin me poussait inexo-
rablement vers le précipice. Tel le levain qui fait gonfler la
pâte, le contact de la poitrine majestueusement conquérante

de Lola exerçait sur mon entrejambe une force de propulsion peu rassurante. Tout cela augurait mal de l'état dans lequel j'allais me retrouver si le supplice ne s'arrêtait pas très rapidement. Pour désamorcer cette course infernale vers le point culminant synonyme de gouffre du scandale, j'ai tenté d'engager la discussion avec ma cavalière. Peine perdue, l'exercice de diversion a fait pschitt : je me souvenais plus de mes propres questions que des réponses qu'elle y réservait, tandis que ses questions entraient par mes oreilles et ressortaient par le rythme de plus en plus accéléré de ma respiration. Mais celle-là, je n'aurais pas pu ne pas l'entendre :

— Dis donc, Modéro ! On se calme, oui ?

— Qu'est-ce qui se passe ?

— Comment ça, « qu'est-ce qui se passe ? » C'est la première fois que tu danses la rumba avec une fille ou quoi ?

— Euh… Pourquoi tu me demandes ça ? ai-je répliqué, sur mes gardes.

— C'est ce que j'ai cru comprendre, a-t-elle fait.

— Tu n'as pas totalement tort : ce n'est pas tous les jours que j'ai le privilège de danser avec une fille aussi jolie que toi, ma poule.

— Je ne suis pas ta poule, Modéro. Tu connais mon prénom depuis quelques minutes.

— Excuse-moi, Lola, ai-je balbutié, agacé par la désinvolture des Kinoises, toujours à trouver la petite bête ; toujours à chercher à avoir le dernier mot, surtout dans les bras d'un homme un tant soit peu entreprenant.

Elle a dû le sentir et m'a souri :

— Tu n'as pas à t'excuser. Tu t'y feras, t'inquiète. C'est toujours ainsi lorsqu'on arrive à Kin. On a beau faire le malin, on finit toujours par se trahir.

— Se trahir…?

— *In rumba veritas*, mon ami.

— C'est quelle langue, ça?

— La vérité est dans la rumba. C'est ce que ça veut dire.

— En quelle langue?

— Quelle importance? Tu apprendras les codes, t'inquiète.

— Quoi? ai-je répondu, indigné. Tu veux me prendre pour un débarqué? Je suis Kinois, moi aussi!

— Kinois! Tu plaisantes? Tu en connais, Modéro, des Kinois qui ont ton accent et qui dansent la rumba comme s'ils voulaient faire un enfant sur une piste de danse? Pauvre toi!

Elle s'est fendue d'un grand rire. C'en était trop. Je me suis détaché d'elle en m'extirpant de ses mains qu'elle maintenait sur mes hanches. Elle n'avait pas prévu ma réaction. Elle a cessé de danser et m'a regardé de la tête aux pieds. J'ai lu dans ses yeux du dédain, que je n'ai pas supporté:

— Alors, qu'est-ce que tu regardes, hein? Tu veux savoir si je me suis lavé ce matin? Et tu me parles en… en… en latin! C'est ça, tu me causes en latin parce que tu me prends pour un illettré. Mais tu sais quoi? Le latin, ça ne se parle pas. C'est mort et enterré. Tu devrais te renseigner. Mort, enterré et oublié!

Je ne me suis pas rendu compte que j'avais presque crié. L'alcool commençait à réclamer son dû. Plusieurs couples ont arrêté de danser et ont porté leurs regards sur nous. Batekol a accouru en même temps que le videur, un type robuste et si élancé que son crâne a touché le plafonnier lorsqu'il est venu se dresser devant moi, droit comme un I. À ma grande surprise, lorsque ce dernier a demandé à Lola ce qui se passait, elle a répondu en souriant que tout allait bien : «Mon ami s'est un peu emporté parce que je lui ai pincé la fesse trop fort en dansant, mais c'était pas méchant. Il n'est juste pas d'humeur ce soir.» Le colosse est reparti sans mot dire au moment où la chanson touchait à sa fin. J'ai vu Batekol et sa cavalière se diriger vers le bar pour commander une nouvelle tournée. Lola, qui avait étrangement gardé son air enjoué comme si de rien n'était, m'a pris par la main et m'a demandé de la suivre sur la terrasse.

Son attitude me laissait perplexe. Elle m'a dit qu'elle n'avait pas voulu me vexer, qu'elle ne se moquait pas de mon accent, mais le trouvait au contraire «craquant». J'ai d'abord cru qu'elle voulait vraiment se foutre de ma gueule, mais elle m'a regardé droit dans les yeux et m'a déclaré qu'elle aimait réellement la façon dont je tirais sur la fin de mes phrases ; que ça avait un côté lyrique qui sonnait bien. C'est la première fois que je recevais un compliment sur mon accent paysan depuis huit mois que je vivais à Kinshasa. Je lui ai présenté mes excuses et lui ai commandé une Primus pour faire la paix, en tout bien tout honneur.

Au cours de la discussion qui a suivi, elle m'a appris qu'elle-même n'était pas une Kinoise pure souche. Elle était née à Goma dans l'Est, aux pieds des volcans, où son père, un sous-officier de l'armée, avait été cantonné. À présent, elle étudiait l'art dramatique et rêvait de devenir une grande comédienne. Elle a parlé d'un spectacle qu'elle et ses camarades préparaient depuis deux mois : «C'est une œuvre de Shakespeare. Notre prof l'a bien sûr africanisée pour la rendre conforme à la doctrine révolutionnaire de l'authenticité, mais l'adaptation est une réussite absolue. On s'éclate comme des enfants durant nos répétitions. De toute façon, je te parle d'un classique qu'il faut avoir vu avant de mourir, Modéro. C'est du grand Shakespeare!» a-t-elle avancé avec tout le sérieux du monde.

— Vous jouez aussi des pièces d'écrivains… noirs?
— Quelle question! On joue les pièces qui en valent la peine: Shakespeare, Térence, Wole Soyinka… On ne s'intéresse à l'origine de l'auteur que s'il y a des risques que sa tête ne plaise pas au Parti.
— Tu sais si on vous laisserait jouer une pièce de Léopold Sédar Senghor?
— Mon cher Modéro, Senghor est un grand poète, mais on ne lui connaît encore aucune pièce de théâtre.
— Il a écrit des vers poétiques au sujet de la danse.
— Ah, tu nous ramènes à la danse donc!
— Il a dit que «danser c'est découvrir, c'est recréer…
— …et c'est le meilleur mode de connaissance.» Ce n'est pas moi qui vais contredire le poète. Surtout après ce qui vient de se passer.

Elle a souri. Je l'ai imitée.

— Tu lis la poésie, Modéro?
— Non.
— J'aurais parié que si, mais bon, ce n'est pas comme si on pouvait le lire sur le visage.

Sur le visage, avait-elle dit, sans se douter de rien. Tout en me considérant comme la personne la plus ouverte d'esprit de

Kin la frivole, j'avais moi-même un problème de taille avec les apparences. Alors que je l'aurais prise pour une bombe sexuelle qui devait utiliser son anatomie avantageuse en lieu et place de ses neurones, Lola avait tout d'une fille dotée d'une tête bien faite, habitée par une passion et des rêves qu'elle allait probablement réaliser un jour. Surtout, j'avais été con en m'emportant ainsi. Mais sauf à se mentir à soi-même, ce qui m'intéressait vraiment, ce n'était ni ce qu'elle avait dans les neurones, ni de voir «du grand Shakespeare» avant de mourir, et encore moins d'apprendre le latin pour jouer les intellos du vendredi soir. Mon seul souci était plutôt de la convaincre de terminer la soirée dans une partie de *soukouss-cochon*. Prenant un air faussement contrarié, elle m'a demandé pourquoi je la fixais si intensément :

— Tu me mets mal à l'aise.

— Ça serait simple si j'avais assez de force. Juste assez de force.

— Quelle force ? Je te parle de ton regard.

— J'ai compris.

— Et pourtant là, à l'instant, tu me fixes encore.

— Comment te le dire… Il fait si bon se noyer au fond de tes yeux que j'ai du mal à remonter à la surface.

— Rien que ça ! Allez, dis-le, tu lis quels poètes ? Ce n'est pas Senghor, ça. Verlaine ?

— Je ne lis pas. Ni les poètes ni les Évangiles. De toute façon, les livres coûtent trop cher.

— Arrête de faire ton modeste. Tu lis les poètes, Modéro ! Je ne connais pas un seul Kinois de ma génération qui parle comme toi. De Ronsard ?

— Je ne lis pas les poètes. Mon ami lit Senghor, mais c'est seulement pour mieux le dénigrer. Moi je chante et je danse.

— Bon, tu peux cacher tes références, c'est ton droit. Mais il va falloir que tu arrêtes ton numéro de séduction. O. K. ?

Je l'ai vue diriger son regard vers la table où Batekol et son amie étaient allés s'asseoir, puis elle s'est penchée vers moi :

— Tu sais quoi, l'homme aux paroles mielleuses ? On pourrait échanger nos places avec ma copine Béata. Si je lui propose de te rejoindre, elle va accepter sans hésiter.

J'ai reçu sa proposition comme un seau d'eau glacée qu'on me déversait sur la tête, mais après ce qui venait de se passer, j'ai fait semblant de la jouer Monsieur Sérénissime :

— Même si je te dis que j'aimerais en savoir plus sur Shakespeare et sur d'autres écrivains que tu aimes ?

Tout bêtement, je me suis entendu ajouter :

« Parce que je ne peux pas te garantir que mon ami soit porté sur la littérature et tout le bazar, hormis Senghor. Lui, son vrai truc, c'est la musique. Rien d'autre. C'est peut-être pas fort, mais c'est comme ça. »

Avais-je besoin de spécifier que Batekol et moi étions sculptés du même bois ? Ayant perçu la jalousie sous-jacente à ma réplique, Lola s'est fendue de son sourire ensorceleur :

— Tu as mal compris, Modéro. C'est pour *toi* que j'ai-merais faire cela. Je ne suis pas intéressée par ton ami et ma copine Béata non plus, d'ailleurs.

— C'est ce qu'elle t'a dit?

— Si c'est moi qui te le dis, tu peux me croire.

— D'accord, ai-je admis.

— Par contre, Béata t'a remarqué tout à l'heure et je sais qu'elle aimerait bien faire ta connaissance. Alors si tu veux que je m'arrange pour que toi et elle ayez un moment pour vous deux, ça ne me dérange pas.

En voilà un scénario digne d'une pièce de théâtre, me suis-je dit. Ainsi, la fille que Batekol rêvait de sauter s'intéresserait à moi. Mais elle, Lola, ai-je voulu savoir, où se situait-elle dans tout ça?

— Oh, moi, les hommes, bof!

— Ça veut dire quoi, «bof»? De quel crime nous sommes-nous rendus coupables à tes adorables yeux?

— C'est une longue histoire, Modéro. Si jamais on devait se revoir dans quelques années, ici ou ailleurs, peut-être satisferai-je alors ta curiosité.

— J'ai eu peur que tu me sortes la ritournelle bien connue...

— Laquelle?

— «Tous pareils.»

— C'est vrai qu'il y en a qui les essayent tous ou presque et qui s'étonnent après coup que le constat soit si amer. Ce n'est pas mon cas.

Je n'ai pas insisté. Elle a consulté sa montre:

— Malaïka vient me chercher dans dix minutes, on doit se rendre quelque part. Et je sais que Béata doit être rentrée chez ses parents avant onze heures. Si tu veux tenter ta chance avec elle, c'est maintenant.

— Non merci. C'est toi qui, dès le départ, m'as tapé dans l'œil. Je ne suis pas de ces gars qui se rabattent sur le choix de la facilité après qu'ils ont échoué de décrocher la lune. Ce soir, dans le ciel kinois, la Lune c'était toi.

— On devrait te refuser le droit de parler aux femmes, Modéro.

— Je ne leur parle jamais.

— Qu'as-tu fait toute la soirée et que fais-tu encore à l'instant même ?

— J'essaie en vain de mettre des mots sur un sentiment plus brûlant qu'un feu de paille.

— Beau parleur. Plus dangereux qu'un pyromane, oui !

— Soit. Mon ami va se démener avec Béata et qui sait ? Il ne faut jamais sous-estimer le pouvoir de la langue, surtout lorsqu'il s'agit de celle d'un homme déterminé à courir plus vite que l'échec.

Elle a de nouveau souri :

— Tu as raison, Modéro. Et je suis bien désolée pour toi. Je ne voulais que t'aider.

Malaïka est arrivée, nous a fait la bise à chacun et m'a demandé comment ça se passait dans mon travail. J'ai répondu que j'aimais ce que je faisais, que je n'aurais pu rêver d'une meilleure patronne que son amie. Lola a fait signe à sa copine qui nous a rejoints aux bras de Batekol. Ce dernier avait l'air sûr de son coup. Les trois filles se sont éloignées après avoir pris congé de nous. Quelques minutes plus tard, la Mercedes-Benz de Malaïka démarrait sous une nuée de poussière.

3

LONGUE FILE DEVANT LE *100 PUR SANG SOUKOUSS*. Il nous
a fallu près d'une heure avant de nous retrouver à l'intérieur du bar. L'espace était tellement bondé qu'il ne restait
plus de place assise. J'ai demandé à Batekol pourquoi nous
n'étions pas restés à *Kin É-bouger* où la musique était
bonne, l'ambiance excellente et les filles jolies, certaines
non accompagnées. Il m'a répondu en désignant du
doigt deux jeunes gens, d'environ notre âge, debout près
du podium tout au fond de la salle, portant chacun une
guitare à la ceinture. Il m'a appris que c'était des potes avec
qui il avait tenté de créer un groupe il y a deux ans, mais
faute de soutien, le projet était parti à vau-l'eau. Chacun
avait poursuivi son petit bonhomme de chemin. De temps
à autre, ils se retrouvaient pour de petites performances
tarifées dans des bars de la ville. L'un des deux musiciens,
qui portait le T-shirt à l'effigie de Mohamed Ali que j'avais
vu chez les Portugais, est monté sur le podium, a dressé un
micro et a entamé des essais de son.

— Euh... on est venus pour eux ?
— On s'est croisés par hasard il y a deux jours et ils
m'ont dit qu'ils allaient jouer ici ce soir pour l'anniversaire

du patron; un brave type qui nous a souvent dépannés quand on était tous les trois au fond du trou.

— Il possède l'un des bars les plus courus de Matonge, votre type. Pourquoi ne fait-il pas venir un grand groupe comme Zaïko pour son anniversaire? ai-je demandé.

— Même pas contre tout l'or de ce pays. Le type est en froid grave avec Joss. Il a une dent contre notre *boss* à qui il reproche de lui avoir piqué sa copine, une jolie nana avec qui il a d'ailleurs eu un gosse.

— Tout Kin verse dans la révolution par le sperme, si je comprends bien.

— Qu'est-ce que ça peut te faire que des mecs finissent cocus, Modéro? Tu ne cours aucun risque, que je sache.

— Donc, il n'a pas pu se payer Zaïko.

— Exact. Mais pour ses quarante ans, il a invité le groupe O.K. Jazz qui va se produire demain soir.

— Le grand maître Franco et son Tout Puissant O.K. Jazz?

— C'est ce que je viens de te dire.

— Ça alors! Rappelle-moi encore leur slogan.

— *On entre O.K., on sort K.-O.!*

— Mais on sera partis à Banza, nous!

— C'est pour cette raison que je voulais t'amener ici ce soir, *Voir Kin et Mourir* étant sous scellés. J'ai promis à mes amis que j'allais passer chanter un morceau en guise de remerciement pour ce que le maître des lieux a fait pour moi autrefois. Toi, tu as l'occasion de découvrir *100 Pur Sang Soukouss* avant de retourner dans ton village. T'es pas content?

— Tu parles que je suis content!

— À moins que tu veuilles que je t'emmène au *Motrouvano*, le bar à putes... C'est sur la rue voisine.

— Non, non, on est bien ici.

Quelques minutes plus tard, Batekol a rejoint ses deux amis sur le podium. Ils ont d'abord exécuté ensemble la chanson *Moséka* sur laquelle nous avions dansé quelques heures plus tôt. Des couples se sont enlacés et une vague de « zéromillimétrage » s'est étendue sur le public. La rumba-philie reprenait ses droits. Me rappelant la remarque de Lola, je me suis mis à scruter les danseurs autour de moi pour voir comment ils s'y prenaient sur la piste de danse et en quoi je l'aurais eu tout faux. Collés à leur cavalière qu'ils entouraient d'un bras à la taille tandis que de l'autre ils lui tenaient la main de manière à la faire pivoter doucement sur elle-même, ils exécutaient les mêmes gestes, à la même cadence que les miens. Je n'étais certes pas un as des danses kinoises en vogue, mais j'avais derrière moi une réputation de danseur expérimenté, acquise dans un milieu où l'art de la danse faisait partie des incontournables pour quiconque espérait gagner le respect de ses contemporains. J'avais le sens du rythme et j'étais doté d'un don d'apprentissage avéré. La seule explication pouvant justifier l'attitude de Lola devait être la pression de la bosse qu'elle avait dû sentir au contact de nos deux bassins. J'avais pourtant essayé de rester concentré sur la musique, rien que la musique. On dit bien des choses flatteuses sur les mâles gâtés par la nature, mais on ajoute très rarement que cette générosité qui suscite jalousie et complexes au sein de la gent masculine est une lame à double tranchant. Si mon ami Batekol savait…

J'ai été tiré de mes réflexions par l'arrivée de la serveuse qui s'était frayé un passage dans la foule pour prendre les commandes. J'ai demandé une Primus. Au moment où elle allait s'éloigner, une main a tiré son T-shirt et elle s'est retournée. C'était un type qui se trouvait derrière moi et qui voulait commander à son tour. Lorsque nos yeux se sont croisés, les sourires réciproques affichés sur nos visages ont donné la preuve que nous avions tous les deux bonne mémoire. C'était Ron Baxter, le journaliste américain et ami du patron, avec qui j'avais brièvement discuté la veille à *L'Éloge du Piment*.

— Hey! Content de vous revoir, m'a-t-il lancé en me serrant vigoureusement la main. C'était quoi, votre nom, s'il vous plaît?

— Modéro. Vous êtes Ron, c'est bien ça?

— Oui, répondit-il, apparemment ravi que je me souvienne de son prénom. Vous avez une excellente mémoire, Modéro! Vous êtes venu avec Monsieur le conseiller spécial?

— Non, avec mon ami qui chante en ce moment.

Je lui ai désigné Batekol. Il voulait m'offrir à boire, j'ai dit que j'avais déjà commandé une bière. Je lui ai demandé s'il sortait souvent le soir dans la cité et s'il aimait la musique et l'ambiance dans le bar. Il m'a répondu que c'était la première fois qu'il sortait dans un endroit situé en dehors du quartier huppé de La Gombe. Ses expériences antérieures s'étaient déroulées dans le périmètre incluant les hôtels Memling et Intercontinental. La ville européenne, en somme. J'ai voulu savoir s'il n'avait pas peur de sortir seul dans Matonge. À ma grande surprise, il m'a dit qu'il savait que depuis l'opération *Bangisa Ba Bangisi*, Kinshasa était probablement la ville la plus sûre d'Afrique.

De fait, le Guide avait pris des mesures radicales pour ne pas que les petits truands qui traînaient dans les rues de

Kin ne gâchent la fête en s'en prenant aux visiteurs étrangers et à leurs biens. Il y a trois mois, lorsque la rumeur sur l'organisation du combat avait commencé à enfler, il avait ordonné qu'on rassemble dans le Stade du 20-Mai pas moins de mille malfrats raflés dans les rues ou sortis des cachots de la ville pour les besoins de la cause. Dans ce lieu reclus et à l'abri des regards indiscrets, le commandant en charge de l'opération *Bangisa Ba Bangisi* (autrement dit, «terroriser les semeurs de terreur»), en la personne du très redouté capitaine Bokoliana Kala-Te, avait choisi au hasard cent d'entre eux. Tirés au sort, comme des objets de moindre importance qu'il ne pouvait embarquer dans un camion déjà surchargé. Il les avait fait décapiter soigneusement, avec un sadisme presque artistique, veillant à ce que chaque tête soit sectionnée à la jointure du tronc, bien au ras du cou, sous les yeux des neuf cents autres délinquants. Il avait ensuite forcé les survivants à goûter un peu du sang des victimes avant de les relâcher avec une seule et unique injonction : celle de témoigner de ce qu'ils avaient vu de leurs yeux, afin que ceux qui seraient tentés de commettre des actes inciviques durant la période du combat sachent à l'avance le sort qui les attendait.

«Nous sommes pour la transparence dans tous ses états. Nous n'aimons pas les surprises, les coups fourrés qui se trament dans le secret. Nous jouons franc-jeu et mettons toutes les cartes sur la table du châtiment révolutionnaire, bien à découvert. Ainsi, chaque citoyen qui choisit de se torcher avec le *Manifeste du Parti* peut mesurer lui-même, sans l'aide de quiconque, à quelles flammes il expose son derrière. Nos vaillants ancêtres le disaient sans y aller par quatre chemins : *Qui avale une noix de coco fait confiance à son anus*[11].»

---

11 - Proverbe africain d'origine incertaine.

Les médias locaux n'en avaient pas parlé et j'étais surpris que Ron soit au fait de ce massacre.

L'Américain a tout de même ajouté qu'il n'était pas venu seul. Un ami zaïrois, un artiste, l'avait emmené au *100 Pur Sang Soukouss*. À cause des mouvements de la foule, ils venaient de se perdre de vue. Il essayait de le retrouver. Il aimait beaucoup la rumba et l'ambiance des nuits kinoises en général, a-t-il déclaré. Dans le boucan qui dominait, nous étions obligés de crier. Cela semblait amuser Ron. Son accent avait un côté « craquant », comme dirait Lola. Il était anglophone, avait conscience de ses lacunes en français, mais les assumait. Il n'essayait pas de chercher à imiter un quelconque accent pour berner son monde. Il s'exprimait naturellement et le résultat avait beaucoup de charme. Il m'a mis la puce à l'oreille que mon problème avec le lingala venait probablement de mes tentatives désespérées d'imiter la façon de parler des Kinois. Peut-être que si je parlais sans me préoccuper de rien, l'authenticité de mon parler serait reconnue et saluée par mes auditeurs. Inévitablement, l'échange a glissé sur le terrain de la boxe. Mentionnant les paris dont il m'avait parlé et ayant à l'esprit le but de mon voyage à Banza dès le lendemain après-midi, j'ai voulu savoir sur qui il avait misé.

— George Foreman, a-t-il répondu avec aplomb.
— Je vous croyais plus proche d'Ali, ai-je dit.
— C'est vrai, j'ai beaucoup de sympathie pour Mohamed Ali. Je suis né à Frankfort, près de sa ville natale, dans l'État du Kentucky. J'ai écrit un livre sur sa vie et dans notre petit monde des journalistes étrangers présents à Kin, tout le monde sait que je passe plus de

temps avec lui qu'avec George Foreman. Mais je crois que pour ce combat, sa tâche sera très difficile.

— Vraiment? Vous ne le donnez pas gagnant du tout?

— J'aurais aimé. Mais non, contrairement à notre ami chanteur et à la majorité des Kinois, je pense malheureusement que Foreman va gagner. Il est plus jeune et donc a plus de ressources que son adversaire pour un combat de cette magnitude. Je pense aussi qu'il est le mieux préparé des deux pour ce rendez-vous.

— Pourtant, Ali ne cesse de répéter que vous les journalistes allez recevoir une leçon de boxe qui vous fera regretter tout ce que vous avez pu déclarer jusqu'ici au sujet de ce combat.

— On ne peut pas reprocher à Ali de dire ce qu'il pense. Et il croit, effectivement, que Foreman ne peut pas lui manquer de respect. Le seul problème, Modéro, c'est que personne n'a jamais tenu dix minutes sur un ring face à ce jeune homme-là.

J'allais réagir quand j'ai entendu la voix de Batekol, alors que la musique venait de s'arrêter au bout de la deuxième chanson que lui et l'un de ses amis avaient chantée en duo, sous les huées intermittentes d'une partie du public. Les dames, en effet, avaient toutes les raisons du monde de chahuter les paroles on ne peut plus machistes du fameux tube polémiste de Zaïko : *N'usez pas votre femme; prenez celle d'à côté.*

«Merci, les amis. *In rumba veritas.* Vous êtes un public adorable, les dames comprises. Et vous savez très bien qu'on vous adore, mesdames et mesdemoiselles. On ne titille que les êtres chers à nos cœurs; tous les hommes vous le diront. Plus tard, si le temps le permet, nous jouerons *Vengeance épicée* ou *Ce qui fait pleurer les hommes*, pour faire jeu égal. Les mecs, vous voilà prévenus. Mais pour l'instant, mes potes et moi, on voudrait plutôt partager une petite découverte. Quelque chose qui se situe en décalage de ce que nous, Kinois, avons l'habitude d'entendre. Ça nous vient du Kwilu, en pays mbala.»

J'ai senti mon cœur bondir dans mon thorax. Cette venue tardive au cœur de Matonge cachait-elle une surprise que Batekol m'aurait réservée? Je n'allais pas tarder à le savoir, puisque la suite ne laissait point d'équivoque:

«J'invite donc la future étoile de la nouvelle tendance de la chanson kinoise, l'homme à l'accent grave, Modéro alias le chanteur-poète de brousse, que je vous prie d'accueillir très chaleureusement!»

Alors que j'allais lever la main pour protester, Ron s'en est saisi. Il est passé devant moi en me tirant par le bras, écartant les gens qui se trouvaient en travers de notre chemin, les bousculant parfois; se faisant insulter au passage par un type éméché qui ne voulait pas relever ses jambes pour nous permettre d'avancer. Réagissant avec humour aux grognements de ceux que ses coups de coude déséquilibraient, il a réussi tant bien que mal à me traîner jusqu'aux pieds de l'estrade. «Vous auriez dû me dire que vous étiez ici pour chanter! Je n'allais pas vous retenir si longtemps!» m'a-t-il reproché au moment où Batekol me tendait la main. Je m'en suis saisi et j'ai sauté pour rebondir sur le podium.

Si mon ami m'avait prévenu quelques minutes plus tôt, j'aurais eu le temps de me préparer psychologiquement et de choisir la pièce à exécuter pour mon premier exercice du genre à Kin, de surcroît devant un public aussi nombreux. Là, il me jetait dans l'eau sans ménagement et m'obligeait à démontrer mes talents de nageur. Après tout, l'ayant abreuvé de mes succès allégués dans mon village et ses environs, n'avais-je pas moi-même contribué à lui faire croire que j'avais du métier et que la foule était ma drogue par excellence ?

« On attend que maman donne le coup de départ pour commencer ? Oh! pauvre petit bébé à sa maman!» s'est moqué une voix féminine dans le public, tandis que j'essayais de dominer ma nervosité en réajustant le micro d'une main moite. Quelques rires ont fusé. Batekol m'a fait un clin d'œil appuyé : «Fonce, mon gars! Tu as tout à gagner, rien à perdre. Il n'y a pas un moustique qui te connaisse ici. Allez, je te fais confiance!» Il m'a passé sa guitare. M'accrochant au souvenir de ma meilleure performance à Banza, je me suis lancé.

Si l'art ne ment jamais, pourquoi réinventer la roue? Dans les abysses de la solitude où la fécondité de l'esprit ne cède ni à la pudeur ni aux bons sentiments, je m'étais retranché un soir où la vie avait pris un goût de cendres, pour concasser à l'abri des censeurs la graine du cœur meurtri. Aux âmes sensibles d'en reconnaître le parfum et si le cœur leur en dit, d'honorer l'œuvre solitaire dévoilée sans langue de bois.

J'ai ainsi remis le morceau qui m'avait permis autrefois d'enflammer le public de ma région d'origine et que j'avais intitulé *Bolingo Tina Nini?* Un coup de gueule qui s'était échappé du fond de moi après un chagrin d'amour vieux de deux ans maintenant. D'aucuns diront que le texte est atemporel. Je peux affirmer pour ma part que là-dedans, il y en a pour tout le monde ou presque. Si la mélodie se veut plutôt entraînante, voire langoureuse, la charge véhiculée par les paroles est tout sauf attendrissante.

Au détour du premier couplet entonné devant un public qui devait se demander ce que le campagnard pouvait bien leur proposer d'original, ce sont les filles qui disent oui quand elles pensent non qui en ont pris pour leur grade. J'ai enchaîné sans coup férir dans un second souffle contre celles qui te regardent dans les yeux en espérant y découvrir la couleur de ton portefeuille. Dominant ensuite le son de la contrebasse que maniait l'ami de Batekol avec un sens de l'improvisation fort remarquable, j'ai fait goûter le venin de la colère du déplumé désormais averti aux girouettes qui attendent que père et mère leur délivrent un permis d'aimer avant de se donner.

Comme dans nos spectacles à Banza, la partie masculine du public a accueilli mes premières piques dans une bruyante excitation où les cris d'adhésion le disputaient aux commentaires les plus machistes. Pour les filles, j'étais un aigri qui venait régler ses comptes sur la tronche d'innocentes dont le seul motif de présence sur les lieux se résumait au besoin de passer une belle soirée dédiée à la rumba. L'euphorie masculine a tourné court aussitôt que le refrain s'est mis à dénoncer sans concession ni fioritures le piège amoureux. La minute d'après, sans atermoiements, l'estocade a été portée aux lignes de défense de la gent masculine. Ceux des Kinois présents qui se sont reconnus sous les traits du gars qui avance tête baissée dans un traquenard en croyant avoir conquis le grand amour de sa vie, se sont fait secouer comme les andouilles qu'ils sont. La frange féminine du public y a aussitôt trouvé l'occasion de prendre sa revanche par des cris et des quolibets adressés aux hommes présents sur la piste de danse. Un scénario que je connaissais par cœur. Je n'ai rien fait pour jouer les sapeurs-pompiers, au contraire. Les femmes venaient de m'accorder leur absolution, fût-elle temporaire ; il était hors de question de leur faire faux bond. Au quatrième couplet, les hommes que leur manque de confiance en soi avait convaincus que l'amour s'achetait à prix d'or avant de saisir qu'ils avaient oublié jusqu'à garnir même leur propre ventre, ont été gratifiés d'un portrait plus fidèle que leur miroir. Quant à ceux qui croyaient que le chemin de la vertu chez les ambassadrices du sexe réputé faible suivait les courbes ondulées de ces corps de sirènes qui consument allègrement la raison masculine, sous un air qui conjuguait la dérision au cynisme, pour eux j'ai fait sonner le tocsin.

La dernière partie du morceau m'a renvoyé, comme je m'y étais attendu, l'image d'un public réconcilié avec lui-même dans une sidération vidée de son poison par le miel que je faisais couler, note après note, la voix grave, les jambes en équerre, le buste tendu comme un officier d'ordonnance en service, des paroles dont la teneur suit :

« Qu'importent les origines ethniques, les diplômes et les religions ; qu'on les ait en partage ou qu'ils se dressent comment autant de murs sur la route du bonheur, ils ne sauraient être des remparts contre la duplicité chronique. L'amour n'est qu'un vaste marché de dupes où chacun est un malfrat planqué qui achète émotions grisantes et plaisirs fugaces avec de la fausse monnaie qui servira plus tard à baiser une autre victime. Épicurien égocentrique, chacun ne doit les vrais faux succès de ses amours qu'à la somme des absurdes. Absurde, la naïveté de l'autre, sa soif de combler avec le premier «je t'aime» venu le gouffre béant que la peur de finir vieille fille ou d'être regardé comme un misogyne teigneux a creusé dans le jardin d'une solitude vécue comme une damnation. Absurde, le manque de courage du renoncement à ce que nous savons dès l'origine ne pas être capable de mener à bien sans semer ruines et désolations. Absurde, l'idée que dix ans de remords sont solubles dans cinq minutes de coït intempestif et vice versa. Absurde, la conviction que vivre pleinement, c'est croquer à pleines dents dans la chair juteuse de l'irrésistible fruit mûr de ce jour qui ne dure pas assez pour nous laisser peser le contre après avoir jaugé le pour. Comble de l'absurde, l'idée que la monotonie qui résulte de la délectation quotidienne de la même épice, si savoureuse soit-elle, ne saurait avoir pour pendant la voca-tion congénitale de changer de partenaire de crime une fois le tour de la monogamie bouclé et l'étau de la pression sociale desserré. Victimes de la lâcheté du salaud qui a eu la chance de nous précéder, nous ne demandons pas mieux que de nous transformer à notre tour, l'espace d'une décep-tion, en bourreaux impénitents. Prêts à réduire en miettes le premier petit bout de cœur qui aura la sottise de nous ouvrir ses pétales nourris à l'amnésie. Je l'ai vécu dans ma chair, vous l'avez vécu dans la vôtre, mais ensemble nous avons signé le pacte du bluff collectif. Nous avons convenu de ne pas appeler un chat un chat, et à cette violence carnassière qu'est l'amour, nous avons choisi de prêter des habits sans tache de fauteur de bonheur. Parce qu'il est tellement rassurant de croire en l'amour! Il est tellement apeurant de regarder en face la laideur de la réalité avec sa légion de cœurs brisés. Son armée de loques humaines happées par l'alcool qui aide à noyer dans le tréfonds de l'oubli l'être aimé qui nous a poignardé. Son cimetière des amitiés éteintes. Je le sais, vous le savez, le monde s'écroulerait si nous devions dénoncer trop haut cette vache sacrée qu'est l'amour. Alors braves gens, mes sœurs, mes frères, aimons, aimons donc! Aimons en urgence, tant qu'il y a la vie. Aimons sans regarder le fantôme dans le rétroviseur. Aimons sans nommer l'éléphant dans la chambre à coucher. Aimons comme si chaque aujourd'hui était le fruit des entrailles d'un hier plein de sagesse. Aimons comme si les lendemains qui nous attendent ne pouvaient qu'échapper à une déconvenue que notre foi insouciante en l'être humain aura réussi à conjurer.»

Tout en tendant mon micro vers la foule, j'ai levé le bras pour inviter le public à reprendre le refrain:

Tolinga, tolinga, tolinga kaka
(Aimons, aimons, aimons malgré tout)
Tosala lokola bolingo
(Faisons comme si l'amour)
Ezali na makanisi té
(N'avait point de mémoire)
Lokola biléko bi kokitanaka
(Comme si le temps succédait au temps)
Kasi bi kokokanaka té
(Sans jamais être le même)
Lokola nionso ekoki kosaléma
(Comme si tout était possible)
Awa o sé
(Ici-bas)

Pendant que le public unissait ses voix comme un seul homme, j'ai vu Ron qui était resté au pied du podium, s'approcher avec son appareil photo suspendu au cou. Il a tendu la main à Batekol qui se tenait debout à ma droite, pour qu'il l'aide à se hisser à son tour sur l'estrade. Batekol s'est exécuté et l'Américain est venu me donner l'accolade en me félicitant chaleureusement. Il a sorti un billet de vingt zaïres de la poche de son jean et me l'a collé sur le visage comme le ferait un Zaïrois. Le public, qui ovationnait la fin de la chanson, a applaudi de plus belle. Du fond du bar, des voix ont commencé à fuser : « *Mundele yemba ! Mundele yemba !* » criait-on en tapant des mains. Au bout de quelques secondes, tout le monde s'est mis à réclamer la même chose : il fallait que le Blanc, à son tour, pousse la chansonnette.

J'ai traduit pour Ron qui a éclaté de rire. Batekol nous a rejoints et à deux, nous lui avons fait comprendre que son talent importait peu ; le public voulait juste l'entendre chanter en lingala. C'était enfoncer une porte ouverte, car j'ai vite compris que c'était pour cette raison précisément que le journaliste était venu me rejoindre. Il s'est emparé du deuxième micro et a répété après moi le refrain. Le public nous a accompagnés dans une ambiance bon enfant. Une première, puis une deuxième fois. Suant à grosses gouttes à cause de la chaleur qui avait transformé la pièce en fournaise, l'Américain semblait prendre son pied comme un adolescent. À ma grande surprise, il articulait chaque mot avec une exactitude qui aurait pu laisser croire qu'il pouvait parler notre langue. Et il chantait juste, ce qui ne gâchait rien.

À sa demande, j'ai remis mon micro à Batekol qui voulait prendre le relais et permettre à notre nouvel ami de poursuivre son expérience d'interprète d'un soir. Quelle n'a pas alors été ma surprise de l'entendre entonner une chanson populaire que les Kinois avaient l'habitude de chanter pour se moquer gentiment des Blancs! Sans se douter le moins du monde du message, Ron s'est mis à répéter à la suite de Batekol des paroles dont la traduction en français aurait donné :

C'est l'histoire d'un Blanc
Qui s'est égaré dans la forêt de Nsele
Il arrive, tout en sueur, devant une toute petite hutte
Il frappe à la porte en criant :
«Y a quelqu'un ?»
Une voix d'enfant lui répond :
«Oui!»
Alors le Blanc demande :
— Ton papa n'est pas là, petit négro ?
— Non, il est sorti juste avant que maman rentre!
— Alors, ta maman, elle est là, petit négro ?
— Non, elle est sortie au moment où je suis entré!
— Mais alors, chez les négros on n'est jamais ensemble en famille ?
— Ah non, pas ici, répond le petit négro.
Ici, c'est les chiottes, monsieur le Blanc
Faut quand même pas déconner!

4

COMME IL FALLAIT S'Y ATTENDRE, après chaque reprise, les cris redoublaient d'intensité. Les Kinois étaient tout heureux de voir le pauvre *mundele* mettre autant de volonté à se tourner en bourrique. Prenant ces vivats pour une reconnaissance de ses prouesses dans une langue que personne ne lui avait apprise auparavant, Ron essayait de donner le meilleur de lui-même, s'autorisant même quelques trémolos dans la voix. Plus il cherchait à réussir son second test sous la houlette de Batekol l'emmerdeur, plus il déclenchait l'hilarité chez ses nombreux fans qui l'acclamaient de plus belle.

Je me suis dit que c'était exactement ce qui aurait pu arriver à n'importe lequel de ces gens s'ils s'étaient retrouvés dans la même situation que lui, mais cette fois en Amérique, où la grande majorité d'entre eux ne comprendrait pas un traître mot d'anglais. Sans doute l'avantage que nous les Africains avons, c'est que nous apprenons les langues des Blancs à l'école et en acquérons plus que les rudiments nécessaires pour nous débrouiller en pays étranger. Eux, au contraire, n'ont aucune raison d'apprendre nos langues dans leurs écoles. Et même quand ils viennent vivre chez nous, ils peuvent choisir de mener une existence relativement tranquille sans devoir apprendre une langue africaine. Tout ce qu'ils risquent, c'est de répéter une connerie qu'on leur aura fait mémoriser après en avoir malicieusement déformé la signification.

Au bout de la troisième reprise et lorsque les rires ont commencé à diminuer, la voix du patron de *100 Pur Sang Soukouss* a retenti dans le haut-parleur, en lingala, couvrant les bruits : « Bonsoir les amis. Je ne savais pas qu'il m'avait été réservé une aussi belle surprise pour mes quarante ans. D'abord un jeune homme qui chante les pièges de l'amour en lingala avec un accent inimitable ; ensuite un *mundele* qui le rejoint sur la scène pour faire pareil avant de nous livrer un authentique exercice d'autodérision ! Qu'est-ce qu'on est bien au *100 Pur Sang Soukouss,* hein ? À mon tour de vous faire la surprise à présent : à l'achat d'une bouteille de Simba ou de Primus, la maison vous en offre une deuxième à titre gracieux. Et que la fête continue jusqu'à demain soir, ici même, avec le Tout Puissant O.K. Jazz du grand maître Franco. *In rumba veritas !* »

Nous sommes redescendus du podium. Des gens se succédaient pour venir me serrer la main et me féliciter, ainsi que Ron. Beaucoup prétendaient que mon texte avait été écrit pour eux en particulier et pour personne d'autre. D'aucuns disaient que j'aurais dû être plus optimiste, qu'ils en voulaient à celle qui m'aurait inspiré ces paroles qui ne pouvaient que traduire une grave blessure intérieure jamais cicatrisée. Je les écoutais, amusé. J'étais flatté. Je les remerciais et leur promettais de revenir dans une semaine. Cela ne m'engageait à rien, mais j'avais envie de leur rendre un petit bout d'espoir en échange de la reconnaissance qu'ils me témoignaient. À Ron, ils exprimaient leur plaisir de l'entendre chanter dans leur langue, sans lui dire de quoi il en retournait. Ni Batekol ni moi n'étions prêts à le faire. On avait connu pire «baptême kinois», ce dont je pouvais personnellement témoigner. C'était un moment de délire collectif, pas de quoi fouetter un chat. C'eût été méchant de jouer les rabat-joie après tout le plaisir qu'il s'était donné.

La bière coulait à flots. À notre intermède musical avaient succédé des tubes en vogue que le «maître ambianceur» balançait à la demande du public, de ces groupes et artistes très populaires: O.K. Jazz, Afrisa International, Zaïko Langa-Langa, le Trio Madjesi et l'orchestre Sosoliso, la diva Abeti Masikini, reine du soukouss…

Batekol, qui venait de m'écouter chanter pour la première fois depuis qu'on s'était rencontrés devant le Memling, m'a avoué qu'en m'invitant, il ne s'était pas attendu à un tel accueil de la part de l'assistance. Selon ses mots, il venait d'avoir la preuve éclatante que le public en général et le public kinois en particulier avaient l'esprit et l'oreille plus ouverts qu'on se l'imaginait. Cet accent qui m'avait valu tant de misères à Kinshasa venait finalement d'être salué comme une cerise des plus exotiques sur le gâteau qu'était ce morceau écrit et chanté dans la langue de la capitale par un campagnard. Ayant appris de la leçon que venait de me donner Ron, j'avais chanté sans chercher à gommer le naturel comme je le faisais autrefois à Banza. Le public avait donc aimé cette marque de sincérité, cette inclinaison à assumer ma différence. Mon ami, en convoquant «le chanteur-poète de brousse», était loin de prévoir ce qui allait advenir.

Ron s'est excusé pour aller aux toilettes. Pour changer de sujet et ainsi mettre fin à la complainte de mon ami qui n'arrêtait pas de regretter que j'aie été écarté du test chez Zaïko, je lui ai demandé s'il savait à quelle heure Béata – la fille avec qui il avait dansé à *Kin É-bouger* – allait nous rejoindre, ainsi qu'il me l'avait laissé entendre plus tôt. Il a dit qu'elle avait promis d'être là avant minuit. Or, il était une heure du matin passé. Lorsque j'ai voulu savoir comment il vivait ce faux bond, je me suis laissé dire que c'était chose courante avec les Kinoises. Selon lui, celles-ci se rangeaient en deux catégories : celles qui savaient ce qu'elles voulaient dans la vie et les autres. Pas de problème avec les premières. C'était blanc ou noir, on ne perdait pas de temps dans des zones grises où «comme dans ma chanson», a-t-il expliqué, le oui prononcé à six heures se changeait en non à six heures et quart. Pour les deuxièmes, par contre, c'était la croix et la bannière. Tu ne pouvais leur faire confiance que le temps où elles étaient en face de toi. Toute promesse qu'elles te faisaient n'engageait que ta crédulité. Il a ajouté que même s'il n'irait pas jusqu'à cautionner le cynisme extrême qui suintait de ma création – dont il avait néanmoins adoré la mélodie, précisait-il cette fois-ci –, il n'était pas dupe des petits jeux de ces filles qui n'avaient jamais l'air de savoir ce qu'elles cherchaient : «Pour allumer, elles vont t'allumer grave. Mais une fois sur deux, ça va s'arrêter là. Si tu n'es pas un baratineur tout-terrain doté d'une batterie de stratégies à toute épreuve, tu te feras constamment plumer. Tout ce que tu pourras obtenir en retour, c'est une sacrée réputation de pigeon du coin auprès de qui toutes les crève-la-faim viendront tenter leur chance. Moi, j'ai donné. Si je n'obtiens rien le premier soir, je dis : *merci, au revoir et bonne chance, camarade !*»

Quelle n'a pas été ma surprise lorsque Ron est réapparu, flanqué de «l'ami zaïrois» qui l'avait emmené au *100 Pur Sang Soukouss*! Avant même que j'aie eu le temps d'ouvrir la bouche pour exprimer mon étonnement, monsieur l'artiste s'est jeté à mon cou comme un vieux pote qu'on retrouve après une longue séparation. Pourtant, dans mon souvenir, l'accueil qu'il m'avait réservé il y a seulement six mois était tout sauf celui qu'on attendrait d'un ami, pour ne pas dire d'un «frère». Yala, le cousin de Sendos, n'avait pas de formules assez dithyrambiques pour me congratuler, se faisant presque révérencieux. Il me faisait penser à un fervent supporteur qui, à la fin d'un derby de football, va féliciter le buteur qui a sauvé son équipe du naufrage:

— Mon frère, quel honneur tu m'as fait tout à l'heure!

— Vraiment? ai-je répliqué sur un ton plutôt réservé.

— Tu parles! J'étais en train d'essayer de retrouver mon ami Ron quand je l'ai vu arriver dans ton sillage devant le podium. Et après, tu nous as chanté ce morceau, mélange de cynisme et de mélancolie, mais si réaliste dans le fond. Sacré Modéro, tu es resté le même!

— Yala m'a traduit les paroles, est intervenu Ron. C'est effectivement un texte sombre, Modéro. Et pourtant, la mélodie était si belle qu'on aurait pu penser que vous célébriez l'amour!

— Je célébrais l'amour tel qu'il est, Ron. Pas tel que nous aimons à le décrire, ai-je répondu en riant. Et puis, cette chanson a été écrite pendant une période assez difficile par un homme en proie à une peine de cœur. Elle porte donc toute la charge des émotions qui font le lit de la déprime, même si, des années plus tard, je n'en renie aucune ligne.

— Mais vous y allez fort, quand même!

— Je parle en homme qui a fait le tour de l'amour et qui en est revenu.

— À votre âge ?

— À vingt-cinq ans, je sais qu'il n'y a pas de secret pour les femmes, il n'y en a pas plus pour les hommes. Il eût été éventé depuis longtemps, sinon. Il faut simplement savoir parler aux femmes, et si on est femme, apprendre à écouter le silence des hommes. Ils ne parlent jamais aussi fort que dans le silence, selon moi. La seule chose à ne pas faire, le seul ravin dans lequel il ne faut jamais plonger tête la première – et ma chanson de ce soir se résume à cette mise en garde –, s'appelle l'amour.

— Intéressant.

— Qui tombe amoureux tombera toujours de haut, trébuchera immanquablement du haut de sa duplicité et finira sous les décombres de l'illusion. C'est écrit sur l'emballage, de sorte que nul ne peut plaider l'ignorance : dans presque toutes les langues du monde – y compris en anglais, n'est-ce pas Ron ? – on dit « tomber » amoureux...

— *To fall in love, yeah!*

— *Yeah ?* Voilà ! « Tomber ». Comme dans un trou. Comme dans un piège. Et pourtant, ceux qui s'éloignent en courant après avoir pris connaissance de cet avertissement se comptent sur les doigts d'une main. Allez savoir pourquoi !

— Je vous souhaite de vivre assez longtemps pour rencontrer celle qui vous fera changer d'opinion, cher Modéro !

Yala était tout excité. Il a déclaré à Ron que nous étions frères, que nous venions du même village, que nous avions grandi et étudié ensemble. Il a parlé de mes parents, « des gens de grande vertu, des êtres pétris de valeurs qui se font de plus en plus rares de nos jours, même à la campagne ». Il a évoqué nos virées à la rivière où, adolescents, nous allions guetter les bonnes sœurs dans leurs baignades. Il m'a demandé si je m'en souvenais. Je me suis alors rappelé sa mine lorsque j'avais été introduit dans son salon quelques mois plus tôt ; avec entre autres idées en tête, celle de lui rappeler le même souvenir. J'ai répondu que ses propos n'évoquaient dans ma mémoire aucun événement dont je me souvienne.

— Ce n'est pas possible, a-t-il protesté. Ce n'est pas possible. Tu ne peux pas avoir oublié ça, Modéro ! Le jour où on a été surpris par un passant, c'était toi qui avais insisté pour qu'on reste à se rincer les yeux jusqu'au coucher du soleil. Sendos et moi avions suggéré de profiter de ce qu'elles étaient loin de leur résidence pour courir à la mission et aller voler les noix de coco dans leur jardin. Mais qu'est-ce qu'on était des salauds, hein ? Avoue !

— Non, je suis désolé, tout ça ne me dit rien, ai-je prétendu.

Batekol a commencé à interroger Ron sur son métier. Malgré mon peu d'empressement à lui faire la conversation, Yala m'a pris à l'écart et s'est mis à me poser plein de questions sur ma vie à Kinshasa, mon travail, mes projets et toutes les choses dont j'aurais voulu lui parler lorsque mon horizon kinois commençait à se boucher et que je ne savais plus à quel saint me vouer. C'était alors sans savoir que sa réussite sociale l'avait hissé sur un piédestal du haut duquel il lui serait impossible de descendre pour s'intéresser à ma petite vie de villageois débarquant en ville. À mes yeux, rien n'avait pourtant changé en six mois. Il était la même vedette de la télé et je découvrais qu'il sortait le soir se payer du bon temps avec un ami blanc. Un homme que moi, Modéro, je n'aurais pas pu approcher, n'eût été ma rencontre fortuite avec Batekol. Car j'étais toujours un débarqué qui parlait un mauvais lingala, même si entre-temps j'avais trouvé un bon travail, ce que son ami lui avait très probablement soufflé.

Mais bien sûr! Là était l'explication: Ron lui avait sans doute dit que j'étais «l'assistant» de l'épouse de *l'homme qui murmure à l'oreille du Guide*, et il avait dû regretter son attitude inamicale d'autrefois. Entrevoyant le béné-fice potentiel à tirer de ma proximité avec les cercles du pouvoir politique, il essayait de se racheter. Cette seule pensée m'a mis un goût de cendres dans la bouche. Je savais qui il était: un cannibale urbain parmi d'autres. Un apôtre du *chacun pour soi, la révolution contre tous*, qui tirait prétexte des vicissitudes de la vie en ville pour répudier les valeurs dans lesquelles on l'avait pourtant élevé. Mais lui, savait-il qui j'étais? Quelle image voyait-il lorsqu'il me regardait avec ses yeux de célébrité kinoise pour qui l'ascension sociale et le vedettariat sont les seules unités de mesure de la valeur d'un être humain?

— Modéro, tu as un potentiel artistique que tu ne soup-çonnes pas encore, a-t-il argué en empruntant son ton le plus persuasif. Il y a quelque chose à en tirer et si tu n'en étais pas encore conscient, je suis là pour t'ouvrir les yeux, mon frère.

Le voilà qui confirmait tout le mal que je pensais de lui. Ma valeur se mesurait à ce qu'on pouvait tirer de mon potentiel. Et «on» ne pouvait être que lui; à moins que ça ne soit d'autres cannibales de son acabit. J'ai balayé ses calculs du revers de la main:

— J'ai d'autres projets en tête, Yala. La musique, c'est juste un passe-temps, lorsque des amis m'associent à un petit truc comme ce soir.

— Tu as tort de reléguer la musique au rang de passe-temps, Modéro. Je ne sais pas si Sendos a eu l'occasion de te raconter comment je suis arrivé dans l'univers des arts du spectacle, moi qui me destinais à une carrière de… comptable.

Affabulateur en plus! Et pourquoi pas une carrière de politicien tant qu'à y être? Avec une telle propension à mentir sans ciller, il gravirait les échelons du pouvoir sans bouger le petit doigt. S'il croyait m'impressionner, moi qui l'avais vu haut comme trois noix de coco, la gale aux fesses et le nez plein de morve, il s'enfonçait le doigt dans l'œil jusqu'au coude:

— Il m'a tout relaté, de nous glisser Batekol. Il m'a parlé de tes débuts comme aspirant chauffeur mécanicien chez un Sénégalais qui t'aurait roulé dans la farine.

— Oh! l'épisode du Sénégalais. C'est oublié, ça! C'est si lointain, a-t-il répliqué, sans se démonter ni détourner les yeux.

Cela confirmait bien que c'était un fieffé menteur de classe mondiale. Il ne se souvenait plus avoir quitté Banza en rêvant d'une vie de chauffeur mécanicien. Dans son esprit, comptable devait être plus proche de l'image qu'il renvoyait à ceux qui admiraient la réussite de Franc-tireur sans savoir d'où il venait. Il s'est enhardi:

— Modéro, s'il y a une chose que tu devrais apprendre des chemins que j'ai empruntés avant la célébrité, c'est que dans cette ville, lorsqu'on a un talent comme le tien, on ne hausse pas les épaules en disant : « C'est juste un passe-temps. »

— On fait quoi, à la place ? lui ai-je demandé en le toisant.

Il aurait dû lire dans mon regard tout le dégoût que ses propos avaient fait naître au fond de moi, mais il n'était probablement pas assez futé pour ça. Il a continué, jusqu'à éteindre la petite flamme de patience qui brûlait encore au fond de moi :

— Écoute, demain avant le concert d'O.K. Jazz, je rencontre Franco le grand maître, le grand *boss* du groupe ; tu sais, le chef de file de la rumba zaïroise. Mon ami Ron veut écrire un papier sur lui dans son journal publié aux États-Unis ; alors on a rendez-vous à dix-huit heures, ici même. Sois à l'heure, je vais te le présenter. Habille-toi convenablement, pas ce pantalon à pois et cette chemise à épaulettes qui te font ressembler à un gardien du zoo présidentiel. Je veux que tu aies ta chance et je…

Je ne pouvais pas le laisser finir. Pour qui Yala se prenait-il ? Il m'avait traité comme un gueux, un sous-microbe, un moins que rien, le jour où je m'étais pointé chez lui dans l'espoir d'avoir en face de moi quelqu'un qui me comprenne. Quelqu'un qui puisse imaginer à quoi pouvait ressembler le chemin jonché d'embûches que j'avais dû emprunter depuis Banza, afin de me lancer à la quête d'une hypo-thétique réussite dans la jungle kinoise. Oubliant les joies et misères qui nous avaient soudés durant notre enfance, les relations qui s'étaient tissées entre nos deux familles respectives, il n'avait même pas daigné m'offrir une goutte d'eau à boire, une simple goutte d'eau de rien du tout. Et le voilà qui réapparaissait, flanqué de son ami américain qui voulait écrire sur l'artiste le plus populaire d'Afrique centrale, afin de m'ouvrir prétendument les portes du Tout Puissant O.K. Jazz. Non, je n'avais nul besoin de sa compassion à rebours. Encore moins de ses conseils ridicules sur la manière de m'habiller. Comme si le talent avait le moindre rapport avec l'apparence! Aux mille et une tares de la kinoiserie, il osait ajouter l'arrogance. Il connaissait le grand maître Franco? Eh bien, il pouvait se le garder! De toute façon, il n'était pas question pour moi d'annuler mon voyage à Banza, lequel pourrait se transformer en odyssée transatlantique, juste pour ramasser les miettes de sa sollicitude fraternelle retrouvée. Alors, je l'ai interrompu d'un ton sec:

— Non, Yala. Je ne veux pas rencontrer le grand maître Franco. Ni demain ni dans dix ans. J'ai mes propres projets et je les mènerai à bien sans l'aide de personne. Note que cela te dispensera de devoir ajouter mon nom à la longue liste de ces «frères» qui viennent te pourrir la vie en s'imaginant que tu es le banquier de Dieu le Père à Kinshasa. Tu vois de quoi je parle? Ces feignants qui empêchent l'Afrique de ressembler au paradis que les Blancs se seraient bâti sur le socle inébranlable du chacun pour soi!

Il a reçu mes paroles comme autant de coups de poing à l'estomac. Je savais que la charge était violente. Une partie de moi me reprochait cet accès de colère; mais j'étais quand même fier d'avoir sorti ce qui remuait en moi depuis notre seule et unique rencontre dans la capitale. J'avais passé les huit derniers mois à subir les brimades injustes des Kinois. Le temps était venu de mettre de côté mes bottes de gentil garçon au grand cœur, ainsi que me le conseillait sans cesse Batekol. Il me fallait apprendre désormais à remettre à leur place ceux qui voyaient en moi le client rêvé pour réaliser leurs plans foireux. Il est resté sans voix l'espace de quelques secondes, puis il a tourné les talons sans mot dire.

Nous avons fini par prendre congé de Ron. Yala et moi nous sommes serré la main froidement, sans échanger un mot de plus, pour ne pas attirer l'attention de Batekol et de l'Américain. Au moment où nous nous dirigions vers la sortie, j'ai vu entrer Béata, la fille que mon ami attendait, au bras d'un type qui devait faire une fois et demie la taille de Batekol et deux fois nos poids à nous deux réunis. Nos yeux se sont croisés et elle a aussitôt détourné les siens, se recroquevillant dans les bras de l'homme qui semblait la brandir comme une défense d'éléphant. J'ai décidé de ne rien dire à Batekol dont les yeux étaient braqués sur un spectacle qui se déroulait à l'extérieur du bar.

Devant le *100 Pur Sang Soukouss*, un attroupement était en train de se créer autour de deux individus qui s'invectivaient sans avoir assez de force pour se taper dessus. L'alcool les obligeait à d'étranges détours dans la rue ensablée, telles des marionnettes désarticulées, pour parcourir les dix mètres qui les séparaient. Ils se lançaient des insultes dignes de choquer les plus prudes si leurs langues devenues pâteuses n'avaient rendu leur diction aussi incompréhensible qu'une logorrhée en mandarin. « La ferme ! Tu bandes mou, espèce de tige à pisse ! » réussit à articuler le gringalet en prenant appui contre une carcasse de motocyclette. « Je bande plus dur que tous les hommes qui ont pissé dans ta chienne de mère, bâtard ! Et ta mère… Ta mère, c'est bien au fond que je lui pisse, encore et encore… Tu me promets de lui rapporter ça, à ta chiennasse de mère, fils de pute ? »

répondit celui qui traînait une bedaine de cadre du Parti, entre deux violentes quintes de toux. Pour les inciter à passer aux choses sérieuses, à en venir aux mains au lieu de s'enliser dans l'insulte stérile, quelques bonnes âmes en quête d'avant-goût du *combat du siècle*, mais dans la catégorie « alcooliques », leur criaient en levant les poings en l'air : « *Ali, boma yé ! Ali, boma yé !* »

Si je voulais que le vrai Ali triomphe de Foreman dans quelques jours, je devais convaincre Batekol de reprendre la route de Nsele. Son plan cul était tombé à l'eau avant d'être récupéré par un inconnu, mais nous avions passé ensemble la plus émouvante de mes soirées à Kin la belle. Dans moins de douze heures, nous devrions quitter la capitale en direction de Banza.

VI

LE FAISEUR DE ROIS

Kant peut aller se rhabiller !

1

MON RETOUR A SUSCITÉ EN MOI BIEN DES ÉMOTIONS. Chose très curieuse, il a fallu que je remette les pieds dans le village pour voir à quel point il recelait une foule de choses, pour la plupart non palpables, qui m'avaient tant manqué pendant tous ces mois. Je suis allé tout d'abord saluer le chef du village et sa maisonnée; ensuite tous les notables, en commençant par les plus proches de ma famille. Je suis passé chez mes amis présents dans le village et enfin tous les autres villageois. La dernière personne que mon ami et moi sommes allés honorer est le grand-père Zangamoyo, que nous avons trouvé en conversation avec des visiteurs; probablement des clients venus le consulter pour des motifs que nous ne connaîtrons jamais. Il s'est dit très ravi de me revoir en bonne santé, a souhaité la bienvenue à Batekol et nous a offert à boire. J'avais presque oublié la saveur à nulle autre pareille du vin de palme au soir d'une journée ensoleillée passée sur la route. Tant bien que mal, j'ai réussi à le convaincre de ne pas nous retenir plus longtemps, lui promettant de revenir à un meilleur moment. Mon ami était si impressionné par ce qu'il a appelé «l'aura» du vieil homme, qu'il n'a presque pas pipé pendant ces quelques minutes passées chez le patriarche.

Enfin, il avait mis un visage sur celui dont il scandait le nom à Kinshasa et à qui il attribuait son recrutement par Zaïko Langa-Langa. N'était-ce pas un de ses buts avoués en acceptant de me servir de chauffeur ?

Mais par-dessus tout, Batekol a eu du mal à comprendre le sens de ce très long protocole qui nous a pris toute la soirée, nous qui étions si fatigués au terme d'un long voyage. Il ne voyait aucune raison de faire ce tour du village pour serrer des mains et prendre des nouvelles de centaines de personnes, alors qu'il s'agissait pour une très large part de gens auxquels je n'étais ni de loin ni de près apparenté. Sa perception a changé à mesure que se multipliaient les cadeaux que les villageois nous remettaient d'une case à l'autre. Au point qu'au bout de quelque temps, j'ai dû faire appel à tout mon tact pour décliner poliment ce que nous ne pouvions prendre avec nous. Après tout, nous n'avions que quatre bras.

Par ailleurs, chaque famille visitée nous a priés de revenir partager un repas avant la fin de notre séjour. Ce qui, compte tenu de la durée projetée de notre présence à Banza, s'avérait impossible. Même après lui avoir expliqué que ma démarche était tout ce qu'il y avait de plus banal pour un enfant qui avait grandi dans le village et qui se devait d'honorer les siens en toute humilité, mon ami kinois était totalement largué. La sollicitude et la générosité de tous ces inconnus qui s'intéressaient à sa personne et à sa famille dont lui-même n'avait plus de nouvelles – à l'exception de sa cousine Zeta – suscitaient chez lui une totale incompréhension. Batekol se trouvait plongé dans l'exact opposé de Kin la belle. Même s'il avait déjà appris quantité de choses sur les us et coutumes de l'arrière-pays, en faire l'expérience depuis deux jours lui jetait à la figure un monde aux antipodes de celui dans lequel lui-même avait grandi.

❧

C'est avant-hier soir que je suis retourné chez grand-papa Zangamoyo. Étant donné que je n'ai toujours pas confié à mon ami le vrai motif de notre escapade, je l'ai laissé chez mes parents où il regardait ma mère se livrer à son occupation de potière. Un art que cette dernière a appris de ma grand-mère et qui lui permet à la fois de gagner un peu d'argent et de couvrir de cadeaux parents et amis, à différentes occasions. Regarder ma mère faire jaillir d'un amas d'argile difforme une casserole ciselée des plus jolis motifs est un passe-temps qui m'a occupé durant toute mon enfance. Pour Batekol, observer une potière dans ses œuvres est une des merveilles de ce voyage qui lui fait découvrir un pays qu'il croyait connaître sans jamais être sorti de la capitale. Ayant intériorisé les clichés les plus éculés que les citadins ont fabriqués sur nous les gens des campagnes, ne m'a-t-il pas avoué au moment de notre départ de Kin qu'il avait hâte de voir avec quelle bravoure les gamins de mon village caracolent sur les dos des lionceaux ?

S'il n'a pas rencontré un seul lion depuis notre arrivée – il n'y en a pas dans la région –, le citadin ne cesse de se pâmer devant le spectacle le plus ordinaire. Un petit serpent tué par un adolescent lui arrache des cris à réveiller un mort, tandis qu'il reste des heures à observer un hérisson trouvé sur le bord du chemin. Même le chant du coq au petit matin deviendra un sujet de conversation. Ce qui m'a tout de même signalé, du coup, qu'en plus de huit mois passés dans ma ville d'accueil, je n'avais pas entendu chanter le coq plus de cinq fois. Les cris des oiseaux sauvages, à l'exception des gazouillements des moineaux, y sont encore plus rares. La ville a ses propres codes et les Kinois leurs propres repères, que la mémoire de l'ancien villageois que je suis a sans doute fini par intérioriser.

Comme les prix en vigueur dans ma contrée natale n'ont rien à voir avec ceux du marché kinois, mon compagnon d'aventure veut tout acheter, du gibier aux céréales en passant par l'artisanat, y compris les masques exposés sur les tombes du village. Il a affirmé connaître une filière très rentable pour vendre ces objets sacrés pour lesquels certains coopérants européens vivant à Kinshasa seraient prêts à débourser une fortune. Je n'ai eu aucun mal à calmer ses ardeurs en lui disant qu'il aurait du mal à trouver un Blanc suffisamment riche pour le mettre à l'abri de l'inéluctable châtiment qui découlerait d'une spoliation tombale, l'acte le plus barbare et stupide qui puisse s'imaginer. Il n'a encore commis aucun impair de nature à offenser les villageois dont il ne parle pas la langue, mais il le doit surtout à ma vigilance et à mes talents d'interprète volontairement infidèle. Bref, il est intéressant d'observer qu'après mon «baptême kinois», c'est au tour de mon ami citadin de se prendre les pieds dans les mœurs qui ponctuent la vie à la campagne.

C'est donc sans Batekol que je suis retourné chez le Vieux. Si à Kinshasa ma décision de venir me confier à ce dernier ne m'avait pas apporté la sérénité voulue – tant l'issue en était incertaine –, les premiers mots échangés lorsque le vieil homme m'a accueilli dans sa case ont suffi à me faire comprendre que les choses prenaient ici un autre tournant. Je n'ai pas tardé à comprendre à quel point j'avais eu tort d'accorder si peu d'intérêt à la réputation acquise par mon grand-père durant toutes les années où je l'avais côtoyé. Et encore plus, à quel point ma négligence frisait la sottise lorsque péchant par un scepticisme pointilleux, je n'avais pas su faire preuve de la moindre curiosité le jour où nous nous sommes dit au revoir dans sa case, la veille de mon départ pour la grande ville. Et pourtant, s'il y en avait un seul qu'il chérissait particulièrement entre ses onze petits-enfants, c'était bien moi. Il m'avait toujours témoigné la plus grande affection depuis ma tendre jeunesse. Chaque fois qu'il revenait de la chasse avec du gibier, il me convoquait pour me donner les parties les plus convoitées de l'animal. La raison de ce privilège était que nous partageons le même nom ancestral de Zangamoyo, qui signifie : *Celui dont la vie ne dépend pas du souffle que l'on respire*. Ce nom remonte à un ancêtre lointain, fondateur d'une des plus rayonnantes chefferies du pays mbala, avant l'arrivée des explorateurs portugais dans l'ancien royaume de Kongo créé au treizième siècle, selon les historiens.

Après les formules convenues sur la santé, ma nouvelle vie en ville et les événements qui se sont déroulés au village durant mes huit mois d'absence, il m'a fait savoir que ma décision de partir en ville démontrait que j'étais dorénavant un homme avec qui il pouvait aborder les sujets les plus importants sans se sentir obligé d'utiliser le langage que l'on réserve aux jeunes pousses.

« Je sais que tu es ici pour une raison très précise. Si cela te convient, je propose que nous allions sans atermoiements

à ce qui a justifié ce voyage qui prend tes parents de court»,
m'a-t-il déclaré d'entrée de jeu. Sans attendre ma réaction,
il m'a sévèrement sermonné pour avoir, selon l'expression
qu'il a utilisée, offensé l'Esprit qui veille sur moi. Il a ajouté
sur un ton mi-réprobateur, mi-sarcastique : «Je t'avais
enjoint de toujours te souvenir de quelle branche tu es la
brindille. Tu t'es surtout rappelé les paroles de ceux qui
te répétaient que seuls le vice et la ruse permettaient de
s'en sortir dans la jungle citadine. Tu as voulu apporter un
démenti à l'adage qui énonce que le séjour dans la rivière,
si long soit-il, ne réussit jamais à changer un tronc d'arbre
en crocodile. Le tien a été particulièrement court, mais
cela n'a effectivement pas empêché tes dents de lait de se
transformer petit à petit en redoutables crocs. Si ta métamorphose te surprend et te fait peur en même temps, c'est
parce que tu en as plus ou moins organisé l'amorce, pour
constater le jour d'après que tu n'es pas loin d'en perdre
irrémédiablement le contrôle. Sombre perspective, n'est-ce
pas?»

Malgré mon insistance, le grand-père a refusé de
me donner le moindre début d'explication quant à cette
charge qui ne doit pas être étrangère à certaines de mes
mésaventures des derniers mois. À la place, il m'a réclamé
la modique somme de cinq zaïres, destinée, semble-t-il, à
calmer la colère de cet Esprit et à obtenir le droit d'exposer
le cas qui m'a ramené au village. Puisque cela me dispense
de trouver les mots adéquats pour donner un sens à ma
démarche, je m'empresse de m'exécuter. S'ensuit un rituel
d'absolution dont j'ai témoigné plusieurs fois dans le passé,
tant au sein de ma famille que lors de certaines palabres
villageoises auxquelles j'ai assisté. Il verse du vin de palme
dans une corne de buffle dont on se sert au village comme

d'un gobelet pour les invités de marque. Il murmure du bout des lèvres, puis me demande de prononcer à sa suite ces paroles-là, en langue kimbala : « La sottise est le propre de l'enfant. Qu'il défèque sur les genoux de son géniteur n'est rien d'autre que le symbole de la nature incassable du cordon ombilical qui le relie à ses origines. Allez-vous lui couper la main pour le punir de ses errements sans amputer votre propre corps ? Diluez donc, ô mânes, votre courroux dans ce vin du pardon. Ouvrez aux vôtres la voie qui mène à la connaissance. »

Sur ces entrefaites, grand-père Zangamoyo s'est empressé d'attirer mon attention sur un point qui, selon moi, devait aller de soi : ce qui allait se passer dans l'intimité de sa case ne devait en franchir la porte sous aucun prétexte. La seule exception à cette mise en garde concernerait les instructions qu'il aurait éventuellement à me fournir en temps opportun. J'en ai profité pour l'interroger sur la part du mythe et celle de la réalité dans ce qui se racontait au village et dans toute la contrée sur ses activités de féticheur et de jeteur de sorts. J'ai eu droit à une réponse sibylline. Selon ses dires, il ne lui appartenait pas de confirmer ou de démentir ce que ses contemporains avaient à alléguer à son sujet, pas plus que le singe n'avait à se vanter ou à s'excuser de ses aptitudes d'acrobate. Comme il a accompagné ces paroles d'un sourire en coin, j'en ai déduit que si j'insistais, il dévoilerait au moins un petit pan de cette tunique mystérieuse dont il se drapait. Je lui ai rappelé notre homonymie qui scelle l'interrelation de nos deux destins. J'ai mentionné que j'étais venu au monde au jour et à l'heure précise où il avait abattu une hyène à mains nues, au bout d'une âpre lutte qui aurait pu se solder par sa disparition. Cela ne signifie-t-il pas que j'incarne le même esprit que celui à qui il doit son étrange destinée ? l'ai-je nargué en souriant à mon tour. Ces paroles ont produit l'effet désiré. Il m'a confessé que c'était précisément ce qui expliquait que de tous ses petits-fils, j'étais celui pour qui sa responsabilité de protéger avait le plus de poids.

Il m'a alors expliqué qu'il avait reçu des ancêtres un certain nombre de pouvoirs et de mandats dont il s'efforçait de s'acquitter sous la supervision de ces mêmes aïeux. Ces derniers, a-t-il rappelé, n'étaient pas morts, même si leur absence physique semblait prêcher le contraire. Ils n'étaient partis que pour mieux s'ancrer dans notre quotidien, marchant dans l'ombre de nos pas chancelants. Ils étaient dans le feu qui faisait craquer le bois. Ils parlaient dans le son du tambour qui accompagnait le vieux sage dans sa dernière demeure. Ils se taisaient dans le silence du voyant dont la vue s'obscurcit après une offense non réparée. Offense qui pouvait être la sienne propre ou celle du groupe dont il était le ministre. L'un de ses privilèges était de réduire la part d'incertitude dans les choix aveugles que requérait l'existence sur la terre des hommes. Un autre était d'enclencher le juste châtiment des Esprits à l'égard de ceux qui usaient de leur puissance sur cette terre pour agir d'une manière qui insultait l'esprit d'humanité censé nourrir le tissu social. Il considérait également comme sienne la responsabilité de protéger le clan tout entier contre les flèches décochées dans ce monde comme dans l'autre. Pareillement, il tenait pour une mission sacrée le devoir de tenir la main de tous les siens dans la quête du bonheur que chacun poursuivait au gré de ses ambitions, de ses talents ou de sa capacité à réagir aux chausse-trapes de la vie.

Il a versé la moitié du contenu de sa corne de buffle au fond d'un petit trou creusé à même le sol, geste qui symbolise l'offrande aux Esprits des ancêtres. Il m'a donné à boire le reste. Après que je lui ai rendu la corne vide, les choses sérieuses ont commencé. Il a pris une longue inspiration, les yeux clos, puis m'a demandé de confirmer ou d'infirmer chacune des affirmations qu'il allait formuler :

— D'après ce que l'Esprit m'a révélé la nuit dernière, alors que ton ami et toi étiez en route vers le village, tu n'es pas venu ici pour trouver solution à un problème qui te touche directement.

— Vrai, grand-père.

— Tu es ici parce que le grand chef de ce pays veut chevaucher l'Histoire et se laver le nombril dans l'incandescence du Soleil.

— Doucement...

— Je veux dire par là que notre grand chef veut que l'Histoire l'élève au rang de divinité, voire si possible un cran au-dessus, cela sans attendre sa mort. Disons plus simplement que tu es ici parce que le même grand chef prend de plus en plus ombrage de la reconnaissance planétaire d'un de ses pairs africains, lequel écrit livre après livre pour faire profiter ses semblables des fruits de son intelligence que beaucoup, y compris parmi les Blancs, qualifient de prodigieuse. Notre grand chef souhaite que l'Histoire retienne qu'il avait réussi à remettre ce rival fort remuant à sa place en corrigeant une offense que la grandeur présumée du peuple qu'il dirige n'aurait jamais dû permettre.

— Si c'est une allusion à la rivalité entre notre grand chef et le président Léopold Sédar Senghor du Sénégal, je réponds oui. Sans cette rivalité dont l'écho m'est parvenu à mon arrivée dans la capitale, je ne serais pas en face de toi.

—Tes pieds t'ont conduit ici pour ton patron, un homme qui a du pouvoir, beaucoup de pouvoir, qui chuchote à l'oreille du grand chef de ce pays, qui est polygame et père de deux enfants connues, deux filles.

— Tout cela est exact, ai-je confirmé.

— C'est un homme qui doit avoir un faible pour l'alcool…

— Pas plus qu'un autre. Je dirais qu'il boit plutôt modérément.

Il a hoché la tête, s'est mis à se frotter les mains, puis a repris sur un ton d'où vibrait une plus grande conviction :

— Tu ne travailles pas directement pour cet homme, mais pour sa deuxième femme avec qui il n'a pas eu d'enfant.

— Vrai, grand-père.

— Ton patron a étudié chez les Blancs, dans un pays où il est retourné à quelques reprises avant que vos chemins ne se croisent.

— Il a étudié en Amérique et il y est retourné à quatre reprises avant que nos chemins ne se croisent, en effet.

Un frisson a parcouru mon dos. Comment était-ce possible ? Comment quelqu'un qui vivait à plus de cinq cents kilomètres de la capitale, qui ne savait ni lire ni écrire et qui n'avait probablement jamais entendu parler du conseiller spécial du Guide pouvait-il deviner de tels détails de la vie de cette personne ? J'ai eu une soudaine envie d'uriner, mais ce n'était pas le moment d'interrompre cet échange qui posait les bases de l'aide que le Vieux allait peut-être m'apporter.

Il a continué :

— Tes pieds t'ont conduit ici parce que ton patron souhaite retourner en Amérique y occuper un poste important, mais il ne peut avoir ce poste que s'il gagne un pari contre son propre patron. Autrement, il serait obligé d'offrir au grand chef une chose à laquelle il tient beaucoup et qu'il n'échangerait pas contre tous les diamants du Congo – je veux dire du Zaïre.

— Tu as vu juste pour son souhait d'aller occuper un poste en Amérique. Pareillement pour l'existence du pari. Cependant, s'il devait perdre, il n'aurait rien à offrir au grand chef, mais il devrait accepter un autre poste qui ne lui convient pas du tout, pas plus qu'à sa deuxième épouse, ma patronne.

Il a de nouveau hoché la tête. Il a fermé les yeux, sans que son visage trahisse une quelconque expression. Il s'est à nouveau mis à se frotter les mains. Un temps s'est écoulé, de longues minutes au cours desquelles j'ai cru qu'il avait fini par s'assoupir, car il n'a plus levé les paupières et ses mains sont restées au repos. Il a finalement tressauté et a repris ses évocations :

— Le pari dans lequel il est engagé concerne les deux lutteurs noirs qui sont venus d'Amérique et qui se préparent à livrer un combat à Kinshasa.

— Vrai, grand-père. Sauf que ce sont des boxeurs. Les plus grands boxeurs dans toute l'histoire de ce sport.

— Deux boxeurs, disons-nous donc. Ton patron a misé sur le plus âgé, qui porte un nom qui n'est pas celui que son père et sa mère lui ont donné à la naissance. Le grand chef a parié sur le plus jeune.

— En effet, mon patron a misé sur Mohamed Ali, le plus âgé. Avant, il s'appelait Cassius Clay.

— Tes pieds t'ont conduit ici parce que ton patron voudrait que les esprits de nos ancêtres qui ont fait de leur humble esclave la passerelle entre leur monde et le nôtre aident ce Mohamed Ali, dont le nom véritable est Cassius Clay, à triompher de son adversaire à l'issue du combat.

— C'est bien la raison de ma venue à Banza, grand-père. Mon patron aimerait beaucoup que Mohamed Ali remporte la victoire face à George Foreman.

Il s'est tu. Malgré ce qu'il m'avait révélé de l'origine supposée de son art, j'ai essayé d'imaginer l'étendue des pouvoirs de cet Esprit qui lui avait permis d'accumuler autant d'informations avec une exactitude proche de l'infaillibilité. Plus grande s'avérait ma soif de comprendre, plus épais devenait le mystère dont était enveloppé le féticheur.

Une fois de plus, nous sommes restés assis l'un en face de l'autre sans souffler mot, pendant un temps relativement long, alors qu'il semblait attentif à quelque chose qui devait échapper à mon ouïe pourtant en alerte. De temps à autre, il tendait l'oreille gauche en la couvrant de sa main, comme s'il voulait se rapprocher d'une personne qui allait lui livrer quelque confidence. Du dehors nous parvenaient tantôt la musique du feuillage des orangers qui entouraient sa case et que brassait le souffle du vent, tantôt les aboiements sporadiques de chiens. Parfois intervenaient les pleurs d'un enfant ou les coups de pilon des femmes occupées aux dernières tâches ménagères de la journée. Pour donner le change et échapper à un spectacle dont j'avais tout le mal du monde à cerner la signification, je mastiquais les noix de cola qu'il m'avait offertes et levais mon verre de vin de palme presque sans discontinuer.

Heureusement que le breuvage était relativement faible en alcool, sinon je serais sorti de là ivre mort.

Soudain, il s'est levé et est allé chercher dans un coin obscur de la pièce un miroir qu'il est venu me mettre entre les mains. Il m'a dit que l'objet – dont le tain était incrusté dans une vieille coquille d'escargot – avait jadis appartenu à son arrière-grand-père qui, lui-même, l'aurait trouvé dans le ventre d'un animal abattu au cours d'une partie de chasse nocturne. C'était une de ces parties de chasse que l'on organise généralement à l'issue d'une palabre cruciale, et qui constituent – par les caractéristiques de l'animal capturé – le moyen de savoir si la solution trouvée par le Conseil des sages et notables emporte bel et bien l'adhésion des mânes des ancêtres.

Il m'a demandé de lui décrire ce que me renvoyait le miroir. J'ai répondu que je n'y voyais que le reflet de mon visage. Il m'a repris le miroir d'entre les mains, a murmuré quelques mots et me l'a de nouveau remis. Je ne voyais rien d'autre que mon propre visage dont les traits tirés après un long voyage me vieillissaient de dix ans. Il a paru contrarié et m'a demandé si j'avais eu des rapports sexuels avec une femme la nuit précédente, ce qui pourrait expliquer la « cécité » qui me frappait. J'ai répondu, après avoir écarté l'idée de lui mentir, que j'étais effectivement allé voir une péripatéticienne sur la route qui me ramenait à Banza. Il n'a pas fait de commentaire et a repris le miroir. Il m'a alors décrit ce qu'il y voyait et que j'aurais dû voir moi aussi :

— Il y a une femme noire et un enfant. L'enfant est un garçon qui n'a pas encore franchi l'âge de la puberté.

Il a les yeux de sa mère, mais il ressemble beaucoup à son père. C'est fou comme il lui ressemble! Il a son nez, son menton, et jusqu'à ses grandes oreilles. Oui, ces oreilles-là sont bel et bien celles de son père.

Je ne voyais pas ce que ces deux personnes venaient faire dans l'histoire du pari. Je lui ai demandé si mon patron les connaissait et ce qu'elles voulaient.

— Ce ne sont pas ces deux-là qui veulent quoi que ce soit. C'est ton patron qui souhaite revoir son fils. La mère a la garde de l'enfant et a toujours refusé de lui faire rencontrer son père.
— Ils sont où?
— En Amérique, évidemment! Tu n'as pas compris que la vraie raison pour laquelle ton patron veut aller dans ce pays est de se rapprocher de cet enfant qu'il n'a jamais vu? Il n'a que deux filles et il sait très bien que compte tenu du mal dont il est atteint, il ne peut plus ensemencer une femme.
— Euh… Il n'est pas malade.
— Qu'est-ce que tu en sais?
— Tu as raison, grand-père.

Il avait les yeux plongés dans le miroir qu'il tenait dans le creux de sa main calleuse. Ils s'illuminaient chaque fois qu'il s'apprêtait à prononcer un mot et sa voix devenait un peu plus grave que d'habitude. J'étais suspendu à ses lèvres. Je me demandais comment se serait conduit Batekol s'il était venu avec moi.

— Cet enfant est le seul garçon qu'il aura dans sa vie. Il le sait. C'est une douleur qu'il porte en lui comme un stigmate intime. D'après les derniers échanges qu'ils ont eus par correspondance, la mère serait enfin prête à lui donner accès à son fils. La seule condition qu'elle lui pose est que cela se fasse sur le territoire de son pays. Ton patron sait que dans le pays des Blancs où ils résident, la loi est du côté de la mère de cet enfant. Voilà pourquoi il tient tant à gagner ce pari qui t'amène ici, même s'il n'a pas souhaité le dire au grand chef.

La tête me tourne. Dans quelle histoire me suis-je laissé embarquer? Le vieux Zangamoyo est au cœur d'un enchevêtrement d'énigmes comme je ne l'aurais jamais soupçonné. Tout se passe d'ailleurs comme si j'étais dans un autre monde. À chaque minute, je m'attends à ce qu'un bruit assourdissant me tire du sommeil pour me rendre compte que ça n'a été qu'un rêve. La réalité est pourtant ce dans quoi je suis plongé. Le patriarche connaissant le pourquoi de ma venue au village jusque dans les détails que j'ignorais moi-même, la logique commande que je m'en remette à sa religion pour ce qui touche au comment de cette victoire souhaitée par le conseiller spécial Yankina. Une victoire qui pourrait changer ma propre destinée au-delà de toute prédiction. Il y a cependant du chemin à parcourir pour que s'ouvre un jour cette porte qui donne sur l'Amérique.

2

LE GRAND-PÈRE M'A ANNONCÉ QU'IL AURAIT BESOIN de deux jours et deux nuits pour préparer «la force» dont Mohamed Ali allait s'approprier pour triompher de George Foreman. Pendant ce même délai, je devais trouver et lui remettre ce qui lui manquait pour préparer cette «force du mâle indomptable», le *ngolo ya bakala*.

— D'après ce que je comprends, un tel combat se déroule normalement en plusieurs séquences consécutives. C'est bien exact?

— Oui. Il y a quinze rounds pour un combat régulier, ai-je répondu sans conviction.

En réalité, j'ai hésité entre quinze et douze. J'avais toujours la possibilité de demander à Batekol plus tard.

Au bout d'un moment de silence où il semblait une fois de plus plongé dans une sorte de dialogue avec des entités dont la trace n'était visible nulle part dans la pièce, il a lâché:

— Bien. Tu devras m'apporter quinze abeilles vivantes et une carapace de tortue.

— Tu as dit… ?

— Quinze abeilles vivantes et une carapace de tortue. Avec ou sans l'animal, ça importe peu.

Si la teneur de nos échanges n'avait pas été de l'ordre de la séance qui venait de se dérouler, j'aurais cru que grand-père se payait ma tête. Il vit à mon étonnement que je n'avais aucune idée de la manière de m'y prendre pour attraper quinze abeilles et une tortue à qui je retirerais sa carapace.

— Oui, c'est probablement difficile. Mais est-ce si facile que ça de gagner un combat de boxe ? C'est à toi de me le dire.

— Grand-père, tu ne peux pas remplacer ces objets par… des choses plus faciles à trouver ici au village ? Des œufs de poule ou de pintade, des plumes de perroquet… Je ne sais pas, moi ! Des choses que tes confrères utilisent pour ce genre de cas, mais que l'on pourrait acheter. Tu sais, mon patron t'a envoyé une grosse enveloppe pour tout ce dont tu aurais besoin, ainsi que pour tes honoraires.

— Avant qu'il n'ait gagné son pari, ton patron ne doit rien ni à moi, ni aux Esprits qui réclament ce que je viens de mentionner. Si j'étais un commerçant, tu le saurais depuis longtemps.

— Je sais que tu n'es pas un commerçant, grand-père. Mais tout de même, quinze abeilles vivantes et…

— Écoute, mon petit garçon, m'a-t-il interrompu, visiblement agacé. Pour que votre boxeur fasse mal à son adversaire à la manière d'une abeille qui pique, pique et pique encore, il te faudra trouver ces insectes. Ce n'est pas ce qu'il y a de plus compliqué. Et si ton patron veut voir son poulain épuiser un adversaire qui se tuera à force de lui asséner une pluie de coups sans que cela lui fasse le moindre effet, il n'y a rien de mieux que la carapace d'une tortue, mâle ou femelle.

— Oh! il ne manquerait plus que tu précises le sexe, grand-père!

— J'ai dit mâle ou femelle, petit garnement. Au moment où tu m'apportes toutes ces choses, la partie est… presque gagnée pour toi et pour ton patron qui t'envoie ici.

— Mouais…

— Tu es né et tu as grandi dans ce village. Serais-tu en train de me dire que tu ne sais pas où trouver une ruche d'abeilles, ni aux abords de quel ruisseau attraper une tortue? Pourquoi avoir fait tout ce voyage dans ce cas? Pour venir pleurer ici comme un enfant à qui l'on montre la lune et qui se contente de fixer l'index?

∽

Deux jours se sont écoulés depuis que je me suis lancé à la recherche de mes quinze abeilles et de ma tortue. Sendos étant dans le village voisin où lui et sa famille sont allés rendre visite à son beau-père tombé accidentellement du haut d'un palmier, j'ai décidé de me débrouiller sans l'aide de mon frère cadet ni de mes anciens amis. Passer trop de temps avec ces derniers m'exposerait d'ailleurs au risque de devoir répondre à une litanie de questions qui ne pourraient que diriger leur attention sur le vrai motif de mon retour au village. J'ai besoin de tout, sauf de publicité autour d'un sujet aussi délicat. Je ne vais pas faire semblant d'oublier les appels à la discrétion lancés par le Vieux. Pour le même motif, je n'ai pas voulu solliciter le concours de mon cousin Nsimi à qui j'avais demandé de s'installer dans ma case avec sa petite famille durant mon absence. Je le sais trop bavard pour prendre un tel risque.

J'ai sillonné la forêt la plus proche du village, accompagné de Batekol qui tenait à venir avec moi, probablement dans l'espoir secret d'y rencontrer quelque bête sauvage qu'il aurait pu capturer de ses mains et ainsi retourner à Kinshasa en héros. C'est une forêt clairsemée, bordée d'une savane boisée où mon père et moi allions autrefois prospecter les ruches d'abeilles qui allaient nous permettre d'extraire du miel. J'ai tenté de faire croire à mon ami que j'avais besoin d'abeilles pour me faire préparer un remède indigène contre les maux de tête persistants auxquels j'étais souvent en proie à Kinshasa. Il m'a répondu que cela ne servait à rien de lui raconter des sornettes. Rabâchant son discours du Kinois à qui on ne la fait pas, il s'est dit convaincu que cette chasse aux abeilles avait forcément à voir avec la mission pour laquelle le conseiller spécial m'aurait dépêché dans mon village. Il a cependant réitéré ce qu'il m'avait déclaré la nuit de notre sortie au *100 Pur Sang Soukouss*, à savoir qu'il n'allait pas se mêler de ce qui ne le regardait pas. Maintenant qu'il connaissait la route qui menait au vieux Zangamoyo, a-t-il avancé pour couper court à la discussion, il l'emprunterait de nouveau si les circonstances l'y obligeaient. Avec ou sans moi.

Nous avions parcouru la forêt sur cinq kilomètres environ lorsqu'au bout de deux heures, nous sommes tombés sur une ruche. J'aurais dû savoir qu'en bon Kinois, Batekol ignorait tout de la furie dont était capable une armée d'abeilles que l'on dérange dans l'occupation la plus importante de leur courte existence. Une erreur de jugement dont je n'allais pas tarder à payer le prix. Au lieu d'attendre que j'aie allumé le feu au bout de la longue perche en bambous que j'avais préparée – ce qui devait nous permettre d'enfumer la ruche avant que ses locataires n'aient eu le temps de repérer leurs assaillants –, Batekol s'est précipité vers la cible aussitôt qu'il l'a repérée. À deux mètres de l'arbre visé et avant d'obéir à mon ordre le sommant de ne point s'approcher, il a culbuté, déclenchant l'irréparable. Le temps pour lui de se relever et pour moi de donner l'alerte, toute la colonie d'abeilles s'est ruée sur nous comme une traînée de fumée noire que propulse une rafale de vent.

J'ai lâché la perche. Je me suis mis à courir de toutes mes forces, ne faisant aucun cas des cris que mon ami poussait derrière moi, appelant sa «mamaannn» au secours; encore moins des herbes qui me fouettaient le visage, des épines qui entraient dans ma chair. Je bondissais comme une gazelle atteinte par une flèche. Ma seule urgence était d'aller me vautrer dans les eaux du ruisseau le plus proche afin d'échapper à cette armée de malheur. Au moment où je me suis finalement approché des eaux, une bonne poignée d'insectes s'est glissée sous ma chemise et mon pantalon. J'ai senti leurs piqûres avoir raison de mes membres inférieurs et je me suis roulé par terre. Ayant échoué dans un ultime effort pour ne pas crier, j'ai néanmoins poursuivi ma course à la manière d'un tonneau qui dévale une pente, jusqu'à ce que j'aie senti l'eau tiède envelopper mon corps. Je suis resté en apnée pendant environ une minute avant de remonter à la surface.

À bout de souffle. J'ai regardé autour de moi. Nulle trace de Batekol. J'ai tendu l'oreille. Rien d'anormal ne m'a signalé une présence humaine dans les environs. Seuls le clapotement de l'eau se frayant un passage dans la roche qui avait accueilli le lit du ruisseau, ainsi que les cris des oiseaux et des écureuils que ma course avait dû effrayer, violaient la tranquillité des lieux. J'ai appelé une fois. Deux fois. Trois fois. La forêt m'a renvoyé l'écho démultiplié de ma voix, en cascade. J'ai laissé passer quelques minutes et j'ai tendu de nouveau l'oreille. Rien. Je suis sorti de l'eau et j'ai commencé à faire le chemin inverse, multipliant les précautions pour ne pas attirer à moi les insectes restés pour me tendre une embuscade dans les parages. J'ai de nouveau appelé. Une voix d'homme que j'ai reconnue comme celle de mon cousin, a répondu au loin: «Eh Modéro, emprunte le sentier qui mène à la source d'eau et arrête-toi à la petite cabane sur ta gauche. J'y suis en compagnie de ton ami.»

J'ai retrouvé Batekol étendu sur le dos, à côté de mon cousin. Il semblait respirer avec peine. Nsimi l'avait complètement déshabillé. Ce que j'avais sous les yeux m'a immédiatement arraché un cri de stupeur: mon ami avait le visage si enflé qu'il en était rendu méconnaissable. Tout son corps était strié de piqûres d'abeilles. Du haut de la petite colline où il se trouvait, son sauveur nous avait vus courir et était descendu porter secours à l'infortuné lorsqu'il l'avait vu chuter dans un fossé creusé par des chasseurs pour capturer du gibier. Pas assez vite, cependant, pour lui éviter de subir la sainte colère des insectes.

Je connaissais une plante que nous utilisions avec mon père lorsque l'extraction du miel nous livrait à la colère des abeilles qui avaient survécu à l'opération d'enfumage. Il suffi-sait d'en écraser les feuilles dans une eau tiède et de prendre une douche avec la même eau pour que la douleur et les marques des piqûres disparaissent en un clin d'œil. Nsimi m'a aidé à en cueillir une bonne quantité et nous avons pris le chemin du village où Batekol a pu être soigné. Mon ami kinois n'a pas abattu le moindre écureuil, pas plus que je n'ai attrapé une seule abeille. Les quinze insectes et la carapace de tortue restaient à trouver. Telle était la voie obligée si je voulais prouver au Vieux que je n'étais pas un bon à rien dont le seul talent se résumait à susciter des espoirs auprès d'un homme désespéré, sans être foutu d'en payer le prix.

Le lendemain, Sendos est revenu au village. Ayant appris par ses parents que j'étais à Banza, il est passé me voir à ma case. Pour expliquer ce retour inattendu doublé d'un séjour très court, je lui ai raconté un mensonge préparé depuis Nsele. Un mauvais plaisant m'avait fait accroire que ma mère était sérieusement malade à Banza. Pour me permettre de venir à son chevet, mon patron avait eu la grandeur d'âme de mettre une camionnette et un chauffeur à ma disposition pour quelques jours. Mon ami, très impressionné par cette version des faits, s'est dit des plus heureux de savoir que Kin me souriait au-delà de ce qu'il aurait parié. Je me suis abstenu de lui parler de l'accueil plus que décevant dont j'avais fait l'objet chez son cousin Yala, de même que de ma rencontre fortuite avec ce dernier la veille de mon voyage. J'ai également dû passer sous silence mon test manqué chez Zaïko, ce qui m'aurait obligé de lui donner des détails sur un pan de ma nouvelle vie que je ne pouvais pas partager avec lui. Je lui ai néanmoins fourni quelques bribes d'informations sur mon travail à la cité du Parti et j'ai argué que cet emploi me permettait de mettre de l'argent de côté pour payer mes droits d'inscription aux tests de Zaïko. Il s'est dit très surpris d'apprendre qu'il faille payer, ce à quoi j'ai répondu en affirmant que cette pratique faisait partie des choses invraisemblables que j'avais découvertes en foulant le sol de Kinshasa, et qui confirmaient ses prédictions.

Nous avons passé la moitié de la nuit à parler de Kin la belle et de la vie de mon ancien groupe depuis mon départ. Il m'a dit ce que mon père, mon jeune frère, mon cousin et deux autres amis m'avaient déclaré à mon arrivée : ma défection avait fait pâlir l'étoile du groupe dans la contrée. Mais il a aussitôt ajouté que personne parmi mes anciens camarades ne m'en voulait. Tous avaient compris mon choix et même si aucune nouvelle ne leur était encore parvenue de ma nouvelle vie, ils espéraient que je serais leur ambassadeur dans Zaïko Langa-Langa ou dans un autre groupe de renom à Kin la belle. Avant que je ne le raccompagne chez lui, me donnant l'occasion d'aller saluer sa femme et ses enfants à qui j'avais réservé quelques cadeaux, j'ai eu le réflexe de lui demander s'il pouvait m'aider à acheter une tortue. J'ai déclaré que je comptais l'offrir en cadeau à mon patron à mon retour à Kinshasa. Il m'a laissé entendre qu'on en vendait de moins en moins, parce que la pression exercée sur l'espèce du fait de la chasse avait contribué à diminuer sensiblement le nombre de ces animaux dans les forêts avoisinantes. Il a néanmoins ajouté que l'un des rares à en capturer grâce aux pièges tendus aux abords des rivières les moins exposées à l'activité humaine était le père de Méthode-Aveugle, le soliste de notre groupe musical. Je me suis promis d'aller à la rencontre de notre ami commun ou de son père, dès le lendemain matin, lorsque Batekol irait jouer les touristes à la mission catholique située à un jet de pierre du village.

Méthode-Aveugle est le seul de tous mes amis à s'être intéressé au futur *combat dans la jungle*. Il a voulu que je lui décrive l'ambiance de la ville et que je l'aide à démêler le vrai du faux, dans toutes les rumeurs qui leur parvenaient de la capitale. J'ai dû lui dire que George Foreman n'était pas un Blanc, mais un Noir qui avait d'ailleurs la peau plus sombre que Mohamed Ali. J'ai dû démentir l'allégation selon laquelle le même Foreman aurait déclaré en interview qu'il était surpris de constater en arrivant à Kinshasa qu'en autant d'années depuis le départ des Belges, les Zaïrois n'avaient construit ni nouvelles routes, ni nouveaux hôpitaux, mais que des prisons dont la renommée aurait franchi l'océan Atlantique. J'ai confirmé que Radio-Trottoir avait répandu le bruit selon lequel le champion du monde serait tombé sous les charmes irrésistibles de la chanteuse zaïroise Abeti Masikini ; mais qu'il m'était impossible de savoir ce qu'il en retournait. J'ai ajouté que depuis qu'un opposant au Guide réfugié en France avait inventé l'expression « révolution par le sperme » pour dénoncer « la lâcheté sexuellement transmissible au plus haut sommet de l'État », derrière les portes closes, entre deux bouteilles de Primus, les Kinois fantasmaient beaucoup et affabulaient souvent, même si force était de reconnaître que la vérité se glissait parfois entre deux anecdotes grivoises au sujet de tel ou tel autre homme de pouvoir qui, en ville, faisait la pluie et le beau temps.

— La « lâcheté sexuellement transmissible » ? Jamais entendu parler. C'est une vraie maladie ? Comme la chaude-pisse et tout ?

— Mais non, ne sois pas idiot, Méthode ! C'est une maladie des hommes de pouvoir. Tu l'attrapes après que le grand patron a décidé de se taper le boulot conjugal à ta place.

— Mais de quoi tu parles, Modéro ?

— Il faudrait sans doute commencer par t'expliquer une chose, Méthode-Aveugle : le Guide veut s'entourer de collaborateurs qui ont des idées, beaucoup d'idées, mais pas de couilles. S'il pense que tu en as, eh bien, il te les coupe directement, sans y aller par quatre chemins, en prenant ta femme.

— Tu es en train de me dire que le grand chef ensemence chez le voisin qui n'est même pas foutu de crier au scandale national ?

— Que veux-tu que je te dise ? Bien sûr que la victime peut crier, mais si après tu te fais vraiment couper les testicules au rasoir par un des tortionnaires officiels du Parti, tu ne pourras pas dire que tu ne savais pas que la Révolution n'aimait rien autant que manger ses propres enfants.

— Et c'est comme ça que se passe aussi en Chine ? Ils disent que...

— Je connais la ritournelle : *Le peuple pionnier de la grande Chine et sa révolution* blablabla ; on n'entend que ça sur les ondes de la radio et de la télé depuis que le Guide est allé là-bas. Mais je ne saurais pas te dire si Mao Tsé-toung, chez lui, baise les femmes de ses camarades entre deux congrès du Parti communiste chinois.

— Alors, que font-ils, ces pauvres types qui sacrifient leurs épouses sur l'autel du pouvoir ? Je veux dire : comment vivent-ils ?

— Ils serrent les fesses et gardent le sourire lors des cérémonies officielles. En échange, le Guide les laisse savourer le miel de la Révolution aussi longtemps que possible. Enfin, tant qu'il leur reste des idées.

— Mais ils sont tous cinglés ! Tu reviens de Kin pour m'apprendre que nous sommes dirigés par une bande de malades ?

— L'opposant qui écrit des bouquins antirévolutionnaires depuis la France aurait dit que tout cela participe
d'un stratagème de roi nègre dont le but véritable serait de
propager par le sexe le virus de la lâcheté. Selon lui, sans
«la révolution par le sperme», l'autre révolution ne tien-
drait pas quarante-huit heures avant de s'écrouler comme
un château de cartes. C'est écrit dans un livre, noir sur
blanc, mais ne me demande pas si je l'ai lu.

Il avait l'air totalement largué, comme moi-même
chaque fois que de la bouche de mes amis kinois j'enten-
dais une de ces histoires rocambolesques qui font de ma
ville d'adoption une forteresse de l'absurde dont seuls les
natifs possèdent les clés.

— On dit des Kinois qu'ils ont le culot à fleur de peau…
— Tu veux savoir s'il n'y en a pas un seul qui a songé à
battre le chef avec son propre fouet, c'est ça?
— Ça ne serait que justice!
— Eh bien, là, c'est toi qui es gravement malade, mon gars.

J'ai dû confirmer également qu'Ali était de loin le plus
populaire des deux boxeurs, non sans préciser qu'à titre
personnel, j'avais un faible pour Foreman. Je n'avais pas
entendu dire que le Guide aurait promis d'offrir un avion
plein de diamants à celui des deux boxeurs qui l'emporterait dans une semaine, mais seulement qu'il aimait Ali mais
doutait de ses chances de succès face au titulaire de la ceinture. Des centaines de journalistes venus de différents pays
d'Europe et d'Amérique étaient présents à Kin pour couvrir
cet événement qui faisait de la capitale du Zaïre le point
de mire du monde entier. J'ai confirmé la réalité de l'opération *Bangisa Ba Bangisi*, ainsi que la tranquillité qui en avait

découlé dans une capitale où les petits malfrats se raréfiaient à l'approche du grand rendez-vous. Restait, bien évidemment, les «criminels officiels» affublés d'un uniforme dont la seule présence dans les rues faisait craindre le pire aux paisibles citoyens. Mais ça, c'était autre chose. Je lui ai fait comprendre que les Kinois n'aimaient pas les amalgames. Ils ne mettaient pas dans le même sac les criminels sans galons et ceux que le gouvernement habillait, équipait et rémunérait pour faire semblant de nous protéger des premiers. Lorsque je lui ai relaté les combats des deux Américains que j'avais vus à la télévision, il a regretté de ne pas se trouver à Kinshasa pour vivre cet important rendez-vous sportif.

— Es-tu allé au *Motrouvano*, le célèbre bar à putes où les filles dansent dans le plus simple appareil?

— C'est un mythe, *Le Motrouvano*.

— Sérieux?

— J'y suis allé. Les filles de joie y dansent, mais pas à poil. Et les Guêpes rôdent, alors…

— Tu aurais dû t'informer ou y aller accompagné. On dit qu'il existe une pièce secrète, au sous-sol, dont l'accès serait réservé aux habitués. Les cadres du Parti y fuiraient les gros orages conjugaux avant d'être pris en charge par les filles que tu as vues.

— Ouais…

— Tu n'as pas trouvé cela louche, que les Guêpes rôdent dehors? On n'y tient pas des réunions politiques, n'est-ce pas?

— Tu sembles parler en connaisseur!

— Ce sont les connaisseurs de retour au village qui nous balancent tout ça. Nous, on a un seul rôle: écouter.

— Je ne peux rien confirmer sur le point que tu évoques, Méthode. Je m'informerai auprès de mon ami Batekol. Il sait presque tout de sa ville.

Sans transition, il m'a demandé si j'avais revu l'une ou l'autre des filles du village avec qui j'avais eu des aventures sans lendemain avant mon départ en ville. Je lui ai avoué une constatation qui l'a visiblement choqué ; je m'en suis rendu compte par le silence gêné qui a suivi. Depuis mon retour, toutes les filles que j'ai croisées, y compris celles que je trouvais si ravissantes il y a à peine huit mois, m'ont paru soit moches, soit dénuées de charme. Beaucoup étaient habillées comme ces poupées sur lesquelles les gamines testent leur talent de future styliste sous le regard indulgent de leur mère. Je ne m'attendais certes pas à les revoir drapées des pagnes Super Wax chers aux Mamans Moziki et autres «femmes poids lourds» de la capitale. Mais il me semblait qu'il leur manquait cruellement un détail qui faisait toute la différence : cette finesse dans la façon d'assortir leurs atours, si modestes soient-ils ; finesse caractéristique des Kinoises. Bref, celles que j'ai revues par hasard n'ont suscité en moi aucune velléité de récidive. « J'ai donc résolu de rester focalisé sur le but de mon voyage », ai-je dit à Méthode-Aveugle, sans plus de détails.

J'ai pu enfin évoquer le cadeau que je comptais offrir à mon patron qui aimait beaucoup les viandes exotiques comme la chair de tortue ou de pangolin. Au moment où il m'apprenait que son père avait capturé une tortue la veille et qu'il était justement sorti pour aller la proposer au curé de la mission catholique, la porte de la case s'est ouverte sur l'intéressé. Ce dernier nous a alors appris qu'il s'était presque chamaillé avec le curé qui aurait tenté de lui prendre l'animal en échange d'une somme si dérisoire que cela lui avait rappelé un souvenir pour le moins révoltant. C'était l'épisode lointain où son grand-père s'était vu refuser le sacrement du baptême pour avoir envoyé paître le chef du village qui le pressait d'offrir un panier d'œufs au père fondateur de la mission. Cela s'était passé aux premières années de la colonisation, lorsque chaque passage du missionnaire belge dans un village était l'occasion pour le prêtre d'échanger sa bénédiction christique contre une montagne de cadeaux que ses ouailles lui remettaient plus ou moins spontanément.

Outré par le prix proposé par le prêtre, il aurait finalement vendu la bête à un étranger qui l'avait accosté sur le chemin du retour, en lingala, pour lui demander où il pouvait acheter des abeilles. La question lui a paru tellement insolite qu'il a compris tout de suite que le type devait être un de ces pauvres gens qui débarquaient de la ville et s'attendaient à voir les gosses du village jouer avec toutes sortes de bêtes féroces sous les regards amusés des adultes. Il lui a répondu qu'il avait déjà vendu du miel à des citadins de passage à Banza, mais qu'il n'avait jamais vu nulle part quelqu'un vendre des abeilles. Il a ajouté à l'intention de l'étrange voyageur qui conduisait une camionnette de marque Toyota que si celui-ci voulait goûter à la délicieuse chair de la tortue, il pouvait lui en vendre une, à peine capturée. Marché avait été conclu et ils s'étaient séparés.

De retour chez moi, j'ai retrouvé Batekol et sa tortue achetée à un prix plutôt exorbitant. J'ai pu constater que de la même manière que les commerçants véreux m'avaient souvent arnaqué à mes débuts à Kinshasa, le Kinois « à qui on ne la fait pas » avait payé deux fois le prix qu'aurait dû coûter la tortue que lui avait proposée le père de mon ami. De fait, certaines mauvaises langues à Banza prétendaient que pour avoir brièvement séjourné dans une grande ville pendant sa jeunesse, le père de Méthode-Aveugle en avait gardé une tendance assumée à s'affranchir de certains us et coutumes tenus pour sacrés par les gens de son village.

Quoi qu'il en soit, la transaction prouvait que les Kinois n'avaient pas forcément le monopole de la roublardise. Nous avons remis la tortue à l'épouse de mon cousin, qui devait l'ajouter au menu de notre repas après que j'eusse dépecé l'animal et récupéré sa précieuse carapace.

Il me restait toujours à mettre la main sur les abeilles. J'ai alors décidé de mettre en œuvre le plan qui m'était venu à l'esprit en quittant Méthode-Aveugle et son père. Durant notre court échange, ce dernier avait sorti un adage bien connu de chez nous, qui vise à inviter les mortels à assumer les conséquences de leurs actes. Il avait dit en substance : *Celui qui aime le vin de palme ne devrait pas s'of-fusquer d'être suivi par les abeilles.* Tout était dit dans cette sagesse que je connaissais depuis l'enfance. Les abeilles vont au vin de palme comme les papillons à la lumière. Si je m'en étais rappelé plus tôt, Batekol n'aurait pas souffert une aventure dont il ne connaît en réalité ni les tenants ni les aboutissants. Mieux, j'aurais gagné un jour. Le strata-gème était si simple que je n'y avais pas pensé au premier abord, en dépit de la quantité de vin que mon ami et moi avions consommée depuis notre arrivée au village, le plus souvent sous une nuée des mêmes abeilles que nous étions allés chercher en forêt.

Après que nous eûmes dégusté le délicieux plat préparé par l'épouse de Nsimi avec quantité d'ingrédients dont la saveur avait déserté mon palais dans les derniers mois, j'ai acheté une calebasse de vin de palme. J'en ai déversé le contenu dans une casserole que j'ai partiellement recouverte d'un panier aux mailles suffisamment spacieuses pour laisser entrer une abeille. J'ai placé ce piège de fortune sous le soleil, devant la case où Batekol et moi étions logés. Ce moyen qu'aurait pu imaginer un enfant de sept ans m'a permis d'attraper douze abeilles en une demi-heure. Trois sont décédées dans l'heure qui a suivi. J'ai renouvelé l'opération peu de temps après et j'ai fini par atteindre mon objectif sans même bouger de ma chaise. Je disposais enfin de mes quinze insectes enfermés dans un coffret en bambou où ils pouvaient respirer à leur aise, le temps que le vieux Zangamoyo l'estimerait nécessaire. La bataille était gagnée. J'étais prêt à retourner chez l'homme au miroir mystérieux.

3

UNE NUIT D'ENCRE. ÉPAISSE, PESANTE, OPPRESSANTE. Environ onze heures du soir. La proximité de la forêt renforçait le sentiment d'isolement à l'intérieur de la cour de grand-père. Du haut du grand manguier qui marquait le début du cimetière du village jouxtant l'enclos que s'était construit l'aïeul, les hiboux se livraient à un concours de chant qui n'avait rien d'exaltant. Ces oiseaux auxquels la tradition associait toute une série d'attributs étaient connus pour être annonciateurs de drames et autres tragédies. S'ils voulaient rappeler au téméraire qui s'était hasardé seul dans le coin que l'heure des esprits des morts n'allait pas tarder à arriver, c'était mission réussie. Le chœur au beau milieu de la nuit, de surcroît près de la case du grand féticheur mbala, me rappelait que ma curiosité venait de gravir un échelon. Un de trop ?

Je retournais sans cesse la tête pour m'assurer qu'aucun fantôme n'empruntait le sentier menant au cimetière pour venir me réclamer des comptes. Après un orage qui s'était abattu sur le village durant l'après-midi, les villageois étaient allés se coucher plus tôt qu'à l'accoutumée. Les hiboux, eux, assuraient la relève, à peine concurrencés par les grillons et les lucioles. Caché derrière la hutte du grand-père, je le guignais par un petit trou que j'avais fait dans le mur en terre battue. Plus tôt dans la soirée, après que je lui avais remis ce qu'il avait réclamé, il m'avait congédié et m'avait fixé rendez-vous pour minuit. Batekol devait être plongé dans son sommeil ou en train de raconter à mon cousin et à sa femme les joies de Kin la belle telle qu'ils en rêvent. J'avais deux heures à tuer. Ne pouvant résister à la curiosité que les événements de l'avant-veille avaient suscitée dans mon esprit, j'ai voulu savoir ce que le Vieux allait faire des abeilles et de la carapace de tortue. Je suis donc allé me planquer pour l'épier.

Je l'ai vu à genoux au milieu de la pièce où il m'avait reçu lors de ma dernière visite. Devant lui, à même le sol, était étendue une peau de léopard. Sur celle-ci se trouvaient rassemblés différents objets. Je pouvais distinguer : le miroir que j'avais déjà touché et dont il s'était servi en ma présence ; deux cornes d'antilope remplies d'une poudre qui brûlait ; deux grosses coquilles d'escargot ; un grand bol en poterie rempli d'un liquide rougeâtre dans lequel étaient plongées deux plumes d'oiseau de tailles différentes ; un os qui aurait pu être tiré du squelette d'un être humain ou d'un chimpanzé ; un hibou vivant mais immobile ; et ce qui ressemblait beaucoup à une tête de chien encore saignante.

Soudain, une voix m'a surpris. Une voix d'homme rauque, grave et nasillarde. Elle a empli la case comme une traînée de fumée qui se laisse emprisonner dans une pièce non aérée. L'homme qui s'était exprimé avait parlé assez fort pour que chaque mot parvienne jusqu'à moi : « Les hommes, les mâles, les vrais, se mesurent à l'Indomptable.

Ils ne reculent ni devant la force physique qui impressionne, ni devant la peur de ne pas être à la hauteur. Ils n'ont qu'un seul Ennemi, même s'ils ne l'effleureront qu'après avoir démérité. Cet Ennemi, c'est la cécité dont leur esprit est frappé depuis la naissance. La cécité intérieure est le mur dressé entre leur corps physique et l'univers des Esprits où les mers sont des gouttes d'eau et les montagnes des mottes de terre à enjamber sans effort. »

J'ai avancé mon cou pour balayer du regard l'intérieur de la case. La seule personne qui s'y trouvait, à genoux au milieu de la pièce, était grand-père. Or la voix n'était pas la sienne. Entre l'accélération des battements de mon cœur et mes poils qui se dressaient, j'ai eu envie de me sauver. Une voix, intérieure celle-là, m'a convaincu de rester quelques minutes, pour voir quel rôle cette voix mystérieuse allait éventuellement jouer dans ce que le Vieux allait entreprendre pour me venir en aide. Si tant était que le rituel dont j'étais témoin concernait Mohamed Ali. La voix a de nouveau brisé le silence, cette fois dans un murmure dont je n'ai perçu que les trois derniers mots : « …attaquée de dos ».

Grand-père : La piqûre de l'abeille, l'invulnérabilité de la tortue attaquée de dos.

La voix : *Tiendra-t-il ?*

Grand-père : C'est un *bakala*. Il a combattu les grands et a triomphé.

La voix : *Qui, d'entre les vivants, le porte sur ses épaules ?*

Grand-père : Zangamoyo Katula Ntembé, que ses amis musiciens ont surnommé Modéro, mais qui n'est autre que la brindille de la branche au sommet du palmier dont vous êtes le tronc.

La voix : *Jamais nous n'avons renié et jamais nous ne renierons notre sève. Nous n'avons qu'une parole et elle vaut ce que vaut notre sang.*

Grand-père : C'est en cela que vous êtes au-dessus de tout ce qui peut se prêter à la comparaison. Parole de votre humble esclave.

Le silence s'est installé. Chaque mot prononcé par la voix mystérieuse semblait envoyer dans l'air une décharge qui engourdissait mes jambes et attachait mes pieds pour que je ne m'éloigne pas. Par trois fois j'ai essayé de soulever un pied pour le placer devant l'autre. Par trois fois, la force m'a tourné le dos.

La voix : *Nous lui donnerons la force. Le* ngolo *sera sur lui. Mais il ne peut combattre au jour fixé.*

Grand-père : Alors il combattra au jour que vous lui choisirez.

La voix : *Il ne combattra pas avant la prochaine pleine lune. Ça sera plusieurs nuits et plusieurs jours après le jour fixé. Mais au troisième jour de la pleine lune, il combattra.*

Grand-père : Pas avant la prochaine pleine lune. Plusieurs jours et plusieurs nuits après le jour fixé. Au troisième jour de la pleine lune, il combattra.

La voix : *La piqûre de l'abeille, l'invulnérabilité de la tortue attaquée de dos. Nous avons parlé.*

Obéissant visiblement à un ordre lancé par la voix qui me parvenait, le vieil homme a ouvert le coffret dans lequel j'avais enfermé les abeilles. Les insectes se sont dispersés dans la pièce dans un sifflement continu bien perceptible. Puis, je l'ai entendu prononcer le nom de Mohamed Ali à intervalles réguliers, à quinze reprises. Chaque fois, une abeille est venue s'immobiliser sur sa main droite qu'il avait gardée ouverte. Lorsque les quinze se sont posées, je l'ai vu allumer une petite flamme sur sa main. Les insectes ont été réduits en poussière sur la paume de sa main, sans qu'il ne semble accuser le moindre signe de douleur. C'est alors qu'il a versé les cendres dans une des coquilles d'escargot qui était sur l'autel. Je l'ai ensuite vu soulever la tête du chien et la porter à son nez, collant le museau de la bête à ses propres narines. J'ai eu un haut-le-cœur et j'ai détourné mon visage. J'ai cru que mon cœur allait sortir de ma poitrine, tellement il battait fort. Si fort que j'avais l'impression que le bruit pouvait être entendu à l'intérieur de la case. J'ai senti la sueur couler le long de mon cou et sur mon torse. J'en avais assez vu et entendu. Je ne pouvais plus rester dans les parages.

J'ai réussi à m'éloigner du bout des orteils. Avant même de m'en rendre compte, je marchais dans le village sans aucune destination, avalé pas après pas par l'opacité de la nuit. Il fallait que je me change les idées avant de revenir voir le Vieux à l'heure convenue. Il me fallait marcher. Marcher en pensant aux rues éclairées de Matonge; aux filles de *Kin É-bouger*; aux seins de Lola que je ne reverrai peut-être plus jamais; à ceux de la patronne que je continuerai à voir sous ses hauts moulants en imaginant leur extrême douceur au toucher; aux filles aux regards lubriques et aux déhanchements sismiques du *Motrouvano*, le bar prisé par les grands manitous du parti; à l'ambiance survoltée de *100 Pur Sang Soukouss*; au «baptême kinois» du sympathique Ron; à ma petite revanche prise sur Yala, le roi de la volte-face; au restaurant *L'Éloge du Piment* et à ses curieux fruits de mer; aux bains de foule d'Ali qui veut que l'on sache qu'il est plus noir que noir; aux entraînements de Foreman qui, du fond de son mutisme, doit se moquer des querelles d'épiderme; au président Senghor dont la renommée empêche le Guide de trouver la paix et la tranquillité dans *la révolution par le sperme...*

Lorsque nous nous sommes revus, ma grande crainte était que grand-père me reproche d'avoir joué les espions lors de sa cérémonie secrète. Si sa science lui a permis de ne rien ignorer de ma présence sur les lieux, il a choisi de ne pas y faire allusion. Je me suis efforcé pour ma part d'avoir l'air de celui qui venait de sauter de son lit. J'ai même forcé quelques étirements ponctués de bâillements. Il m'a fait asseoir sur la même chaise que la dernière fois et m'a annoncé d'une voix enjouée que tout s'était bien passé.

— Ton patron retrouvera son enfant.
— Tu veux dire par là que Mohamed Ali gagnera le combat dans moins d'une semaine?
— Mohamed Ali gagnera le combat, mais pas dans moins d'une semaine comme tu le dis. Le combat sera reporté.

Je me suis rappelé les paroles prononcées par la voix que j'avais entendue. Il a précisé :

— Si le combat devait se dérouler dans cinq jours comme prévu, Folima...
— George Foreman?
— George Folima l'emporterait, à coup sûr. Alors, les Esprits ont décidé de le renvoyer à quelques jours plus tard ; ou plus exactement à quelques semaines, pour que la force qui sera transmise à votre boxeur prenne le contrôle de son corps, de son âme et de son esprit.

— Mais… ce n'est pas Mohamed Ali qui décide quand il doit se battre, ai-je protesté. Tout est déjà prêt depuis des mois pour qu'ils se battent *dans cinq jours* exactement. Il n'est pas question de semaines, grand-père. Même mon patron ne pourrait pas y changer quoi que ce soit.

— Ton patron devra se contenter de faire ce que je vais t'indiquer. Le reste n'est pas de son ressort, petit-fils.

Le moment crucial était arrivé. Il m'a remis deux coquilles d'escargot hermétiquement fermées avec de la colle végétale. Il m'a fait savoir que je devais veiller à ce que personne, en dehors de mon patron, ne touche à ces deux objets qui contenaient le *ngolo ya bakala* sans lequel mon voyage aurait été vain. Une fois que je les lui aurais remis, mon patron devrait trouver le moyen de s'introduire dans la chambre de Mohamed Ali pour faire deux choses : dessiner un rectangle tout autour du lit avec de la cendre contenue dans la coquille la plus grosse ; puis déposer sous le même lit l'autre coquille, sans toutefois l'ouvrir. Cela devait s'accomplir dans les deux jours suivant mon retour à Nsele. Il a précisé que cette opération sur laquelle reposait la victoire d'Ali serait totalement annihilée si le patron devait poser ses yeux sur la nudité d'une femme ou serrer une main féminine entre le moment où il entrerait en possession des deux coquilles et le soir du combat. Pour une raison qui ne m'a pas semblé claire, il a dit que c'est surtout le deuxième volet de cet interdit qui allait exiger le plus d'attention. Peut-être pensait-il à la maladie supposée dont souffrirait le polygame ? Bref, en tenant compte de l'hypothèse d'un report du combat, il devait observer ces mesures pour une période qui risquait de s'étendre sur des semaines. Je n'avais aucun moyen de savoir comment un père de deux filles et mari de deux femmes, sans compter le nombre de collaboratrices qui tournaient autour de lui, allait tenir un tel pari. Il a déclaré que si tout se passait tel que prescrit, Mohamed Ali remporterait le combat à la huitième reprise, tandis que son adversaire resterait cloué au sol, les jambes aussi lourdes que si deux éléphants avaient décidé de les maintenir à terre.

Alors que j'allais l'interroger sur le coût de cette « intervention », il a attiré mon attention sur un dernier détail :

— Ton patron devra ouvrir le bon œil. La scène d'un combat de ce genre est traversée nuit et jour par différentes forces dont l'influence peut être positive, mais le plus souvent négative lorsqu'elles ne sont pas au service d'un Esprit comme celui qui va t'accompagner. Dans l'entourage de Mohamed Ali, se trouve une personne dont l'esprit n'est pas très fort.

Je commençais à me frotter les mains, caressant d'avance la victoire qui allait tout changer. Voilà qu'il m'annonçait qu'une faille pourrait venir du camp même de l'athlète.

— Un traître ? ai-je demandé.
— On ne peut pas le qualifier de traître. J'ai dit un esprit faible. Un individu à l'esprit suffisamment vulnérable pour commettre sans le vouloir, ni même le savoir, le geste qui pourrait produire le résultat inverse de ce que nous avons préparé.
— Tu veux dire une défaite d'Ali ?
— Si cet individu n'est pas repéré à temps et s'il va jusqu'au bout de ce geste, alors oui, Mohamed Ali sera battu à la huitième reprise par George Folima.

Là, ça commençait à tourner à une mauvaise blague. Ce serait le comble si je devais offrir à Foreman le moyen de me priver du rêve américain ! J'ai demandé au vieux Zangamoyo le nom du maillon faible et la recette pour le mettre hors d'état de nuire sans impliquer le boxeur.

— J'ignore qui est cette personne. Les Esprits ne l'ont pas nommée et le seul indice qu'ils m'ont livré à son sujet n'est pas assez précis pour vous aider à la démasquer avant qu'elle n'amorce ce geste.

— Attends… Tu es en train de me dire, grand-père, que le patron ne pourra ni reconnaître ni arrêter cet individu qui risque de tout foutre en l'air ? Qu'on ne peut pas l'écarter avant qu'il n'entame le geste qu'il nous faut éviter à tout prix ?

— Malheureusement, je dois confirmer que tu m'as très bien compris. Il est effectivement impossible de le contrer avant qu'il ne commence à poser ce geste que j'ignore. C'est seulement une fois qu'il se sera dévoilé que vous devrez le contrer.

— Tu sais au moins s'il s'agit d'un homme ou d'une femme ?

— Je te l'aurais dit.

— Tout cela ne nous aide pas du tout, grand-père ! Que vaut ce que je ramène à Kinshasa si un type que nous ne pouvons même pas identifier peut tout saboter, peut-être même de bonne foi, à quelques jours du combat ?

Il me prit par la main et se plongea dans une intense réflexion, comme s'il cherchait à se souvenir d'un détail qui lui aurait échappé. De mon côté, je mesurais le désastre que représenterait une défaite d'Ali découlant non plus des aléas inhérents au sport, mais d'un effet pervers du *ngolo* censé lui assurer le triomphe en terre africaine.

— Il y a un moment et une attitude qu'il faudra surveiller, finit par déclarer le grand-père.

— Oui, un moment et une attitude à surveiller…

— Le moment, c'est le jour même du combat. L'attitude, je veux dire celle de la personne non identifiée, c'est l'obstination… Plutôt l'insistance. Peut-être l'un et l'autre simultanément, mais en lien direct avec le port d'un vêtement.

— Voyons, grand-père. Qu'est-ce que je retiens? L'obstination? L'insistance? Ce n'est pas vraiment la même chose, tu en conviendras. Et puis, de quel type de vêtement s'agira-t-il en ce jour du combat? Un vêtement porté par cet individu? Par le boxeur lui-même? Par son entraîneur? C'est très important pour nous d'avoir ce genre de précision.

Il sembla soudain dépité, sans doute parce qu'il détestait le fait de ne pas pouvoir en dire davantage.

— Écoute, petit-fils, tu disposes maintenant d'assez d'éléments pour mettre la chance du côté de ton patron. J'ajouterai qu'il devra veiller à se glisser dans le groupe restreint d'individus qui vont côtoyer son boxeur dans la demi-heure qui précédera le combat. Dans ces derniers instants, il sera crucial qu'il trouve l'occasion de le fixer dans les yeux. Il lui faudra soutenir le regard de son vis-à-vis pendant un certain temps et ne pas être celui des deux qui mettra fin à ce contact visuel bien appuyé.

— Rien d'autre sur l'identité de celui ou celle qui fait planer le danger?

— Je ne peux pas t'en dire plus. Tout ce que je sais, c'est que l'Esprit qui t'accompagne vous aidera à garder l'esprit alerte. Et ça, c'est la clé de tout ce qui adviendra par la suite.

Cela n'aurait servi à rien d'insister. Il avait rempli sa part du contrat et il nous appartenait de jouer la partition avec toutes les informations que j'allais ramener à Nsele. Si ses consignes étaient respectées, il y avait de fortes chances que le résultat espéré soit au rendez-vous. Le conseiller spécial Yankina, sa charmante épouse Zeta et moi nous retrouverions alors à New York avant la fin de l'année. Si pour une raison ou une autre le *ngolo ya bakala* était annihilé, George Foreman allait garder son titre de champion du monde et j'aurais toute ma vie devant moi pour regretter la façon dont j'avais traité Yala au *100 Pur Sang Soukouss*. Après l'échec Zaïko, celui-ci avait cherché à réparer sa faute en me donnant la chance de rencontrer le grand maître Franco, l'artiste le plus populaire d'Afrique centrale. L'orgueil et la rancœur m'avaient aveuglé au point de choisir de mettre tous mes œufs dans un seul et unique panier, celui de grand-papa Zangamoyo. Et si, de retour à Kin, les consignes du vieil homme se révélaient trop difficiles à respecter ?

Le Vieux a réitéré son refus d'accepter la moindre rémunération en échange des services rendus. Il m'a fait savoir qu'il n'y avait aucune raison de déroger à la règle qu'il appliquait en la matière : c'est seulement après avoir reçu entière satisfaction que le client revenait le voir pour remercier les ancêtres et lui verser ses honoraires. Quelle que soit l'envie de Batekol de continuer à jouer au touriste, nous n'avions pas une seule nuit de plus à passer au village. Cinq jours nous séparaient de la date initiale du combat.

4

C'ÉTAIT LA PREMIÈRE FOIS QUE JE METTAIS LES PIEDS dans
le bureau du patron à la résidence présidentielle du Mont
Ngaliéma. Un bureau très vaste, avec toutes sortes d'objets
d'art disposés sur les murs et les étagères : des statues et
masques africains ; des tableaux de peintres européens –
notamment deux identiques à ceux qui ornaient le grand
salon de la villa de Nsele – ; un portrait de Mohamed Ali
serrant la main à un type dont le prénom, Malcolm, est
suivi d'un X ; un autre du pasteur noir américain Martin
Luther King Jr ; un autre encore de Nelson Mandela, le
prisonnier noir d'origine sud-africaine qui avait donné son
nom à la villa dont Ali était locataire à Nsele. Au-dessus
du fauteuil qu'occupait le patron, pendait le grand portrait
officiel du Guide. D'autres photos où lui-même apparaissait à différentes occasions en compagnie du président
étaient également disposées sur le bureau et sur les étagères,
de même que celles où il figurait à côté de ses deux filles
que je n'ai pas encore eu l'occasion de rencontrer. Sur un
livre relativement épais, *Discours de la méthode pour bien
conduire sa raison et chercher la vérité dans les sciences,* une
photo qui a fait remonter du fond de mes souvenirs les
paroles du grand-père évoquant la préférence du patron

pour le poste de délégué à New York. On pouvait y voir le
visage d'un jeune garçon portant des lunettes rondes et ses
traits attestaient sans l'ombre d'un doute la filiation avec
l'occupant des lieux. Ce dernier avait griffonné à l'encre
rouge les mots suivants dans l'espace blanc sous le visage
souriant du gamin : « *I miss you, Élikya* ».

Avant de fermer son bureau par une serrure à double
tour, le conseiller a fait savoir à sa secrétaire, une jolie
fille à la taille de guêpe et à la poitrine plantureuse, qu'il
ne souhaitait pas qu'on le dérange dans l'heure qui allait
suivre. Il m'a ensuite demandé de lui accorder « quelques
minutes », puis a allumé le poste de télévision qui se trouvait sur une petite table en verre, presque à hauteur de la
grande fenêtre qui donnait sur le zoo présidentiel. Après
avoir changé de chaîne à deux reprises, il est tombé sur ce
qu'il cherchait. On pouvait voir le Guide assis en tenue
décontractée sur les bords de la piscine que j'avais vue à
l'entrée du domaine présidentiel, en train d'accorder une
interview à une journaliste européenne. Le patron se
tenait debout derrière lui, partiellement caché par l'impo-
sante stature de son chef.

J'avais déjà vu cette journaliste à la télévision
pendant les célébrations de la fête de l'Indépendance.
Elle avait réalisé un reportage de près de deux heures
sur ce qu'elle avait appelé « le miracle zaïrois », mais
je devais apprendre par la suite que le Guide n'aurait
pas aimé ce reportage diffusé à l'origine sur une chaîne
française, puis retransmis sur les ondes de TAM-TAM
TV, la chaîne nationale. La journaliste avait donné
la parole à une foule de seconds couteaux qui, au lieu
de mettre en avant l'œuvre de bâtisseur du Guide de

la révolution, auraient tenté de s'attribuer un rôle prééminent dans certaines réalisations d'envergure, connues du grand public. On chuchotait, par ailleurs, que l'expression « éléphants blancs » utilisée par la Française lorsqu'elle s'était interrogée sur la justesse de certains investissements chers au Guide ou portant son nom, aurait courroucé ce dernier. Il faudrait d'ailleurs me renseigner auprès de la patronne sur la signification de cette curieuse expression qui associe à des pachydermes des projets sans le moindre lien avec la faune zaïroise.

Le patron a augmenté le volume par trois mouvements successifs au moment où la journaliste s'apprêtait à adresser une nouvelle question à son interlocuteur :

— *Et si vous deviez définir cette doctrine de l'authenticité, que diriez-vous, Excellence Colonel ?*

— *Eh bien, madame, l'authenticité, cette doctrine dont je suis le concepteur et que le Parti unique que je dirige a le privilège de mettre en œuvre, se résume à quelque chose de très simple et de très noble à la fois. Nous voulons être ce que nous sommes, c'est-à-dire des Bantous, des Noirs, des Africains, et non pas ce que les autres — en l'occurrence vous autres Européens, Blancs et anciens colonisateurs et spoliateurs de ce continent — voulez que nous soyons. C'est le refus, sans concession, de toute forme d'aliénation.*

— *Et jusqu'où cela devrait-il aller, Excellence Colonel ?*

— *Aussi loin que nous le souhaitons, chère madame. Nous ne nous imposons aucune limite.*

— *Jusqu'à proscrire les prénoms chrétiens comme vous l'avez décidé récemment pour l'ensemble de vos concitoyens ?*

— *Ce n'est qu'un début, madame. Et croyez-le ou non, mon peuple a salué cette mesure qui lui restitue sa dignité longtemps bafouée par l'Église de Rome.*

— *Et comment pouvez-vous en être aussi certain, Excellence Colonel ?*

— *Je ne vous apprendrai rien, madame, en vous disant que dans ce pays, l'autorité commence et s'achève avec ma... modeste personne. Si un chef ne sait pas ce que pense son peuple, à quoi sert-il ?*

— *Vous avez parlé de dignité bafouée...*

— *Voyons, madame ! Trouvez-vous normal que les missionnaires belges qui sont venus dans ce pays soutenir l'œuvre coloniale aient réussi à mettre dans la tête des indigènes noirs que Dieu, son Fils et tous les saints du ciel sont blancs, tout en les obligeant, ainsi que leurs descendants, à porter des prénoms de Blancs, tirés du judaïsme ? Combien d'Israéliens, de Belges, de Français et d'Allemands s'appellent Mukonkole, Lobilo, Nonda ou Makelélé, madame ?*

— *Je n'en...*

— *Et des Chinois qui s'appellent François ou Marie-Antoinette, vous en connaissez beaucoup, vous qui voyagez si souvent ?*

— *Excellence...*

— *Vous n'en connaissez pas parce qu'il n'y en a pas un seul, chère madame. Il est donc logique, je devrais dire légitime, que je prône le recours à l'authenticité pour mon peuple et que chacun puise dans le riche patrimoine culturel africain le nom qui le relie à son lignage, à la splendeur de notre identité précoloniale. De la même manière, nous ne devrions avoir aucune gêne à perpétuer les rites et traditions qui rythmaient la vie dans nos royaumes et empires d'autrefois. Car si Dieu est un Blanc, que diable nous reste-t-il, madame ?*

— *Comme vous avez pu le constater, ce discours ne plaît pas beaucoup aux évêques catholiques de votre pays, Excellence Colonel.*

— *Madame, vous pouvez aller dire aux évêques catholiques de mon pays que les frontières du Zaïre sont ouvertes vingt-quatre heures sur vingt-quatre, sept jours sur sept, trois cent soixante-cinq jours l'an.*

— *Vous leur demandez de prendre le chemin de l'exil?*

— *Je leur demande avant tout de vivre les Évangiles qui leur conseillent une chose qu'ils ont oubliée: «Qu'ils rendent au Guide de la révolution ce qui lui revient et à Dieu, ce qui est à Dieu.»*

Un intendant lui a apporté un verre de jus sur un petit plateau. Deux petites gorgées plus tard, il s'est à nouveau tourné vers la journaliste qui avait gardé son micro tendu, comme si elle redoutait que le président ne se sauve:

— *D'ailleurs, dans votre propre pays, une loi existe… Je ne sais, hélas, plus laquelle; mais je sais qu'elle existe…*

Il s'est tourné vers son conseiller spécial:

— *Laquelle déjà, monsieur Yankina?*

— *Son Excellence voudrait probablement évoquer la Loi du 9 décembre 1905 relative à la séparation des Églises et de l'État,* lui a répondu mon patron qui est alors apparu en gros plan, l'espace de quelques secondes.

— *C'est cela. Cette loi a obligé les évêques de France à se tenir à carreau lorsque les organes politiques de votre État décident de ce qui sera la loi au sein de la République. Ici, j'ai fait rédiger une loi similaire, figurez-vous. Et si j'ai voulu une telle loi, c'est tout de même pour que le gouvernement que je dirige l'applique sans qu'il soit nécessaire de palabrer sur le sexe des anges! Vous me parlez du mécontentement des évêques catholiques. Si le haut commandement militaire avait voulu d'un homme en soutane à la tête de ce pays, cela se saurait, non?*

— *L'opinion internationale a compris que la révolution culturelle inspirée par votre doctrine de l'authenticité se veut sans concession...*

—*Elle a la mémoire bien sélective, votre opinion internationale, chère madame. Dites-moi donc: où se terre-t-elle, pendant qu'on massacre au Viêtnam? Elle se planquait où, hier, quand votre pays, la France, massacrait en toute illégalité en Indochine, puis en Algérie et au Cameroun? Elle avait bien d'autres soucis, au début du siècle, lorsque des repris de justice belges largués chez nous en vue d'assurer à Léopold II le monopole du commerce international du caoutchouc, commettaient un holocauste silencieux contre notre peuple! Et puis, tant qu'on y est: de combien de nations se constitue cette «opinion internationale» qui s'adjugerait le pouvoir de censurer ce que le Guide du Zaïre décide pour le bien de son peuple? Êtes-vous allée interroger les Chinois ou les Arabes sur ce qu'ils en pensent, de notre révolution culturelle?*

Il s'est levé, a enfoncé ses mains dans les poches de son pantalon et s'est mis à faire les cent pas, tout en continuant à s'exprimer sur le même ton. La journaliste était sur les talons et continuait à lui tendre le micro:

— *Tenez, madame: l'été dernier, je suis allé me reposer quelques jours en Catalogne avec mon épouse. La veille de mon retour en Afrique, j'ai été invité par un membre de la famille royale espagnole à assister à une corrida. Vous savez, ce spectacle où on s'amuse à tuer un animal comme ça, juste pour le plaisir. Voilà des mœurs bien étranges pour moi qui suis issu d'une tribu où l'abattage d'un animal ne se pratique qu'à des fins alimentaires ou sacrificielles. Il semble, cependant, que la tauromachie relève d'une tradition séculaire dans cette région de l'Europe. Et vous trouvez cela absolument normal, n'est-ce pas, vous les Européens, vos hommes d'Église compris. Mais quand ils sont venus ici et qu'ils ont vu nos prêtres animistes utiliser nos masques sacrés pour invoquer les Esprits et régler les problèmes qui étaient les leurs, vos prêtres missionnaires ont décrété que ces traditions-là n'étaient qu'aberration et sauvagerie. En quoi tuer une chèvre dont on consommera la viande après l'avoir sacrifiée aux ancêtres dans le but de faire revenir la pluie et sauver les récoltes, serait-il plus sauvage que la ruée vers le sang à laquelle se livrent les aficionados ? Peut-on présenter la mise à mort cruelle d'un taureau sous les hourras des touristes en manque d'adrénaline comme l'héritage des us et coutumes respectables et venir ensuite nous donner des leçons de « civilisation » ?*

— Votre homologue sénégalais, le président Léopold Sédar Senghor, soutient que…

— Mon frère Senghor pour qui j'ai une affection sans bornes, lorsqu'il transmet ses pensées par le moyen d'un livre, ce n'est pas aux Africains qu'il les adresse. Cela n'est un secret pour personne. Vous qui êtes citoyenne du pays qui lui fait miroiter un siège au sein d'une pseudo-académie qui, nous dit-on, ferait de lui un « Immortel » – alors qu'il s'agit en fait de le consacrer dans le rôle de ce que les méchantes langues appellent déjà le nègre de service – connaissez la vérité. Vous savez très bien que mon frère Senghor est un Blanc qui porte un masque noir. Un masque sculpté par la France sur du bois sénégalais.

J'ai vu le patron sourire et lisser parcimonieusement sa moustache tout au long de cette longue tirade. Le même sourire que celui qu'il affichait simultanément sur le tube cathodique. Visiblement, il était fier de son chef. C'est probablement pour réentendre ces paroles qu'il avait voulu allumer la télé avant d'aborder le sujet pour lequel il m'avait mandé dans son bureau. À l'écran, la journaliste devait être sur le point de poser une autre question lorsqu'un jeune garçon l'a bousculée, apparemment un des fils du Guide, qui a surgi de l'eau et est allé s'agripper aux jambes du président, éclaboussant au passage trois adultes que l'on apercevait en arrière-plan. Plutôt que de l'éviter, le Guide l'a soulevé du sol de ses deux mains et l'a projeté en l'air comme un ballon de volley-ball, avant de le reprendre dans un grand éclat de rire. L'enfant s'est mis à lancer des cris de joie et à bouger ses petites jambes comme un cycliste à la manœuvre sur son vélo. Lorsque ses pieds ont de nouveau touché le sol, il a demandé au Guide qui venait de se rendre compte que ses vêtements étaient tous trempés, de soulever aussi « madame », pointant du doigt la journaliste. Dans la pièce où nous nous trouvions, le patron a éteint le téléviseur et s'est tourné vers moi.

Il a écouté le compte-rendu de mon voyage à Banza avec la plus grande attention, prenant parfois des notes. Je m'étais attendu à voir son visage trahir les sentiments que ne manqueraient pas de susciter en lui certains détails de mon récit. Il est cependant resté impassible, comme un patient habitué à entendre les mêmes prescriptions de la bouche des spécialistes convoqués à son chevet par un mal incurable. Lorsque j'ai terminé mon propos par la mention du « maillon faible » non encore identifié, il m'a tendu la main dans un sourire chaleureux :

— Vous êtes un brave garçon, Modéro. Vous avez *parfaitement* rempli votre mission. Je suis fier de vous.

Il a dû remarquer que son compliment ne suffisait pas à me faire partager l'enthousiasme qui l'habitait. Je le fixais comme un spectateur dont les yeux restent rivés à l'écran après que le générique final du film a cessé de se dérouler dans une salle déserte. Il s'est voulu rassurant :

— Ne vous inquiétez pas, Modéro. Votre grand-père a fait un travail excellent et tout se passera exactement comme il l'a prédit. Je jouerai mon rôle à fond et ses instructions ne souffriront d'aucune négligence.

— Vous ne craignez pas de vous laisser prendre de vitesse par cette personne qui serait capable de tout remettre en cause ?

Il a souri.

— Je suis le conseiller spécial du Guide de la révolution de l'authenticité africaine. Je n'ai pas atterri dans ce bureau par l'opération du Saint-Esprit, Modéro.

— C'est vrai, patron, ai-je balbutié.

— Je ferai tout ce qu'a dit votre grand-père et je veillerai personnellement à ce que l'individu qu'il a mentionné ne réduise pas à néant tout ce que nous avons pu obtenir.

Je lui ai alors remis le petit sac contenant les deux objets sacrés que m'avait confiés le patriarche. Il est allé le ranger dans une armoire métallique qu'il a refermée à clé. Le téléphone a sonné une troisième fois depuis le début de notre entretien. Cette fois, mon patron a décroché après avoir jeté un coup d'œil à sa montre. Je ne pouvais entendre que ses réponses :

« Allô... Bonjour, Excellence (…) Mon avis ? Il a été excellent, comme d'habitude. Tout y était : la clarté, l'assurance, la répartie. (…) Non, ça ne va pas plaire aux hommes en soutane, c'est clair. Mais il l'a dit, nous sommes un État laïc. Ça serait un comble si nous devions recevoir les ordres du Vatican ! Même la droite italienne se moque de ce que pense la curie de Rome. (...) La raison ? Pour ça, il faut lire Descartes, cher ami. Ou Kant. Ils ont cherché pour toi et ils ont trouvé. (...) Tu préfères Frantz Fanon. Intéressant. (...) Kant ? Tu me fais rire. Une vérité devient-elle mensonge parce qu'elle nous arrive sous la plume d'un philosophe européen ? Ne fais pas dire à la révolution ce qu'elle ne dit pas, vieux sophiste. (...) Si Descartes est soluble dans l'authenticité ? Arrête d'avancer masqué, camarade. Tu vas bientôt m'accuser de distribuer les livres de Senghor à mes visiteurs aussi ? Gros malin, va ! »

Il a baissé la voix et m'a tourné le dos :

« Qu'est-ce qui te fait croire que j'ai un avis *off the record*, comme tu dis ? Écoute, mon pote, tu sais très bien ce que je pense dans mon for intérieur depuis le début de cette affaire : personnellement, je préférerais avoir l'Église avec nous plutôt que contre nous. Mais ce n'est pas à toi que je vais apprendre comment on en est arrivés là. (...) À quoi cela servirait-il ? Non, Excellence. Ce dont je suis convaincu n'a plus aucune importance désormais. Le chef a pris une décision et à partir de cet instant, je n'ai qu'un devoir. (...) C'est avant que cela avait de l'importance, pas après. Allez, on s'en reparle. Salut ! Le peuple triomphera ! »

Il a raccroché, puis s'est dirigé cette fois vers la bibliothèque en bois d'ébène. Il a soulevé la photo du jeune homme aux lunettes rondes et a essuyé la poussière qui s'était posée dessus à l'aide d'un mouchoir qu'il a sorti d'un petit carton bleu qui traînait sur une étagère. Le téléphone a de nouveau retenti et il est revenu sur ses pas pour décrocher:

«Bonjour, Excellence. Alors, que se passe-t-il sur la planète Sports? (…) Non, je ne suis pas à Nsele. (…) Non. Je n'en étais pas informé. Aucun appel ni de votre attaché de presse, ni de… (…) Si c'est une blague, Excellence, elle n'est pas bonne celle-là; alors je vous le dis en toute sincérité, pas bonne du tout! (…) Quand est-ce que cela s'est produit? (…) Mince alors! Mince alors! Que dit le médecin? (…) Six semaines? Vous avez bien dit six semaines? (…) Est-ce que l'autre camp a réagi? Lui-même, le *staff* technique? (…) J'imagine. Avez-vous contacté Elima? (…) Ne vous dérangez pas pour cela, je vois le patron dans une demi-heure. Je m'en charge. (…) Vous pouvez me faire confiance: il ne mettra pas un seul pied dans un avion. Il sera soigné sur le sol zaïrois et ne bougera pas d'ici tant que le combat n'aura pas eu lieu. (…) Je viens de vous le dire: aucun des deux boxeurs ne volera à destination de l'Amérique avant le *combat du siècle*; je vais y veiller per-son-nel-le-ment. On se retrouve à l'Intercontinental? (…) Je dirais plutôt 19 heures. (…) Parfait. Bonne journée, Excellence! Le peuple triomphera!»

Il s'est tourné vers moi:

— Je venais de vous dire, cher ami, que tout se passerait *exactement* comme votre grand-père l'a prédit.

Il avait bien utilisé l'expression «cher ami» pour s'adresser à son jardinier. Il fallait qu'une bonne raison lui ait mis ces deux mots dans la bouche, compte tenu du fossé abyssal qui séparait nos deux univers respectifs. L'explication est venue tout de suite, percutante, lancinante, ahurissante :

«Le combat est reporté. Mohamed Ali affrontera George Foreman non plus dans quatre jours, mais six semaines après la date initiale, c'est-à-dire...»

Il a cherché du regard le calendrier et a réussi à mettre le doigt sur la date correspondante :

— ...dans la nuit du 30 octobre. Un mercredi.
— Que s'est-il passé, patron ? ai-je articulé, réussissant par un ultime effort à soulever une langue que le poids de la consternation venait de figer au fond de ma gorge asséchée.
— George Foreman s'est ouvert l'arcade sourcilière droite ce matin pendant son entraînement à Nsele. C'est ce que vient de m'apprendre le ministre des Sports. Un banal accident qui arrive souvent en boxe lorsque le partenaire d'entraînement est du genre à prendre son rôle au sérieux. Son médecin est formel : il ne peut pas combattre avant ce délai.

VII

VICTOIRE SOUS X

Descartes dans les cordes

DANS LA TÊTE DE...

BATEKOL, ALIAS AFRODIJAZZ

PLUTÔT QUE DE ME REFILER LES POUVOIRS de son grand-père, puis de s'en laver les mains en douce, Modéro aurait dû au moins s'assurer que son aide me soit utile. Car à quoi bon avoir franchi tous les obstacles qui ont précédé ce jour pour en arriver à ce coup fourré ?

Le nez dans un cul-de-sac, voilà où j'en suis, alors qu'il est minuit et que le *combat du siècle* commence dans trois heures. Le passage de Zaïko Langa-Langa sur l'estrade est prévu pour deux heures du matin. Moi, Afrodijazz, qui ai mouillé ma chemise aux *répèt'* comme personne parmi les nouvelles recrues du groupe, je n'y serai pas. Je suis le seul membre de Zaïko resté dans l'hôtel où étaient descendus voilà deux jours les artistes non domiciliés à Kin. Les autres doivent être quelque part à l'intérieur du Stade du 20-Mai, dans la fièvre de ce grand rendez-vous que nous avons tous attendu comme si nos vies en dépendaient. Un manque de pot ou Dieu me botte-t-Il le derrière après ce que j'ai infligé à Pecho Drigo qui se voyait danser pour Ali et Foreman ?

Agrippé au rebord de la baignoire, je me tords de douleur. Diarrhée de merde ! Si ça ne faisait que couler.

Mais voilà que les crampes abdominales me tordent les boyaux, me forcent à ramper sur la moquette décrépite comme un gosse à la peine dans ses premières tentatives de marche. Un mal de chien. Ma tête est une boule de feu à l'intérieur de laquelle des marteaux-piqueurs s'activent sans trêve. Ma vue flanche. Ah! Pour un mal de chien, c'est un mal de chien!

Comme des gouttes d'eau que rejette une huile chauffée à cent degrés Celsius, mille étoiles dansent sur un ruban noir qui se déroule sous mes paupières, à l'infini. La nausée a décidé de me déclarer la guerre. Si le but est de me vider à la manière d'un linge que l'on tord, je risque de ne pas y échapper. Retour au lavabo. Je crache à nouveau un liquide jaunâtre qui, cette fois, a perdu de sa viscosité. Il est moins épais et inodore. À moins que ma présence prolongée dans cette pièce ait fini par me rendre insensible aux odeurs?

Modéro a-t-il pu prévoir ce qui m'arrive? Je préfère croire que non. Je n'ose imaginer que le gars m'ait fait miroiter ce concert comme on balance un os à un chien affamé. Ça ne lui ressemble pas. Son grand-père aurait-il voulu me jouer un sale tour? Aurais-je dû verser de l'argent liquide en échange du bracelet en fer? Mon ami ne m'a rien demandé. «On verra tout ça au lendemain du combat», s'était-il contenté de dire. C'est un mec réglo, Modéro. Je le connais.

J'ai un mal de chien!

Il y a une heure, le *boss* s'est pointé, flanqué de l'infirmière. Il m'a examiné avec un air pitoyable qui m'a fait sentir comme un môme qui se serait brûlé la main après

avoir violé l'interdiction de toucher une plaque chauf-
fante. «Les gars, prenez du repos, faites pas trop de folies
de vos corps, mangez sainement; je vous veux prêts à
l'attaque ce soir. Nous allons leur montrer qu'avec Zaïko
Langa-Langa, le talent des hommes emprunte au génie
des dieux pour faire de la musique l'unique art, ici-bas,
à faire regretter aux anges des cieux de ne pas être dotés
de l'enveloppe humaine», nous avait lancé Joss. Sous son
regard impuissant, l'infirmière m'a demandé ce que j'avais
bouffé. Tout en lui répondant, j'ai maudit mentalement le
moment où mes pieds ont foulé ce restaurant – si ça peut
s'appeler ainsi – où j'ai payé pour qu'on m'empoisonne.

Pour célébrer le jour où j'allais monter sur une scène et
tenir le micro aux côtés du grand Joss, j'ai voulu savourer
mon plat préféré dont je suis privé depuis que j'habite
à Nsele. Pieds de cochon aux haricots rouges dans une
sauce tomate «bloquée» et très pimentée. C'est Maestro
Fula, le plus jeune de nos trois saxophonistes, qui m'a
amené dans ce qu'il a qualifié de meilleur restaurant de
la place Victoire, dans le quartier Matonge. J'aurais dû
me méfier au vu de l'hygiène pour le moins douteuse qui
m'a sauté aux yeux en franchissant la porte de *Chez Mère
Mado*. Meilleur restaurant, mon œil! Une porcherie a
plus d'allure. Des couverts non lavés traînaient partout,
au grand bonheur des mouches qui avaient commencé,
avec quelques heures d'avance sur le combat de boxe, leur
propre festin du siècle pour la propagation des microbes.
Les nappes sur les tables ne payaient pas davantage de
mine. Les rideaux devaient avoir servi de serviettes à des
clients qui ont dû se sauver pour je ne sais quelle urgence,
y essuyant à la hâte la nourriture qui leur collait sur les
mains. La Mecque des microbes, en somme. Allez savoir à

quoi sont occupés les fonctionnaires de l'Agence nationale pour la santé publique pendant que d'honnêtes citoyens se font empoisonner en pleine capitale par des individus prêts à tout, y compris à vous vendre de la merde à prix d'or. Quand on vous dit que cette ville est une pourriture !

Cela aurait dû me mettre la puce à l'oreille. Maestro Fula n'a pas mangé, se contentant d'une bouteille de bière qu'il a bue à tire-larigot. Il a prétexté ne pas avoir faim, lui le roi des goinfres. Même si cela n'atténue en rien sa responsabilité dans mon triste sort, je dois reconnaître que l'apparition soudaine de Béata, une fille au derrière inutilement encombrant, sorte de remorqueuse sur pattes, a influencé mon choix de ne pas me sauver à la vue de cette mer de microbes. Je l'avais déjà croisée à deux reprises, la dernière fois lors d'une virée nocturne à Matonge avec Modéro. Mais à chacune de ces rencontres fortuites, elle m'avait posé un lapin, la salope. Elle a franchi la porte du restaurant sur de hauts talons et s'est dirigée droit vers notre table, comme si elle était arrivée sur les lieux en sachant à l'avance que je m'y trouvais. Elle s'est présentée à moi comme la petite sœur de la tenancière à qui elle venait donner un coup de main. Elle m'a demandé des nouvelles de Modéro et nous avons entamé une conversation au cours de laquelle elle essayait de m'expliquer combien elle était désolée pour notre dernier rendez-vous manqué. C'est finalement pour prolonger cette discussion et avoir l'occasion de mater son derrière éléphantesque à la lumière du jour que j'ai décidé de passer la commande, pendant que notre saxophoniste déclinait le verre qui lui était offert pour déguster sa bière Skol.

Mère Mado, couverte de bijoux en or sur une peau martyrisée par l'abus de crèmes éclaircissantes, m'a servi le fond de sa grande marmite. Une sauce «bloquée» dont je me suis régalé par deux fois sans me douter de ce qui m'attendait. Et dire que la Maman Moziki, tout sourire, m'a même proposé un troisième service sous le regard encourageant de sa sœur qui aura bien joué à l'appât! Elles auraient été payées par Pecho Drigo pour m'éliminer qu'elles n'auraient pas été plus astucieuses, les enfoirées. L'infirmière a diagnostiqué une gastroentérite d'origine bactérienne. Elle a cru utile de me conseiller le repos, comme si j'étais en état de m'éloigner de cette maudite pièce. Il faudrait boire beaucoup d'eau pour prévenir tout risque de déshydratation. Je devrais également éviter de manger pendant une brève période, afin de permettre au système digestif de récupérer. Lorsque la diarrhée et les nausées auront cessé, je pourrai recommencer à me nourrir, de préférence avec des aliments faciles à digérer. Les œufs et les produits laitiers seront à éviter, a-t-elle précisé. De toute manière, ce n'est pas demain que je retrouverai l'appétit.

Me voilà donc prisonnier dans cet hôtel situé à une vingtaine de minutes de marche du lieu où Ali s'apprête à affronter Foreman. Je sais qu'en raison des droits de retransmission exclusifs réservés aux chaînes américaines, la télévision nationale diffusera les images du stade avec un décalage d'une heure. Si la diarrhée ne desserre pas son étau dans les trois heures qui viennent, je ne pourrai même pas me déplacer jusqu'au hall de réception où les clients et les membres du personnel seront réunis pour suivre le spectacle. Sauf à y créer un scandale que je ne veux pas imaginer.

Je ne sais si Modéro aurait pu me tirer de ce mauvais pas, mais il n'y a aucun moyen de le joindre en ce moment où toute la villa dort avant de prendre la route du stade. Si ce n'est pas de la poisse, qu'est-ce donc ? Avoir réussi à gagner ma place dans Zaïko Langa-Langa pour ensuite rester coincé dans les toilettes d'un hôtel pendant que mes collègues vont chauffer le stade, est-ce drôle ? Et pourquoi ? Pour un hypothétique plan cul avec une fille qui a passé la moitié du temps à me poser plein de questions sur mon ami qui ne doit même plus se souvenir de sa remorque de fesses ? Qu'ai-je fait au Bon Dieu pour finir dans cet état le seul jour de ma vie où j'aurais tout donné pour être en forme ? Pourritures de pieds de cochon ! Pourriture de Béata qui croit qu'un cul étendard devrait dispenser une femme digne de ce nom de faire respecter autour d'elle les règles d'hygiène les plus élémentaires ! Pourriture de Fula ! Je te maudis pour m'avoir traîné dans cette usine à merde où je me suis laissé embobiner comme une andouille ! Pourriture de Mère Mado qui ose le blasphème dans son restaurant avec ces mots écrits en lingala, à côté du menu du jour : *Jésus-Christ est venu manger ici pour ses trente-trois ans… sans ses douze apôtres. Vous venez de découvrir pourquoi l'un d'eux l'a ensuite livré aux pharisiens.*

BELINDA ALI

JE N'AI PAS FERMÉ L'ŒIL DE LA NUIT. J'ai été réveillée à deux reprises par d'affreux cauchemars. Dans le premier, mon mari et moi étions embarqués à bord d'un avion qui partait de Las Vegas pour rallier New York. Je l'accompagnais à un souper de gala au profit d'une organisation soutenant les personnes noires atteintes de la maladie de Parkinson. Après près d'une heure de vol, le pilote a annoncé qu'il allait tenter un amerrissage en catastrophe sur le fleuve Hudson car il était sur le point de perdre le contrôle de l'appareil. Il a déclaré qu'une énorme colonie d'abeilles s'était engouffrée dans le cockpit et s'acharnait sur le personnel navigant qui s'y trouvait.

Alors qu'il lançait des appels au calme à l'ensemble des passagers, mon mari s'est levé et a commencé à invectiver l'hôtesse de l'air qui se tenait près de nous. Il criait: «Je suis le plus grand, je suis le plus fort! Si vous croyez que je vais attendre sagement la mort dans votre caisse de merde, vous vous fourrerez le doigt dans l'œil jusqu'au coude, madame! Je vais prendre le contrôle de cet avion. Avec ou sans ces insectes, je vais atterrir à Newark d'ici dix minutes ou je ne m'appelle pas Mohamed Ali!» Il a foncé vers le poste de pilotage après avoir écarté de son passage la jeune femme. Au moment où il a ouvert la porte coulissante qui séparait la cabine de pilotage des passagers de la première classe, une nuée d'abeilles a envahi l'appareil. Ça a été la panique générale à bord. L'avion s'est mis à tanguer alors que les passagers criaient à tue-tête, les uns appelant au secours, les autres déclarant leurs dernières volontés, la plupart implorant Dieu, Jésus, Allah ou les leurs qui les avaient précédés dans la mort, de ne pas les abandonner. Je me suis réveillée en sueur, le cœur battant à tout rompre.

J'étais dans ma chambre, dans la villa que mon mari et moi occupons depuis notre arrivée au Zaïre. J'ai failli me diriger vers sa chambre où il devait être en train de dormir, mais je me suis dit que ce serait la pire chose à faire : interrompre son sommeil quelques heures avant son combat. J'ai ouvert le Saint Coran, lu quelques sourates et prié Allah pour qu'Il me donne la paix et étende sa main sur mon mari. Je me suis recouchée. Cela n'a pas duré long-temps. Un deuxième cauchemar m'a tirée du lit, mais cette fois j'ai dû crier dans mon sommeil car Mohamed a couru jusqu'à ma chambre. Il m'a serré contre lui. Je lui ai raconté ce que j'avais vu : son frère Rahman, lui et moi roulions en voiture sur une route très escarpée au Costa Rica, lorsque les phares ont éclairé un objet qui s'était mis en travers de la route. Rahman, qui conduisait la voiture, nous a dit qu'il s'agissait d'une tortue et qu'il allait l'écraser. Mohamed lui a annoncé qu'il lui pariait cinq millions de dollars qu'il ne réussirait pas à détruire la carapace de l'animal. Rahman a gagé et a foncé droit sur la grosse tortue qui restait immo-bile au milieu de la voie. Au moment du choc, la voiture a été catapultée dans les airs comme si elle avait été soufflée par un cyclone. Alors qu'elle tournoyait dans le vide à plus de dix mètres d'altitude, je me suis agrippée à mon mari, redoutant la seconde où nous allions être reçus sur la route goudronnée. Par bonheur, le retour à la réalité a précédé cet instant fatidique.

— Ce n'est rien d'autre que des cauchemars, mon petit cœur. Rahman et Bundini ont raison de dire que de nous deux, tu es la plus stressée par ce combat, a-t-il commenté en caressant mes cheveux de sa main et de son menton.

— Comment voudrais-tu qu'il en soit autrement? lui ai-je demandé.

— Je te comprends. Mais ce n'est qu'un combat de plus dans ma vie, tu sais. Il y en a eu avant, il y en aura d'autres après.

— Sans doute. Mais celui-ci est différent, tu l'as avoué toi-même.

— C'est vrai qu'il est différent pour plusieurs raisons. N'empêche que ce matin, lorsque nous serons rentrés du stade, la vie de Mohamed Ali continuera comme avant.

— À cette différence près que ce sera *toi*, le nouveau champion du monde des poids lourds.

— *Inch'Allah*, mon petit cœur, a-t-il conclu en souriant.

Il avait raison. Ce combat si loin de chez nous a réussi à mettre mes nerfs à vif. Mes sens sont soumis à rude épreuve depuis le séjour au lac des Chevreuils en Pennsylvanie où il s'était retiré pour s'entraîner avant le voyage. Le report du combat pour cause de blessure de George n'a rien arrangé; surtout après que j'ai été obligée de retourner temporairement en Amérique. Y retrouver ma tante Monica qui se bat contre son cancer du sein a été une expérience difficile. Mais comme elle-même devait le dire, ma place est ici. Pour ce rendez-vous qui constitue le tournant majeur

dans la vie de l'homme que j'aime, il aurait été impensable
que je ne refasse pas le voyage en sens inverse. J'ai toujours
été là pour lui et il a besoin de ma présence qui n'est pas
celle de ceux, nombreux, qu'attire la lumière de la gloire.
Ceux qui vont lorsque le miel tarit et qui reviennent, la
queue entre les pattes, dès que le vent a tourné.

Le domaine du rêve est une citadelle à l'intérieur de
laquelle le mortel avance à l'aveuglette. Je préfère me
réjouir de ne pas avoir vu mon mari reculer ou se laisser
vaincre par la menace de ces deux accidents qui ont
hanté mon sommeil. Fidèle à son vrai tempérament, il
a plutôt refusé la fatalité dans le premier cas. Dans le
deuxième, il a certes lancé un défi qui aurait pu nous
être fatal, mais le fait que j'aie été tirée du sommeil
avant l'impact imminent pourrait signifier qu'il devrait
s'en tirer à l'issue de ce combat avant qu'il ne soit trop
tard.

S'en tirer trop tard? Se relever après qu'il soit compté
knock-out? Non, cela n'arrivera pas! Il ne sera pas *knock-
outé*. Son adversaire, lui, le sera. Et il n'aura pas la chance
de se relever avant qu'il ne soit tard pour lui. Pour lui!
Mes émotions sont à fleur de peau et mes nuits agitées
n'en sont que le reflet. J'aurais tort d'accorder une importance excessive aux rêves dont le Prophète nous dit qu'ils
sont parfois le chemin qu'emprunte le diable pour semer
le doute dans notre confiance en Allah. Mon mari me l'a
déjà rappelé en des circonstances analogues. J'ai rouvert le
Saint Coran et je lui ai tendu le bout de papier sur lequel
j'avais noté deux sourates que je voulais qu'il lise juste
avant de monter sur le ring.

— Comme je ne serai pas avec toi dans le vestiaire, je voudrais que tu me promettes de réciter ces paroles d'Allah avant d'enfiler ton peignoir.

— Le Prophète aime que ma femme prie pour moi sans avoir besoin d'une promesse, a-t-il répondu.

Une réponse à son image. Une heure plus tard, nous avons éteint les lumières, verrouillé les portes et embarqué dans l'autocar en direction de Kinshasa. Il était une heure du matin et le combat commençait dans deux heures. En longeant la principale avenue de la Cité, nous avons remarqué l'éclairage dans la villa de George, ainsi que son autobus et les quatre voitures d'escorte policière qui devaient l'attendre.

À l'exception de Gene Kilroy qui répondait aux questions de Ron Baxter, le journaliste du *Chicago Chronicle* qui n'est jamais satisfait s'il n'a pas recueilli au moins une phrase de chacun des membres de l'entourage de mon mari, personne n'a parlé durant tout le voyage long de soixante kilomètres. Mon mari, comme à son habitude dans l'heure qui précède le combat, avait la tête plongée dans le Saint Coran. Il avait choisi de s'asseoir tout seul derrière le siège du conducteur. Rahman discutait avec Angelo Dundee à voix basse. Drew Bundini passait et repassait son petit peigne noir dans ses cheveux. Herbert Muhammad somnolait en dodelinant de la tête, au rythme des cahots du véhicule. Gene répondait aux questions de monsieur Baxter avec une nonchalance qui aurait dû décourager n'importe quel autre intervieweur.

Lorsque nous avons aperçu les lumières du stade, je me suis approchée de mon mari et je lui ai demandé si tout allait bien. Il m'a répondu par un sourire que je connaissais. Il se sentait en confiance. Je lui ai glissé entre les mains le bout de papier avec les sourates. Il a repoussé ma main :

— Garde-le, mon petit cœur. Je risque de l'égarer.

— Nous arrivons, chéri. Je ne vais pas te suivre au vestiaire ; alors il vaut mieux que tu le prennes maintenant, ai-je insisté.

— Tu ne veux pas prier pour moi simplement, comme d'habitude ?

— Si. Mais je veux aussi que tu récites ces paroles d'Allah. Quand tu les découvriras, tu comprendras pourquoi je les ai choisies.

— D'accord, tu gagnes, a-t-il acquiescé en posant un baiser sur mon front, comme chaque fois que je lui fais accepter quelque chose dont il doutait de l'intérêt ou de la valeur.

Ces sourates, j'en étais convaincue, renfermaient le message qu'il devait élever vers son Créateur pour dire l'exact contraire de ce qu'il n'avait cessé de clamer aux journalistes du monde entier. Il n'était ni le plus fort, ni le roi invincible. Il n'était qu'un mortel qui avait besoin de prendre soin de son corps pour que celui-ci se hisse à la hauteur de la discipline exigeante qu'il avait choisie. Mais surtout, il avait besoin du souffle et de la miséricorde infinie d'Allah, afin que le renouvellement de ses rêves de grandeur ait quelque début d'accomplissement sous les yeux de ses contemporains. Dans ces paroles contenues dans le livre de Dieu se trouvait le message de l'humilité qui seul pouvait lui ouvrir, devant ce peuple qui l'avait accueilli comme un enfant du pays, les portes de la victoire. Il a pris le bout de papier et sans le déplier, l'a glissé à l'intérieur de son propre Livre.

Précédé par deux voitures de l'escorte policière, notre autocar s'est garé devant l'un des portails principaux du stade, au moment où la foule de fanatiques courait vers nous au cri d'«*Ali, boma yé!*». Une note discordante s'est échappée des vivats des Africains qui venaient accueillir leur champion. Un cri lancé par une voix féminine a résonné dans mes oreilles et jusque dans mes reins, plus fort que le chant de la victoire en hommage à mon mari que chantait toute la foule: «*Foreman, boma yé!*»

YANKINA, ALIAS YANKEE

L'HEURE DU BILAN N'EST PAS ENCORE ARRIVÉE. Quand elle le sera, je serai le dernier à me lancer des fleurs. Il me semble néanmoins que tout soit parti pour que le *combat du siècle* tienne ses promesses. Il y a quelques minutes, lorsque le Tout Puissant O.K. Jazz et Zaïko Langa-Langa ont tour à tour mis le feu aux planches après la performance tout aussi époustouflante du groupe folklorique qui a ouvert le bal de la soirée d'hier, j'ai observé le Guide. Ce n'était plus l'indifférence courtoise qu'il avait affichée pendant les sorties pourtant excellentes de James Brown et de B.B. King. Il arborait cette fois son sourire des beaux jours et – signe qui ne trompe pas – il fredonnait à mi-voix l'hommage que le groupe O.K. Jazz lui a dédié. Un hymne dont les paroles louent son œuvre grandiose au service de son peuple :

Guide éternel
Vaillant et fier combattant de la Liberté
Toi qui te saignes aux quatre veines
Pour la Fierté de l'Homme noir
Pour la dignité de l'Afrique
Toi l'Honneur fait Chair

Toi le Soleil levant
Toi le Fauve
Dont le souffle
Fait trembler
Tes minables ennemis...

Le Guide aime ce pays et son peuple qui le lui rendent bien. C'est une évidence. Mais lorsqu'il s'est tourné vers moi pour me féliciter du succès de cet événement dont je suis à la fois l'inspirateur officieux et le maître d'œuvre officiel, j'ai senti un malaise monter en moi. Par petits effluves, comme le renvoi impromptu d'un gaz. Il est légitime que le Timonier ait de grandes ambitions pour la nation. Le Zaïre mérite de rayonner non seulement en Afrique, mais à l'échelle du monde. Notre histoire ancienne et récente, la grandeur de nos royaumes et empires d'avant la colonisation, le rôle de notre peuple dans l'émancipation de l'Afrique à l'aube des indépendances et bien d'autres raisons légitiment nos rêves de grandeur. Sommes-nous prêts, pour autant, à payer n'importe quel prix pour tutoyer les étoiles du firmament de cette magnificence dont il se veut l'artisan ?

Ce combat est un test. Maintenant qu'il est en passe de compter comme un moment des plus marquants dans les annales culturelles de notre révolution, il en appellera d'autres. Sous diverses formes. Et s'il est un test, l'événement a également un prix. Un prix que je connaissais et dont j'ai contribué à banaliser la juste valeur. Cette valeur, c'est celle d'un projet qui traîne sur le bureau du patron et pour lequel je ne me suis pas battu. S'il ne s'était agi que de passivité ! Je l'ai étudié, j'ai reçu plus d'un expert venu en plaider la pertinence et l'urgence, puis je l'ai rangé au rayon des accessoires. Je me suis tourné vers les priorités qui n'en étaient souvent pas du tout. Ce projet-là permettrait l'accès aux soins de santé à une population estimée à quatre millions d'habitants, dans une région enclavée et dépourvue d'infrastructures. Une région où nous n'envoyons que des hélicoptères pour évacuer du diamant et de l'or bruts. Une région où est né un homme dont le Guide s'est juré d'avoir la tête.

Mon malaise, en honorant la poignée de main chaleureuse du Guide me réitérant ses félicitations, vient d'un sursaut de conscience contre lequel je n'ai cessé de lutter depuis mon retour d'Amérique. Têtue comme les vagues qui inlassablement viennent narguer un navire sur une mer agitée, cette voix intérieure revient ce soir frapper à la porte de mon courage tenu en laisse. Elle viole obstinément la loi du silence que je lui ai imposée et murmure le début d'une sentence. Je n'ai pas besoin de tendre l'oreille pour l'entendre. Elle investit mon cerveau, brouille mes sens et parasite ma faculté de filtrer. Je serais celui qui estime normal que des femmes meurent en donnant la vie dans des conditions misérables pendant que j'officie en prêtre des saturnales tropicales. J'incarnerais celui qui tolère que des enfants soient exposés à la poliomyélite parce que l'accès à un hôpital à bâtir serait un luxe pour ces rejetons de la « mauvaise » ethnie. Je serais l'un des visages de la punition collective infligée à ceux qui portent ces patronymes dont chaque syllabe rappelle au Guide son devoir de vengeance. Vengeance contre l'audace d'un des leurs, un économiste et ancien professeur d'université réfugié en Occident, nourri et blanchi aux frais du contribuable français. Le même qui, depuis le confort de son exil, se rêve en Messie qui libérera le pays de Patrice Lumumba. « Leur révolution dont les deux mamelles sont le culte de la personnalité et la kleptomanie est un deux-pièces cousu à l'envers. Un habit qui va bien à l'oligarchie qui fait main basse sur le pays, mais qui cache mal l'indigence de son idéal politique pour un si grand pays, un si grand peuple», va-t-il jusqu'à écrire dans son dernier ouvrage. Des mots que le Guide et la frange dure du Comité central ne sont pas près d'oublier. Et s'ils ne peuvent les lui faire payer aujourd'hui, ils le font payer aux membres de son ethnie, coupables malgré eux de partager le sang qui coule dans ses veines. Alors, notre gouvernement les laisse crever à petit feu, les réduisant au statut de parias dans leur propre pays :

Toi le Fauve
Dont le souffle
Fait trembler
Tes minables ennemis

Dix millions de dollars américains, c'est seulement la moitié de ce que nous avons versé à Don King Productions pour avoir le privilège d'être assis ici cette nuit. C'est le coût de cet hôpital qui a peu de chances de voir le jour dans ce bout de la République dont les ressources contribuent tant à notre économie, mais dont nous nous méfions comme d'un volcan dormant dont l'activité pourrait intervenir en tout temps.

Assis à ma droite, le Guide m'a fait signe de me pencher.

— Savez-vous ce qui nous vaudra ce succès qui porte votre marque, Yankee ? m'a-t-il demandé.
— Non, patron.
— C'est simple : les Africains vont se montrer extrêmement jaloux, en commençant par «le petit grillon de

Dakar », mon ami le président Senghor. Mais croyez-moi, les pays qui en ont les moyens ne tarderont pas à nous singer. Ils ne critiqueront le Guide du Zaïre que le temps de trouver le moyen de l'imiter.

— Ça ne sera pas facile, me suis-je entendu arguer.

— Je ne vous le fais pas dire. Et puis, il y a les autres. L'Occident. Les Blancs diront que je suis fou pour dépenser une telle fortune pour ce combat alors que beaucoup de mes compatriotes vivent sous le seuil de la pauvreté.

— Ils le disent déjà.

— Mais ce qu'ils ne disent pas, c'est que nos amis américains n'ont pas attendu qu'il n'y ait plus un seul pauvre dans les quartiers pourris de New York et d'Atlanta avant d'aller hisser leur drapeau sur la Lune. Pas vrai ?

— Vous avez raison, patron.

— Ils ne sont pas davantage foutus de reconnaître que grâce à l'action que je mène depuis mon accession au pouvoir, ce pays renoue jour après jour avec sa grandeur d'antan. Or, pas plus tard qu'hier, lorsque l'on disait « Congo », qu'est-ce que l'homme blanc entendait ?

— Congo…

— Allons, Yankee, s'il avait lu *Au cœur des ténèbres* de Joseph Conrad, qu'entendait l'homme occidental derrière ces deux syllabes ? Que voyait-il derrière ces cinq maudites lettres par lesquelles ce pays fut longtemps désigné ?

— Sauvagerie, obscurantisme et bien des stéréotypes plus insensés les uns que les autres.

— Et que devrait-il entendre désormais, à l'évocation de cette jeune nation pleine de promesses que j'ai rebaptisée pour mieux la révéler à l'Afrique et au monde ?

— Avec le Zaïre, il entendra ce que nous aurons décidé qu'il entende et verra ce que nous aurons choisi de lui montrer.

— C'est tout le sens de la révolution de l'authenticité, mon ami: refuser que l'on nous dicte notre modèle de sous-développement – de *développement,* allais-je dire. Ne pas permettre que l'on nous indique le côté vers lequel doit pencher notre drapeau pour que notre fierté nègre soit acceptée. Ils ont Senghor. Ils n'auront ni Mohamed Ali ni celui qui vous parle.

> *Toi qui te saignes aux quatre veines*
> *Pour la Fierté de l'Homme noir*
> *Pour la dignité de l'Afrique*
> *Toi l'Honneur fait Chair*
> *Toi le Soleil levant*

J'ai approuvé, à peine déstabilisé par un lapsus qui en disait pourtant long sur la chasse aux fantômes à laquelle nous sacrifions tant de ressources, tant d'énergie. Peut-on être plus lâche? Ce que la voix est revenue me dire cette nuit, avant et pendant l'hymne qui rappelle le génie avéré ou supposé du chef, c'est que je fais partie d'une armée de pleutres. «Nous refusons que l'on nous indique le côté vers lequel doit pencher notre drapeau pour que notre fierté nègre soit acceptée» est une formule soufflée au Guide par un de mes collègues, l'idéologue du Parti. Il m'est déjà arrivé de lui en vouloir, de lui reprocher d'en faire plus que nécessaire; comme pour cette guerre inutile livrée à l'Église catholique autour des prénoms chrétiens désormais bannis. Mais celui qui met dans la bouche du chef de telles paroles ou lui conseille de fausses batailles qui le distraient des vrais défis qui assombrissent notre horizon commun est-il plus à plaindre que l'homme qui gèle le projet d'érection d'un hôpital pouvant sauver des vies? Pour un combat de boxe qui vise à faire accroire au chef que son homologue sénégalais dont l'aura a fait le tour de la planète ne lui arrive pas à la cheville? Un combat qui aurait pu se tenir à Las Vegas, à Paris ou à Tokyo sans que le Zaïre et son président ne se portent plus mal? Pour un avion de luxe dont il négocie l'achat et que le même chef offrira à cette maîtresse avec qui il s'est brouillé? À moins que ça ne soit pour l'acquisition prochaine à une puissance dite amie, d'équipements militaires extrêmement coûteux et totalement inadaptés aux besoins de nos forces armées?

L'exilé qui nous critique depuis Paris a perdu peu à peu le sens de la réalité. Nous diaboliser et nous ridiculiser restent ses seules façons de prouver à son cerveau aux qualités naguère saluées par tous, qu'en dépit de la rigueur des hivers européens, il demeure l'organe de son corps dont il est le plus fier. Cela ne veut pas dire, pour autant, que tous les maux qu'il recense sont le fruit de ses propres fantasmes. Il me semble légitime pour les hautes instances du Parti de se demander si nous ne faisons pas marcher la révolution sur la tête et si la seule raison pour laquelle cela nous échappe n'est pas que nous-mêmes sommes en train de perdre le nord, d'aller à la dérive.

Notre problème majeur, s'il n'y en avait qu'un, serait celui qu'illustre le tandem que constitue autour du Guide l'idéologue du Parti et le conseiller spécial que je suis: nous de la cour, comme on dit, sommes à la fois si différents et si interchangeables dans nos rôles respectifs. Nous le sommes à telle enseigne que les bonnes intentions des uns seront toujours annihilées par la surenchère des autres. Lorsque je suggère un vaste programme de sensibilisation et d'éducation populaire en vue de l'accueil des hôtes qui viendront à la découverte de la nation de l'authenticité qui a réussi à bouter l'aventurier communiste Ernesto «Che» Guevara hors de notre pays, je prêche dans un désert. Celui qui s'oppose à ma vision qualifiée de «naïve et angélique» trouve mieux à proposer et convainc sans peine: un massacre aussi aveugle qu'indéfendable, politiquement nuisible, pompeusement baptisé «Opération *Bangisa Ba Bangisi*»!

Tel est le plaidoyer que j'oppose à la voix qui hante mon esprit alors que je suis témoin de l'aboutissement de plusieurs mois de préparation pour le combat entre Mohamed Ali et George Foreman. Et c'est loin d'être une posture de circonstance. En réalité, si je n'avais pas eu l'idée de ce combat, cet autre collègue, le chef de cabinet Elima, ou un autre parmi mes pairs aurait vendu au Guide un projet encore plus fou. Puisque les Jeux olympiques s'avéraient théoriquement ingagnables, cela ne m'aurait pas surpris que l'un ou l'autre appuie le Guide dans son idée de se lancer dans un programme pharaonique de conquête spatiale dont le centre se trouverait dans son village natal, au cœur de la forêt équatoriale.

Parce qu'il croit toujours et continue à dire que je suis «la voix de la raison» qu'il espère continuer à entendre le plus longtemps possible, le meilleur endroit où je puisse servir mon pays est probablement, malgré tout, à ses côtés. Laisser mon fauteuil à un type de l'autre camp serait une trahison qui nuirait à ma paix intérieure à un degré autrement plus élevé que mon coup de *blues* actuel. Peut-être cet hôpital sortira-t-il de terre de mon vivant, avant le jour où le champion de cette nuit rangera définitivement ses gants. À supposer que je sois réellement dans le camp de la raison, peut-être que d'autres me rejoindront demain pour que la balance penche plus souvent du bon côté. Peut-être même que l'homme qui trouble le sommeil du Guide trouvera la voie de la repentance et privera le chef du motif qui l'a amené à faire d'un bout du Zaïre un îlot de misère entretenu. Il n'y a que des hommes pour changer l'homme.

Voici quelques mois, j'ai suggéré au patron d'adresser à la brebis égarée sur les bords de la Seine une lettre en forme d'offre de dialogue pouvant déboucher sur le pardon présidentiel. Le chef a d'abord piqué une sainte colère; mais au bout de trois mois, il est revenu sur le sujet et m'a demandé de défendre ma proposition. Cela m'a pris trois autres mois pour lui vendre les bénéfices pour lui-même et pour le pays entier de faire revenir dans le giron du Parti ce brillant économiste salué par ses pairs et ses anciens étudiants comme un homme de principe et d'inébranlables convictions. À ce dernier, j'ai alors fait savoir que le temps était venu de ne plus se regarder le nombril et de passer de la critique à l'action qui, seule, pouvait changer le sort de ce peuple qu'il dit tant aimer. «Votre prétendue révolution par le sperme en amuse d'aucuns, mais ce n'est pas en ajoutant l'injure à la défiance que vous ferez avancer les idéaux que vous prétendez porter», lui ai-je déclaré en substance. L'individu est un intellectuel imbu de sa personne et convaincu de porter la science infuse. Avoir été récemment accueilli au sein d'une université française à titre d'enseignant n'est pas pour le rendre humble. Je sais que les chances qu'il réserve une suite à ma lettre sont quasi nulles; mais j'ai l'intime conviction d'avoir posé à son égard le geste qui s'imposait. J'en suis fier. Le temps fera le reste.

Mon poste aux Nations unies m'offrira le recul nécessaire pour évaluer froidement les huit années passées aux
côtés du Guide. Mesurer l'étendue des victoires pouvant
être mises au crédit de mon influence. Provisoirement
à l'écart des combines locales, il me fournira également
l'occasion de réfléchir aux batailles à venir, notamment
celle de la justice sociale. Une bataille à livrer avant que les
promesses de notre révolution ne perdent définitivement
de leur capacité à mobiliser les masses fidèles au chef.
Lorsqu'il me rappellera à Kinshasa, je serai alors prêt à
lui apporter mes propositions concrètes pour un nouveau
souffle de notre lutte révolutionnaire. Nous reparlerons du
destin de ce grand pays qui a certes décollé, mais qui a du
chemin à faire. Nous parlerons du combat à livrer sur tous
les fronts pour recoudre à l'endroit la tunique de notre
révolution de l'authenticité. Toutefois, entre New York et
moi, il y a *The Rumble in the Jungle* tant attendu par les
Américains. Il y a surtout la victoire de Mohamed Ali au
bout de ce combat qui s'annonce des plus épiques.

Lorsqu'on a annoncé l'arrivée du challenger à l'entrée du stade, j'ai fait signe au Guide que je m'absentais
quelques minutes afin de m'assurer une entrée normale
dans les vestiaires. Tout en me frayant un passage vers
la sortie, je me suis remémoré les moments cruciaux des
dernières semaines. Toutes les instructions que m'avait
rapportées le jeune Modéro ont été suivies à la lettre.
Je n'avais pas eu de mal à m'introduire dans la chambre
d'Ali après son départ habituel pour un jogging dans les
rues de Kinshasa. Belinda, sa femme, avait été invitée à
souper par Maman-Première au Palais présidentiel du
Mont Ngaliéma, en même temps que l'épouse de George
Foreman. Le champ étant libre, j'ai pu opérer aussi paisi-

blement que si j'étais dans ma propre chambre à coucher. Pour éviter de ne serrer les mains qu'aux personnes de sexe masculin − ce qui n'aurait pas manqué d'attirer l'attention sur moi −, je m'étais volontairement fait une entaille dans la paume de la main droite. J'avais ensuite pris soin de pratiquer un pansement qui allait recouvrir toute ma main d'un bandage suffisamment large pour justifier la distance que je devais observer vis-à-vis des personnes que je croisais. La question de l'abstinence sexuelle ne s'est pas posée en raison de ma santé. Restait l'équation du « maillon faible ». Le Vieux avait dit que cet individu serait à l'œuvre le jour du combat. Sauf à passer la nuit à la *Villa Nelson Mandela* avec le boxeur, je n'avais aucun moyen de contrôler les faits et gestes de ceux qui auraient pu l'approcher entre le moment où il avait quitté son lit et celui de son arrivée au stade. C'est seulement dans les minutes précédant le combat, lorsque ses proches parmi les proches auraient seuls la possibilité de le côtoyer, que je pouvais monter la garde.

J'ai rejoint l'ex-champion du monde à l'entrée du vestiaire, au moment où il donnait un baiser d'au revoir à sa charmante épouse. Celle-ci, après une petite tape appliquée sur sa joue, lui a dit : « N'oublie pas de faire ce que je t'ai recommandé. » C'était dit sans insistance particulière. Plutôt un rappel qu'une injonction. Il n'a pas répondu. Il paraissait détendu et concentré. Il était là physiquement, mais son esprit semblait naviguer dans d'autres sphères connues de lui seul. Autour de lui, l'ambiance n'était pas à la fête. On aurait dit des proches parents qui attendent les nouvelles d'un être cher dont le sort repose entre les mains d'une équipe de chirurgiens enfermés dans une salle interdite aux personnes ne faisant pas partie du personnel soignant. J'ai approché mon ami Ron Baxter et je lui ai demandé comment s'était déroulé le trajet de Nsele au stade. Rien dans son bref résumé ne m'a semblé revêtir le moindre intérêt. Personne n'avait parlé durant tout le voyage, excepté Gene Kilroy qui lui avait accordé une courte interview. En dehors de Belinda, aucun membre du cortège n'avait adressé la parole au boxeur. Pas d'allusion à un vêtement qui aurait entraîné quelque incident au sein du groupe. Donc, rien d'alarmant.

J'ai dû patienter, tous les sens en éveil, jusqu'à l'instant précis où Drew Bundini Brown, l'entraîneur noir converti au judaïsme, a voulu imposer à Ali le peignoir qu'il avait choisi. Nous étions à moins de trente minutes du combat et c'était le seul moment qui risquait de correspondre à celui que je guettais. Je voyais un membre de l'entourage du boxeur adopter une attitude, certes normale de la part d'un homme dont le rôle auprès de l'athlète comprenait forcément une part sentimentale, mais suffisamment teintée d'insistance pour déclencher chez moi l'alerte fatidique. Je me suis levé et je suis allé jouer à l'arbitre. Il me fallait convaincre le boxeur de ne pas céder au chantage affectif de son entraîneur et de se vêtir du peignoir blanc qu'il avait lui-même choisi. C'était également le moment propice pour avoir un contact visuel prolongé avec lui, tel que l'avait suggéré le Vieux, sans forcer la note.

Chez le peuple bantou dont je suis, l'habit est bien plus que la matière qui recouvre l'enveloppe charnelle dont le Seigneur suprême et Créateur – Nzambi a Mpungu – nous a pourvus. Il est l'élément qui recèle la force de l'esprit de l'individu. L'ennemi qui court chez le sorcier pour vous jeter un sort n'a pas besoin de vous forcer à le suivre. Il lui suffira d'avoir sur lui un bout de vêtement que vous avez porté. Ce bout de tissu, c'est vous, la chair en moins. Un habit que vous portez peut cacher une épine qui transpercera votre corps jusqu'à anéantir votre esprit; tout comme il peut être la forteresse qui rend indomptable le même esprit. Je n'irai pas jusqu'à avancer que mon intervention a déterminé le choix fait par Ali, mais j'ai fait ce qui était de ma responsabilité. J'ai ainsi placé le dernier morceau du casse-tête concocté par un septuagénaire que je n'ai certes jamais rencontré, mais qui, en prédisant avec succès le report du combat, a balayé les derniers doutes que j'aurais pu avoir à son égard.

Lorsque son frère Rahman, son directeur technique Herbert Muhammad et Mohamed Ali se sont retirés pour la prière, je n'ai pu m'empêcher de penser que le moment de vérité était arrivé. Les trois hommes allaient prier Allah pour solliciter la même faveur que m'avait promise le vieux féticheur du Kwilu dont les pouvoirs provenaient des ancêtres décédés. À quelques minutes du combat tant attendu, mon poste de représentant du Zaïre aux Nations unies était suspendu à un fil dont les bouts étaient tenus par deux sphères de pouvoir que j'espérais capables de faire cause commune.

RON CHRISTOPHER BAXTER

PENDANT DIX ANS, J'AI ROULÉ MA BOSSE aux quatre coins de l'Amérique, approchant les boxeurs de toutes les catégories et de tous les tempéraments, couvrant les combats les plus fous. Mais ce qui se passe dans le Stade du 20-Mai de Kinshasa en cette veille de l'Halloween mil neuf cent soixante-quatorze, ne ressemble à rien qu'il m'ait déjà été donné de voir en une décennie de journalisme sportif. Comme plusieurs dans ce stade, je m'étais attendu à une entrée en matière conventionnelle avec un champion en titre qui foncerait sur son challenger pour donner le ton à la rencontre et marquer ainsi sa volonté de garder l'initiative. Force est de constater que les deux boxeurs nous offrent un scénario des plus imprévisibles à la fin de ce premier round.

Dès le coup d'envoi qui a suivi le rappel du règlement par l'arbitre, Mohamed Ali qui était resté dans son coin à prier a jailli comme un lion qui n'en pouvait plus de tournoyer dans sa cage. Il a foncé sur la montagne de muscles qui avançait vers le centre du ring et, au bout de deux petites feintes, a porté à son vis-à-vis, sans coup férir, deux directs de la main droite d'une puissance incroyable.

Pris par surprise, le champion du monde n'a pas vu venir cette double canonnade qui est venue mourir dans son visage. Il a remonté sa garde après cette alerte de feu, mais son adversaire avait atteint son objectif qui était visiblement de le faire douter dès les dix premières secondes du combat. Foreman a ensuite répliqué par une succession de jabs ponctuée d'un puissant uppercut qui aurait pu assommer deux buffles, mais aucun de ses coups n'a franchi la muraille d'acier dressée par les avant-bras d'Ali.

Le quatrième round ressemble au troisième. Je ne sais pas ce que nous réserve Mohamed Ali ni ce que lui ont conseillé Drew Bundini et Angelo Dundee pendant les trois pauses qui viennent de s'écouler. La seule certitude à mes yeux est que l'ex-champion est en train d'introduire dans les annales de la boxe une nouvelle façon de combattre qui n'a, de toute évidence, été enseignée nulle part. Au lieu de se placer au centre du ring et d'user du *modus operandi* habituel – pratiquer son jeu de jambes tout en exploitant les avantages de son allonge –, il attire Foreman dans les cordes et y reste pendant d'interminables minutes. Il semble même se servir des cordes dans son dos comme d'un amortisseur face au matraquage intempestif dont il est la cible immobile. Le champion du monde se tue à lui asséner une avalanche de coups plus puissants les uns que les autres, dont la plupart sur les abdominaux, car Ali réussit jusqu'ici à faire de son visage un sanctuaire inviolable. Lorsqu'il sent ses défenses faiblir, il s'accroche à son adversaire qu'il contraint à lâcher du lest.

Assis à ma droite, l'ex-champion du monde Ken Norton m'a tiré par la manche et m'a demandé si j'avais entendu ce que venait de lancer Ali à Foreman. C'était au moment où un punch mortel venait de s'écraser entre son nombril et son sternum. Évidemment, difficile de savoir à cette distance ce qui est sorti du protège-dents du boxeur au moment où son regard a nargué Foreman; mais ça devait être un message du genre: «Serais-tu incapable de frapper comme un homme?» L'art de la provocation. Tout en continuant à s'appuyer sur mon bras gauche, Norton s'égosille devant la technique choisie par Ali: «Foreman se livre à un travail de sape extrêmement lourd. Ali n'a aucun intérêt à rester dans les cordes comme il le fait. Il est plus que temps qu'il change de tactique et retourne affronter son adversaire au centre du ring. C'est comme ça qu'il a gagné tous ses putains de combats. Pas une seule fois il n'a choisi de servir de sac à un adversaire comme il le fait, en ce moment... Mais bon Dieu, qu'est-ce qu'il fout dans ces maudites cordes? Ça va très mal finir pour lui dans les trois minutes qui suivent s'il ne bouge pas ses fesses de là! Il va se faire littéralement étriper par la puissance de feu de Foreman. *What the fuck!*» Don King, l'homme à qui l'on doit la matérialisation du *combat dans la jungle* et dont j'aperçois la silhouette de l'autre côté du ring, doit se dire la même chose.

Je ne sais pas combien de temps peut durer ce spectacle qui est en train de foutre à terre tous les codes de la boxe. J'ignore sur combien de rounds à la suite Ali peut encaisser autant de coups, avec pour alliées ces cordes qui réussissent jusqu'ici à compliquer la tâche d'un Foreman qui s'était préparé à tout, sauf à ce scénario. À l'opposé, on craint de voir le champion du monde, qui n'a jamais vu un boxeur lui tenir tête après le cinquième round, se tuer à l'ouvrage sans résultat tangible. Dick Sadler et Archie Moore, ses entraîneurs, doivent certainement redouter qu'il vienne à manquer de jus lorsque l'expérience d'Ali le décidera à prendre la direction des opérations.

Le *lead*, c'est justement ce qu'entreprend l'ancien champion qui soudainement sort des cordes et fait reculer son adversaire par un premier, un deuxième, puis un troisième direct du poing droit qui obligent Foreman à céder du terrain jusqu'au centre du ring. Jamais dans le passé Ali n'a utilisé autant son poing droit que dans les cinq premiers rounds de ce combat. C'est la folie furieuse dans le stade. La fièvre s'est emparée des journalistes, des sportifs venus nous faire bénéficier de leurs commentaires d'experts du noble art, jusqu'aux officiels qui assistent à ce combat habillés comme s'ils participaient à une réunion de l'Assemblée générale des Nations unies. Plus de cinquante mille spectateurs se sont levés comme un seul homme. Les cris qu'ils poussent pour saluer cette sortie inattendue d'Ali à quelques secondes maintenant du coup de cloche sont la plus grande clameur que j'aie jamais entendue autour de deux boxeurs. Juste avant la trêve que vient d'annoncer l'arbitre Zack Clayton, Foreman a le temps de décocher un crochet de droite d'une violence telle qu'Ali semble s'étourdir quelques secondes avant de regagner le coin où l'accueillent Bundini et Dundee.

Pour la première fois depuis ses débuts de boxeur professionnel, Foreman dont le visage est marqué par les coups va s'asseoir. Jusqu'ici, il avait la particularité de rester debout entre deux reprises. Mais ça, c'était avant Kinshasa. Quelle qu'en soit l'issue, avec le lot de surprises dont elle accouche sous le ciel d'Afrique, cette rencontre est partie pour être unique en son genre. Il y aura un avant et un après-*combat du siècle*. Nous vivons une nuit d'anthologie dont on se souviendra longtemps, très longtemps. Mon ami Yankina et le Guide du Zaïre n'auront pas à regretter leurs millions de dollars.

SON EXCELLENCE LE COLONEL-GUIDE, PÈRE (ET MÈRE) DE LA NATION

DANS LE SPORT COMME DANS L'ART DE LA GUERRE, il y a deux choses qui pardonnent très rarement : ne pas profiter de l'impasse devant laquelle se retrouve l'ennemi et tomber tête baissée dans le piège tendu par ce dernier. Ce que je vois de ces quatre premiers rounds dessine petit à petit les contours de la défaite de ce cher Mohamed Ali. Certes, il a fait preuve d'une endurance hors du commun jusqu'ici, résistant aux coups les plus violents qu'un être humain puisse supporter dans les limites d'une compétition sportive. Mais cela ne peut pas durer tout le combat. Il a atteint son adversaire au visage plus souvent que celui-ci ne l'a touché. Cela lui procure incontestablement un avantage aux points. Mais de même que sur le champ de bataille l'armée la mieux équipée et la mieux préparée se ferait laminer si elle devait se contenter de contenir les assauts de l'ennemi par des tirs de barrage sporadiques, l'ex-champion ne pourra sauver sa tête en boxant par à-coups. S'il ne peut pas aller jusqu'au bout et mettre à terre celui qu'il domine, le travail au corps qu'il a subi va finir par avoir raison de sa détermination. Il ne pourra alors que s'écrouler au moment qu'aura choisi George Foreman. Et les points accumulés compteront pour du beurre.

Je sais que Yankina n'envisage pas un seul instant que son poulain puisse perdre. Parce qu'il sait que je suis homme à tenir mes engagements vis-à-vis de mes proches, une défaite d'Ali l'affecterait énormément. Cela signifierait qu'il accepte d'aller passer trois ans à Moscou. Il ne me l'a pas avoué et ne le fera probablement pas, mais la raison profonde de sa préférence pour un poste aux Nations unies est liée davantage aux suites de sa vie estudiantine américaine d'autrefois qu'à son ignorance de la langue russe. C'est toujours intéressant de noter à quel point mes plus proches collaborateurs perdent de vue que la nature de mes fonctions m'oblige à fouiner dans les poubelles de leur vie avec le même entrain que dans celle de mes ennemis. Ignorer la vie cachée de ses collaborateurs les plus sûrs est incontestablement l'une des plus graves erreurs que puisse commettre un diri-geant politique. Ce dernier aurait alors tout le mal du monde à se tailler un bouclier qui résiste aux trahisons ou simplement aux aléas des relations humaines.

Si je comprends, sans qu'il n'ait jugé nécessaire de le confesser, que l'ancien étudiant de Chicago veuille revoir son garçon né avant son retour au pays, cela ne me dispense pas de veiller à concilier la compassion dictée par l'amitié avec la raison d'État. Dans le cas qui me préoc-cupe, je suis d'avis qu'il n'y aura pas meilleur allié pour nos amis américains dans le labyrinthe soviétique qu'un diplomate d'un pays africain ami, prêt à rendre différents services dictés par les impératifs de la guerre froide. Là où l'agent le mieux formé de la CIA verra sa couverture grillée dans les deux jours suivant son arrivée à Moscou, le KGB, malgré sa toute-puissance et sa connaissance du terrain domestique, mettra en moyenne deux ans à s'intéresser de près aux activités occultes d'un diplomate africain. Dans l'intervalle, nous aurons donné à notre allié outre-Atlantique quelques précieux coups de main dont il se souviendra en temps utile. Disons que je me chargerai de les rappeler à son souvenir, car la fausse amnésie est aux amitiés entre États ce que la routine est aux couples qui durent : une seconde nature. Ne jamais tenir aucune promesse d'un gouvernement étranger pour acquise. À moins d'avoir vassalisé celui qui tient les rênes de ce même gouvernement. Avec les Américains, ce n'est pas demain la veille.

Le conseiller spécial figure parmi les deux personnalités qui correspondent le mieux au profil que m'a fait suivre l'agent de liaison de la CIA à l'ambassade américaine. Parce qu'ils le connaissent depuis plusieurs années, les Américains estiment qu'il est un meilleur candidat que l'autre larron dont je leur ai soufflé l'identité. Ce dernier n'est pas prêt à régler sa dépendance à l'alcool, ce qui fait hésiter quelques faucons à Langley, siège de l'agence. De son côté, Yankina est un homme brillant, qui honore la parole donnée et qu'on n'achèterait pas avec de l'argent. Une espèce rare. Même sans expérience du renseignement, il reste une valeur sûre.

Le départ à Moscou du conseiller spécial m'offrirait un autre avantage plus immédiat et plus personnel. C'est certes secondaire, mais tant qu'à faire d'une pierre deux coups… Compte tenu du refus de sa jeune femme de le rejoindre dans cette capitale peu convoitée, ce serait le moyen le plus subtil de l'éloigner de cette beauté fatale sans lui faire perdre la face. Une épouse aussi belle peut certes servir à décorer les repas en ville et les grands-messes du Parti, mais n'importe quel homme qui sait honorer les femmes voudra lui réclamer des faveurs auxquelles son charmant époux ne peut malheureusement plus prétendre pour cause de maladie. Là encore, mon conseiller me croit ignorant de ce secret intime. *Tout savoir et n'en rien laisser paraître*, telle est la règle d'or. Je marche sur des œufs. Sauf situation exceptionnelle, la sagesse élémentaire conseille au chef de se servir sans faire de vagues inutiles. Vis-à-vis des « protégés », l'astuce plutôt que l'humiliation. Chez l'homme, les plaies de l'humiliation sont probablement les seules que ni le pardon ni le temps ne cicatrisent jamais. Surtout celles que l'on inflige à celui qui dort à vos pieds du sommeil du juste. Ce n'est pas Machiavel qui vous l'apprend. Cela vous vient de l'exercice solitaire du pouvoir, dans un monde où le moyen le plus sûr de creuser sa propre tombe est d'échouer dans la quête du sens de l'équilibre entre la vertu et le bon plaisir du prince. Bon plaisir sans lequel le chef diluerait son pouvoir ainsi que son autorité dans les réflexes communs à ceux que le sort a convoqués sous le soleil pour lui servir de marchepied.

Le seul hic, c'est ce qu'il adviendrait si je devais perdre le pari à la suite d'une défaite de George Foreman... Le voilà qui secoue la tête alors que son entraîneur tente visiblement de le persuader de quelque chose. Peut-être lui conseille-t-il de mieux protéger sa garde lorsqu'il est en mode offensif; d'être plus alerte qu'il ne l'a été, chaque fois que son adversaire a brisé son élan démolisseur par des crochets bien sentis. Est-ce un signe de fatigue qu'il réclame avec insistance la bouteille d'eau pour la deuxième fois de suite?

Place au cinquième round.

Une débauche de puissance. Un cyclone qui s'annonce ravageur. Aurais-je sous-estimé Mohamed Ali ? Est-il possible qu'il ait trouvé la clé pour enrayer la redoutable arme humaine qui semble céder au doute à mesure qu'approche la fin ? George Foreman, ce concentré de puissance et d'énergie au regard lourd comme une pierre tombale, peut-il perdre ce combat ? Voilà qui me ferait une belle jambe, à moi qui ai lancé l'idée du pari ! Mais qui, après avoir regardé froidement leurs combats respectifs les plus marquants, n'aurait pas souscrit à la chronique d'une victoire annoncée de l'actuel champion du monde ? Ah, Yankina, bien sûr ! Ainsi que la majorité des Kinois. Mais le peuple aura toujours le bénéfice de l'excuse d'avoir cédé aux émotions. On ne saurait le lui reprocher, ni à Ali d'avoir joué sur les cordes sensibles du populisme. Moi-même j'ai salué l'art et la manière. Je sais ce que j'en ai tiré, ce que j'en tirerai. Toute guerre commence, se livre et se termine dans la communication. Qui, mieux que celui qui a refusé d'aller servir au Viêtnam, aurait pu le savoir ? Le conseiller spécial, lui, pourrait s'avérer plus fin connaisseur que je ne l'ai pensé. Il croit en sa bonne étoile et attend son heure.

Si les choses devaient rester en l'état, autrement dit une victoire d'Ali aux points, il faudrait trancher. Me dédire et m'imposer en invoquant l'intérêt supérieur de la nation ? Faire contre mauvaise fortune bon cœur et laisser partir Yankina à New York après avoir trouvé l'oiseau rare qui bénéficiera de l'adoubement de la Maison-Blanche pour le poste d'ambassadeur à Moscou ? J'ai quelques heures pour tirer tout cela au clair.

Sixième.

Le début de la sixième reprise est à l'avantage de
Mohamed Ali qui n'a pas changé de tactique. Il apparaît
de plus en plus clairement qu'il sait exactement ce qu'il
veut : pomper toute l'énergie de George Foreman et se
réserver le moment fatidique où il décidera de renverser
la vapeur. Cela me rappelle la stratégie que j'ai utilisée
dans le Kivu en juillet 1965, moins d'un an après mon
arrivée au pouvoir, pour mater la rébellion des Simba
appuyée par Che Guevara et ses co-aventuriers cubains :
laisser avancer l'ennemi, le berner en lui cédant du terrain
une fois sur trois, avant de porter l'estocade.

Comme dans un rituel, il a fait les quatre coins du
ring et se trouve cette fois-ci en face de moi, mais de
dos, à quelques centimètres des cordes. Les crochets de
son adversaire brassent le vent avec une puissance qui
semble décliner. Alerte comme un lynx, Ali enchaîne
esquive sur esquive, au point de sembler avoir choisi
cette façon d'affronter son vis-à-vis dans le seul but de
le confronter à son impuissance. N'importe qui dans ce
stade peut imaginer la frustration de Foreman : la cible
s'est mise elle-même entre le marteau et l'enclume, mais
en vain le marteau tente de la réduire en miettes. Traquer
un papillon évanescent, voilà à quoi se livre le champion
du monde.

Yankina a la tête de celui qui savoure le bonheur
d'avoir eu raison tôt. Je ne saurais lui en vouloir, mais
ce n'est pas couru d'avance. Même si cela m'est très
désagréable, après une défaite dorénavant plausible de
Foreman, je devrais me donner un délai pour évaluer le

meilleur usage possible des cartes dont je dispose. Et monsieur le conseiller de sourire sans se douter de l'enjeu véritable qui se déjoue sous ses yeux. Au fait, je ne lui ai pas demandé si la rumeur attribuait toujours le prochain prix Nobel de littérature au président Senghor ni si le Sénégal avait recueilli le soutien nécessaire à un siège temporaire au Conseil de sécurité de l'ONU.

ZETA

ALORS QUE DÉBUTE LE SIXIÈME ROUND, je m'accroche au bras de mon amie Malaïka, la fille du doyen du Comité central, assise à ma gauche. Nous sommes sur le parterre réservé aux *VIP*; moi derrière mon mari, elle derrière son père, entre sa mère et moi. C'est la rangée des femmes. Ou plutôt celle des «femmes de» et des «filles de».

J'avais cru que je pourrais dominer mes émotions et suivre le combat sans avoir l'impression de me faire arracher le cœur. C'est raté. Chaque coup expédié par l'un ou l'autre des deux boxeurs plonge un pieu dans mon ventre, le remue et le tire avec une pression égale à celle qui doit faire jaillir un «haang!» plaintif de la bouche de celui qui le reçoit. À la télé, ça passait encore. On pouvait presque croire que c'était du cinéma. Mais là, à quelques mètres de ces deux forces de la nature, l'art de cogner prend une autre dimension. Impitoyable et inhumaine. Comme une procession houleuse vers les fournaises de l'enfer. Le ring est une piste minée où l'irréparable peut jaillir à tout moment, craché du fond des entrailles de cette rage sourde qui habite l'adversaire.

Mon amie, elle, est aux anges. Elle savoure chaque instant, émet des commentaires qui la feraient presque passer pour une journaliste sportive au fait de tous les secrets de la boxe. À plusieurs reprises, elle a anticipé les gestes des deux athlètes, m'annonçant avec quelques secondes d'avance comment Mohamed Ali allait réagir après un assaut de George Foreman, avec quel bras ce dernier allait sortir son prochain uppercut et j'en oublie.

C'est pour désigner Malaïka que l'expression « garçon manqué » fut forgée. Sportive, taillée comme une lanceuse de javelot, elle ne s'impose aucune limite physique. Après s'être essayée au judo du temps où son père était diplomate en Corée du Sud, elle a pratiqué le tennis, le basket-ball, la natation, et j'en oublie. Depuis deux ans, elle s'est affiliée au Cercle hippique de Kinshasa, non loin du Palais présidentiel du Mont Ngaliéma. L'équitation est ainsi devenue sa nouvelle passion. C'est là qu'elle s'offre des plages d'évasion de l'irrationalité du monde dans lequel elle vit. Celui de sa famille et de son entourage qui ne la regarderaient plus avec les mêmes yeux s'ils devaient soupçonner qui elle est vraiment. Son secret, son fardeau, je suis la seule à le partager avec elle. Elle sait qu'elle peut me faire une confiance totale, voire aveugle. L'inverse n'est pas moins vrai. Je me confie à elle comme à nul autre. Nous nous comprenons, nous nous soutenons. Nous savons trouver chacune le mot, le geste que l'autre attend pour garder la tête hors de l'eau et ne pas chavirer. Dans ce beau pays de l'authenticité, son secret a des parfums d'abomination. Malaïka est aux filles. Lesbienne. Neuf lettres qui lui vaudraient l'ostracisme complet si un seul membre de sa famille savait la raison première qui lui fait préférer la compagnie de certaines femmes expatriées rencontrées au Cercle hippique, à celle des «filles à papa» qu'elle côtoie à Nsele. Tant qu'elle sillonnait l'Asie, mais surtout l'Europe avec sa famille, les choses étaient simples. Hors des murs de la maison familiale, elle pouvait vivre la vie qu'elle voulait sans que son homosexualité ne déclenche d'apocalypse. Ici, c'est différent. Elle sait ce que son père pense de «ces mœurs venues d'ailleurs qui sont la honte de l'espèce humaine». C'est une forte en tête qui n'a pas peur d'affirmer ses opinions et ce n'est pas à cette férue d'anthropologie qu'on ferait avaler pareille ineptie. Mais elle sait choisir ses batailles, Malaïka. Celle-là raserait tout autour d'elle, en commençant par son adorable petite maman. Une femme au cœur d'or. Une épouse et une mère modèle. La bonté personnifiée, ce qu'elle a transmis à l'aînée de ses cinq enfants. Elle ne peut pas lui faire ça. Elle se tait. Elle bluffe. Elle essaie d'être une autre dans sa peau à elle.

Nos destins étaient faits pour se croiser. Alors qu'elle est folle amoureuse d'une beauté du nom de Lola, étudiante en art dramatique et fille de militaire, Malaïka vient de se fiancer avec le fils d'un des amis de son père. Un jeune architecte qui a mené de brillantes études en Belgique, qui réussit plutôt bien dans sa jeune carrière et qui lui offrirait la lune et le soleil réunis sur un plateau doré si elle devait le lui demander. «Il est pathologiquement malaïkisé, le pauvre! Si seulement il savait…» me confiait-elle il y a quelques jours alors que nous rentrions du gymnase où nous étions allées assister à l'entraînement d'Ali. Ils se marieront l'année prochaine. Elle lui donnera peut-être des enfants. Mais elle ignore si elle pourra tenir longtemps dans ce mariage sans trouver, en guise de bouffée d'oxygène, une fenêtre à travers laquelle sa sexualité devrait pouvoir s'exprimer. Elle se demande si elle parviendra à rompre tout lien avec la très jolie Lola, l'amour de sa vie. Ma situation l'intrigue. Parce qu'elle a eu droit à mes propres confessions intimes, elle sait que le bonheur que certaines femmes de ma génération m'envient est un trompe-l'œil. Il ressemble à celui que vit le dandy qui a chaussé de splendides souliers trop petits pour ses pieds, mais qui souffre en silence, les dents serrées et le sourire jaune, pendant que tous les invités à la fête qu'il a organisée s'éclatent. Trois ans de mariage sans sexe, sous une abstinence subie, il faut le faire!

Au début, quand je l'ai découvert après que mon homme eut tenté en vain de dissimuler «le problème», j'ai vu mon horizon s'assombrir, puis le ciel et la terre s'enlacer dans un tourbillon qui m'expulsait vers l'épicentre du néant. Stupeur. Tremblements d'une magnitude de cent degrés sur une échelle qui devait en compter autant. «Pourquoi a-t-il voulu m'épouser, lui qui était déjà marié, sachant que les plaisirs de la chair venaient de lui tourner le dos à seulement quarante-cinq ans?»

C'est Malaïka qui, un an plus tard, lorsque nous sommes devenues les meilleures amies au monde, a esquissé une réponse qui tombait pourtant sous le sens: «Parce qu'il voulait une femme trophée, ma belle!» Ce statut qui en aurait peut-être sidéré plus d'une au point de laisser tout plaquer, je l'ai accepté stoïquement. Je suis la femme du conseiller spécial, «l'homme qui murmure à l'oreille du Guide», ainsi que l'a surnommé la presse. Son deuxième bureau, celle qui est venue combler la somme des «manques» sans visage et sans nom qui peuplaient son premier mariage avec la femme choisie par son défunt père, ma rivale. À elle la progéniture, autrement dit le lien de sang par lequel notre homme passera à la postérité. Je sais que sur ce terrain-là, jamais je ne la rattraperai. J'ai choisi de ne pas en faire le drame de ma vie. J'ai pris le parti d'être celle qui jouit du bonheur, si éphémère soit-il, de ce que procure la luxure. Prendre ce que la vie m'offre en compensation. Sans questionner demain, parce que demain n'appartient à personne, sinon au Créateur. Sans avoir à travailler, j'ai tout ce dont j'ai besoin. Je me rends à Paris renouveler ma garde-robe quand je veux. Je vais en vacances à l'île de Majorque ou à Chypre lorsque je le décide. Ma vieille maman est présentement en repos chez moi après des soins médicaux à Lausanne. Ma famille vit à l'abri du besoin. Demain ? Demain répondra à demain. J'ai vingt-cinq ans et j'en connais qui donneraient des baffes au destin s'il osait seulement montrer sa tronche. Maudire une vie comme la mienne équivaudrait à jouer à la courte paille avec le diable.

Malaïka a peur de vivre comme une asexuée entre les quatre murs de son futur mariage, alors que mon ascétisme sexuel à moi est déjà à son comble. Blagueuse et coquine, elle n'arrête pas de jouer les provocatrices. Ainsi, ce matin quand elle est arrivée à la villa et qu'elle s'est fait ouvrir le portail par Modéro. Faisant allusion à mon jardinier qui venait de finir la tonte des fleurs, les biceps et les abdominaux aussi reluisants sous la sueur que des lingots de cuivre plaqués sur un dieu grec, elle s'est exclamée : « Comment tu fais, ma belle, pour ne pas lui sauter dessus, ce mec ? Je croyais que tu étais une affamée sexuelle ! » J'ai haussé les épaules avec un demi-sourire. Si elle savait à quel point j'aurais aimé franchir ce pas, si j'avais cette audace qu'elle me prête. Mais tout est si facile avec des « si ». Bref, il faut laisser le temps faire son œuvre.

Soudain, elle se penche vers moi en me secouant comme un pantin :

— Ma belle, tu n'as plus aucun souci à te faire, tu l'as, ton visa pour les *States* ! Je viendrai te voir à New York, tu t'imagines ? On ira à Broadway ! George Foreman ne peut plus tenir le coup. Regarde donc son visage ! Il est en train de se faire littéralement démonter, le bougre ! Et on est seulement à la fin du sixième round.

— Je ne peux pas le regarder, c'est atroce ce qui est en train de se passer. Mais quel cinglé a inventé cette mise à mort codifiée qu'on fait passer pour un art ?

Sur son siège, mon mari ne tient plus en place. Il doit être de plus en plus convaincu de gagner son pari avec le Guide. Le Guide qui, tout à l'heure, m'a gratifié d'un baisemain que Malaïka a jugé « trop appuyé pour être honnête ». J'ai protesté. Elle m'a rappelé quelque chose que je lui ai confié il y a quelques semaines, mais qui m'était sorti de la tête depuis. La dernière fois qu'il a commandé un de ses plats préférés et qu'il est venu souper chez moi, le grand chef a profité d'un moment d'absence de mon homme pour me lancer un drôle de compliment : « Madame, on vous l'a sans doute si souvent répété que ce que je vais dire vous semblera dénué d'originalité... Mais faut-il prétendre que *La Joconde* est une horreur parce que bien des poètes l'ont immortalisée comme une merveille de l'art contemporain ? J'ai la faiblesse de croire qu'il y a au fond de vos yeux plus de diamants que dans toutes les rivières du Zaïre réunies. » Sarcastique, Malaïka avait commenté : « Assurément, Dieu ne donne pas tout. Ce n'est pas parce qu'on est vénéré par plus de trente-deux millions d'individus que cela fait de vous un autre

Léopold Sédar Senghor. Lui, un poète? Un poète raté, à l'évidence!» Moi, ce qui m'avait fait sourire, l'instant de surprise et de gêne passé, c'était que le Père de l'authenticité ait célébré Leonardo da Vinci plutôt qu'un bon artiste de son pays, car il n'en manque pas. Les yeux d'une femme seraient-ils dotés du pouvoir de déconstruire l'équation révolutionnaire?

Malaïka, de nouveau à la charge:

— Je te gage, ma belle, que George Foreman ne finira pas le septième round. Il est au bout du rouleau.
— Et moi je n'ai qu'une envie: qu'ils en finissent.

ZANGAMOYO BATULAMPAKA

NOUS SOMMES SEPT DANS LE VILLAGE à assister en direct au combat de cette nuit. Six hommes et une femme. Je suis le plus âgé de tous, le plus jeune d'entre nous a vingt-neuf ans. Un jeune homme que son oncle a initié pour le brider après quelques facéties qui avaient jeté l'opprobre sur le clan tout entier. Pas un seul d'entre nous ne s'en vantera publiquement au lever du jour, mais chacun gardera au fond de son esprit cette fierté que tout initié éprouve d'avoir accès à un univers qui échappe royalement au commun des mortels. Ceux qui sont dotés de quatre yeux face à ceux qui en ont reçu seulement deux. S'il devait arriver aux premiers de se croiser en présence des seconds, les commentaires sur l'événement se feraient par de subtiles périphrases. Les intéressés pourraient tout aussi bien se servir des métaphores les plus innocentes. J'entends déjà mon ami Mamonamboa, le chef du village, me demander en clignant de l'œil si j'avais vu à quel point la pleine lune était belle la nuit dernière. Ce à quoi je lui répondrai que je m'étais attendu à un orage, mais que finalement rien ne vaut la contemplation d'un si beau ciel lorsqu'on est lâché en pleine nuit par le sommeil. Et nous enchaînerons, espiègles, sur les joies et misères du crépuscule d'une vie sur terre. Nous passerons alors pour deux vieillards en manque de sujets de conversation. Ainsi l'étanchéité des frontières s'en trouverait préservée.

Modéro et Yankina ont honoré la parole et le travail des Esprits. Toutes les instructions ont été respectées et le *ngolo ya bakala* est à l'œuvre. La tête du chien qui représente l'adversaire est posée sur mes genoux. Je tiens dans ma main droite l'aiguille que j'enfoncerai entre les deux yeux de ce qui reste de l'animal, au milieu de la huitième reprise, lorsque le coq noir que j'ai enchaîné au grand pilier au centre de la case aura chanté pour la huitième fois de suite. À l'instant même, à Kinshasa, George Folima s'écroulera comme un sac de *fufu* devant la foule médusée. Mohamed Ali sera porté en triomphe et pourra regagner l'Amérique aux bras de son épouse. Il adressera une prière à son Dieu. Une longue prière ponctuée de ses larmes qu'il ne montre jamais à ses semblables.

Il sera écrit dans les journaux du monde entier beaucoup de choses risibles. Il y aura ceux qui diront que le nouveau champion du monde doit sa victoire à une tactique dont on aurait dû prévoir le succès. Au lieu de s'enfermer des heures dans une salle à taper furieusement dans un sac, il a préféré d'abord préparer son corps à recevoir un nombre incalculable de coups infligés par ses partenaires d'entraînement. Comme cela ne pouvait suffire, il a mis à très rude épreuve la résistance de ses poumons en courant à Kinshasa sous un soleil de plomb. Après cela, les violents assauts de son adversaire étaient une musique qu'il avait lui-même écrite pour qu'un autre l'exécute au moment où il aurait envie d'en savourer les notes.

Il y aura ceux qui prétendront que la défaite de Folima George était due à une accumulation de faits dont certains tiendraient du manque de pot, tandis que d'autres allégueront qu'elle résulterait de sa turpitude. On supputera le désamour dont il fut l'objet de la part d'un public local qu'il n'avait jamais cherché à séduire. On ergotera sur l'erreur d'avoir livré non pas le combat qu'il avait mis des mois à préparer, mais celui que lui avait imposé son adversaire sur le ring. Certains iront jusqu'à l'accuser d'avoir sous-estimé un adversaire pourtant plus redoutable que plusieurs cogneurs de sa catégorie réunis. Et la liste sera longue comme le chant lugubre qui accompagne ceux qui remontent à l'envers le courant de l'existence pour gagner l'autre rive du fleuve de la vie.

Il y aura Modéro et l'homme du président qui ne pourront s'empêcher de se vanter d'avoir exploré la face cachée de la Lune. Incommensurable défi, en effet, que celui de se taire toute sa vie durant, après avoir eu le rare privilège d'être à la manœuvre pour l'exploit consistant à faire échapper un homme à son destin. Tout ce que leur discours aux parfums d'orgueil leur vaudra auprès de ceux qui ne croient que ce qui est dit dans le livre de la science de l'homme blanc, ce sera mépris et railleries. Et même celui qui répond présent lorsque son curé l'invite à l'eucharistie pour déguster le pain et le vin changés respectivement en chair et en sang du Christ, leur rira au nez. Celui-là dira, en les regardant dans le blanc des yeux ou lorsqu'ils auront le dos tourné : « C'est fou comme dans ce siècle où l'Homme est allé à la rencontre des étoiles et en est revenu, il se trouve encore des individus qui ont du temps à consacrer aux charlatans!» À celui-là, je réponds: «Malheur à toi qui as tout compris, toi qui te gargarises de raison du haut de ton orgueil. Sans mystère et sans le doute qu'il ne peut que générer, que te reste-t-il sur cette terre, si ce n'est de mourir l'esprit constipé?»

L'EXILÉ (PROFESSEUR KABAMBI)

Paris, le 30 octobre 1974

MONSIEUR LE CONSEILLER SPÉCIAL ET CHER COMPATRIOTE,

J'ai beaucoup hésité avant de donner suite à votre lettre du 15 septembre relative à ce que vous qualifiez d'«appel à la raison». Deux motifs à cela : le premier est ma crainte que mon geste, en soi, n'apparaisse comme un repentir de ma résistance citoyenne affichée hier au pays et un fléchissement dans la lutte que je mène désormais depuis le territoire de la République française, pour redonner à notre peuple la foi en son avenir. Le deuxième est que je ne suis pas sans savoir qu'en dépit des apparences, votre pouvoir et votre influence personnels auprès de votre maître sont modestes. Vous êtes certes un des rouages importants du système ; mais vous évoluez dans un univers autocratique où, dans certains dossiers, votre parole ne vaut pas plus que celle du troubadour qui chante les louanges du «Guide» sans se préoccuper de l'air du temps dans le reste du monde.

J'ai néanmoins choisi de vous répondre. D'abord, parce qu'en invoquant «la Raison», vous, le féru des sciences qui avez lu René Descartes et Frantz Fanon, lancez dans les airs un boomerang qui finira sa course où vous savez. Ensuite, parce que le message est finalement plus important que le geste. Il s'agit de faire savoir à celui qui se cache derrière une démarche qui ne saurait procéder d'une initiative individuelle de votre part, une chose fondamentale. Ce qui me distingue de vous et justifie mon rejet inconditionnel de toute forme de participation à un gouvernement de votre parti antidémocratique, va au-delà d'une question d'ego. Mon combat et mes livres ne s'inscrivent ni dans une logique vengeresse, ni dans une démarche messianique. Lorsque j'ai alerté votre gouvernement des dangers de la zaïrianisation, j'ai parlé d'abord en économiste, ensuite en patriote. J'ai fait ce que je savais être mon devoir moral et civique. Cela m'a valu la prison. De la prison, j'ai pris le chemin de l'exil. Aussi absurde que cela puisse paraître, mes frères d'ethnie ont payé et continuent à payer pour mes idées, pour mon refus de cautionner la barbarie érigée en projet de société. Mon seul souci a été et restera le destin de mon pays, de l'Afrique, le devenir de mon peuple.

Enfin, j'ai choisi de vous répondre pour faire passer à votre patron un autre message qui aura un poids différent si c'est vous qui le lui dites plutôt qu'un autre parmi vos collègues ; je veux dire cette pseudo-élite que « la révolution par le sperme » – ne vous en déplaise – a transformée en une clique de béni-oui-oui. Parce que je connais votre rectitude et j'ai eu vent de certaines prises de position courageuses qui ont été les vôtres dans le passé, malgré un environnement hostile à toute critique de la ligne du parti inique (car il n'est pas seulement unique).

Dans votre lettre, vous avez invoqué à onze reprises la doctrine qui inspire votre politique et dont vous avez fait votre cheval de bataille afin de concurrencer le président Léopold Sédar Senghor, l'un des pères de la négritude. « Authenticité africaine », dites-vous. Si j'adhère sans a priori à l'idée de valoriser ce qu'il y a de noble et de positif dans nos traditions ancestrales – nous qui sortons il y a seulement quatorze ans de la colonisation belge –, laissez-moi douter de la pertinence du projet politique qui entoure cette belle profession de foi. Notre peuple a-t-il besoin, en mil neuf cent soixante-quatorze, d'une œuvre de déchristianisation sur fond de chasse aux prêtres noirs dont le seul tort est de dénoncer les excès de la dictature ? Ou plutôt d'écoles bien gérées à l'instar de celles aux mains de l'Église catholique locale ? Ou encore de l'apologie aveugle et nombriliste d'une Afrique perdue où, supposément, tout était tout beau avant Mathusalem ? N'est-ce pas plutôt d'une Afrique contemporaine, ancrée dans les défis du quotidien, où qu'importent votre foi et vos convictions, vos droits sont respectés et votre bien-être garanti par l'État postcolonial voulu par Patrice Lumumba et ses vaillants compagnons ? Est-ce que notre peuple a besoin d'une histoire falsifiée qui veut que tous nos malheurs viennent des « Impérialistes », quand on sait que le régime en place, comme ailleurs en Afrique, brade nos ressources naturelles au plus offrant, autrement dit à ces mêmes « Impérialistes », pour enrichir une poignée de parvenus ?

« Appel à la raison », dites-vous. La raison prescrit-elle à notre peuple une authenticité dont la principale expression consiste à lui indiquer comment s'habiller « pour ne pas ressembler à l'ancien maître blanc », lors même que la cour du « Guide » accumule villas, hôtels particuliers, manoirs et autres acquisitions de pur prestige au pays de ce même ancien maître blanc ? Pour régler vos comptes avec un clergé réfractaire à vos dérives et sous le fallacieux prétexte que l'ancien colonisateur a prétendu que Dieu était blanc, vous avez tenté de détourner de la divinité biblique des milliers d'êtres libres. Si ce Dieu-là existe, il Lui incombe de défendre sa propre cause. Pour ma part, la question que je vous adresse est la suivante : par quoi

pensez-vous avoir remplacé cette négation de la foi chrétienne balancée à coups de décrets? Par un néant que chacun s'efforcera de combler avec ce que bon lui semblera; mais certainement pas avec une prétendue «tradition ancestrale authentique» dont la seule expression tangible à ce jour reste le mantra de «l'Union de tout le Village-Nation derrière un seul Chef».

J'ai eu «la chance» d'aller voir vos prisons de l'intérieur. Vous y traitez l'homme noir pire que l'animal. Les hommes de Léolpold II qui avaient commis dans ce pays les crimes les plus abominables ont trouvé en votre régime des zélés continuateurs. Où est donc votre authenticité africaine, vous qui singez la félonie du colonisateur jusqu'à faire regretter à certains Africains la fin d'un système pourtant reconnu universellement comme avilissant? La réponse, vous la connaissez: «la raison», chez vous, a consisté à choisir le pire des deux mondes: la déshumanisation de l'ancien maître et la cruauté de certains parmi nos monarques traditionnels qui n'étaient pas tous — loin s'en faut — les modèles de vertu que vous en faites à titre posthume. Vous avez refusé — non pas dans les discours, mais dans les actes — les valeurs universelles que les penseurs occidentaux et africains ont coulées dans les textes qui nourrissent l'action politique moderne en notre siècle. Vous avez fait pareil pour celles, toujours pertinentes, qui inspirèrent plusieurs types de gouvernance dans nos sociétés traditionnelles. L'usage du pluriel ici vise à vous rappeler, car cela ne me semble pas inutile, que nos sociétés d'antan connurent différents modèles de gouvernance, tant dans l'espace que dans le temps. Si certains générèrent le bonheur et la prospérité, d'autres firent le lit de la tyrannie et de la misère. Ce que je veux dire, c'est qu'après ce double renoncement, vous ne devriez surtout pas vous arrêter en si bon chemin. Vous aurez alors gagné quelques batailles et perdu cette guerre de l'anti-impérialisme qui vous *obsède tant, pendant que nos enfants crèvent de rougeole et de malaria. En effet, pourquoi faire les choses à moitié alors que vous croyez avoir trouvé LA solution aux maux qui entravent notre développement ?*

Après avoir banni les prénoms chrétiens, rebaptisé nos villes et leurs places, proclamez officiellement que vous voulez rétablir non pas la chicotte du chefaillon wallon ou flamand, mais l'esclavage du temps de nos royaumes et empires africains. Annoncez que vous allez faire brûler les archives nationales et encourager l'oralité chère à l'Afrique primitive. Tenez vos conseils de ministres sous l'arbre à palabre. Décrétez le remplacement de l'ensemble de nos facultés de médecine par une grande académie tropicale de guérisseurs bantous. Ordonnez que le jeteur de sorts qui officie dans le secret de sa case en chaume et en terre battue se substitue, au Palais de justice, au juge sorti de la faculté de droit. Et allez encore plus loin, puisque votre révolution se veut radicale et que le temps ne vous est pas compté. Que diriez-vous, par exemple, du remplacement de l'entraîneur blanc de notre sélection nationale de football par le plus grand sorcier africain doté des pouvoirs que lui ont légués ses ancêtres ? Nous pourrions gagner la prochaine Coupe du Monde et ça serait un honneur presque aussi grand pour le « Guide » que « le combat du siècle » !

Dans votre vibrant plaidoyer pour me convaincre de revenir dans le giron du « Père de la nation », vous en avez encore appelé à « l'authenticité africaine ». Je devrais, selon vous, privilégier les vertus du dialogue et de la soumission au chef, « valeurs chères à nos traditions ancestrales ». La vérité, Monsieur le Conseiller spécial, est que vous vous trompez de combat. Derrière un besoin légitime de ne pas oublier son passé et son patrimoine historique, vous avez produit une œuvre de mystification qui n'a pour but que d'asseoir le pouvoir d'un homme. Pourtant, à la différence de la négritude que je considère à titre personnel comme une supercherie intellectuelle dont la source est à rechercher dans le regard méprisant du colonisateur, philosophie bancale qui voudrait imposer aux Noirs un destin commun sur la base de la couleur de la peau – lors même que sans l'arrivée de l'Européen en Afrique, rien n'aurait jamais uni un Sérère du Sénégal à un Xhosa de l'Afrique du Sud, pas plus qu'un Peul du nord du Mali à un Muluba du Kasaï –, l'authenticité aurait pu être le pendant légitime, voire naturel, de l'identité nationale. Par son postulat non raciste et donc non clivant, elle pouvait revendiquer une pertinence à l'égard de tous les peuples du monde quant à la préservation de leurs patrimoines anciens respectifs, socles sur lesquels ils ajouteraient ce que le brassage des cultures leur aura apporté au fil du temps et des échanges avec d'autres civilisations. En ce sens, l'authenticité devrait être le point de départ vers l'ouverture au monde, une conscience de soi qui protège du nivellement culturel qui ne peut se faire qu'au détriment des peuples ayant subi une domination étrangère. Vous en avez fait le point d'arrivée, la clé de voûte du repli identitaire, une fin en soi. Ce faisant, vous l'avez mutilée, vous l'avez tuée et vous êtes mis à danser autour de son cadavre défiguré. Le sort du peuple est devenu le dernier de vos soucis. Celui-ci manque d'hôpitaux ? Vous achetez des armes à ne savoir où en mettre. Des routes font défaut ? Le Guide rêve de reconstruire une nouvelle capitale dans son village natal, au cœur de la jungle. Nos universités manquent cruellement d'équipements ? Vous mettez une fortune pour organiser, dans une capitale où beaucoup de gens vivent sous le seuil de la pauvreté, un événement sportif qui n'a qu'un but: la gloire de l'homme providentiel, par ailleurs donneur-ensemenceur universel dans un monde où les collaborateurs du prince sont tenus en respect par l'arme sexuelle. Cette folie des grandeurs est ce qui reste lorsque la raison bat en retraite pour laisser la place à la déraison d'État.

Qu'est-ce qui pourrait justifier cet irrépressible besoin de bluff? Que cachez-vous? Que cherchez-vous à dissimuler à l'attention du monde par cette grand-messe et par d'autres qui l'ont précédée, tandis qu'un pays que tout destinait à la grandeur va à vau-l'eau? Car parler du «combat du siècle», c'est ne pas parler de l'État-vampire que vous avez bâti sur les décombres de l'État colonial. C'est passer sous silence les crimes d'État qui jalonnent le règne du Prince des Ténèbres qui s'est imposé à vous comme le «Guide éclairé». C'est escamoter le revers de la médaille que le jugement de l'Histoire a déjà décernée à votre ersatz de République. Parler du «combat du siècle», Monsieur le Conseiller spécial, c'est cacher l'envers du décor.

Quand cette lettre vous parviendra, le champion du monde de boxe des poids lourds aura probablement déjà quitté le sol africain. À vous qui avez inspiré et coordonné son sacre, je pose cette dernière question: quel gain notre peuple qui a payé la note de ces quelques minutes d'émotions sportives en aura-t-il tiré? Je ne peux pas croire que tout se résume dans ces billets de banque que «le Guide» voudrait imprimer avec, ai-je appris, les visages de messieurs Ali et Foreman à côté du sien. Je ne veux pas croire que vous demandez à notre peuple de se satisfaire de ces timbres postaux où j'ai pu lire: «Ali et Foreman font confiance au Guide de la Révolution. Faisons comme eux aujourd'hui, demain et dans cent ans.» Vous avez sans doute connaissance de quelque secret qui m'échappe, à moi qui vis sur les bords de la Seine.

Quand vous aurez répondu à toutes les questions que je vous ai posées dans ces quelques lignes, alors je pourrai entamer un dialogue avec votre gouvernement. Je pourrai vous dire pourquoi j'ai préféré, jusqu'à récemment, «vivre aux crochets de nos anciens spoliateurs», comme vos amis l'ont souvent dit, plutôt que de mourir tous les jours dans la honte de travailler contre le bonheur de mon peuple. Plutôt que de pactiser avec un régime corrompu qui fait du repli identitaire l'arbre qui cache la forêt dans les entrailles de laquelle un État-sorcier broie l'Homme.

Salutations patriotiques.

R. Kabambi
Maître de conférences à l'Université Paris X - Nanterre

ÉPILOGUE

LE RESTAURANT *DAY LICIOUS* SITUÉ AU CROISEMENT de la 75ᵉ Rue et de Central Park Ouest au cœur de Manhattan grouillait de monde en ce jour de l'investiture officielle du premier président noir des États-Unis d'Amérique, Barack Hussein Obama II. La clientèle était surtout constituée des touristes qui avaient passé l'après-midi sur l'île ou rejoint le quartier en début de soirée. Le thermomètre affichait -17 degrés Celsius, mais la rouquine qui présentait les prévisions météorologiques à l'antenne de MSNBC avec le sourire d'un vendeur d'assurance-vie avait annoncé que le facteur éolien porterait le froid ressenti en dessous de la barre redoutée de vingt degrés sous zéro. Une neige croûteuse qui avait recouvert New York d'un drap éclatant continuait de narguer les services de déneigement de la plus grande métropole de l'Amérique du Nord.

Assis au bar près de la baie vitrée donnant sur Central Park, le pasteur George Edward Foreman observait d'un air songeur un couple mixte qui marchait en se tenant la main, tandis que sur le grand écran plasma en face de lui, le nouvel occupant de la Maison-Blanche prononçait, avec un brin d'hésitation, les dernières paroles du serment que lui faisait répéter le juge en chef de la Cour suprême, John G. Roberts Jr :

« *That I will faithfully execute the Office of President of the United States… That I will execute the Office of President of the United States faithfully*[12]. »

— Cela fait maintenant plus de deux mois que le gars est élu président des États-Unis, mais pour moi tout ceci continue à ressembler à un beau rêve plus qu'à autre chose, lança le célèbre écrivain et réalisateur new-yorkais Peter Connelly, en se faisant servir une pinte de Boont Amber Ale.

Le pasteur, assis à sa droite, sourit en se prenant la tête entre ses mains épaisses :

— Eh bien, c'est surtout le début des emmerdes pour ton gars, si tu veux mon avis. Faut quand même être un peu cinglé pour vouloir ce job à la vitesse où les choses se gâtent dans le pays.
— Allons, Big George ! On ne va pas jouer les rabat-joie. Pas aujourd'hui, on s'entend ?

George Foreman s'était définitivement retiré du monde de la boxe à la fin de novembre mil neuf cent quatre-vingt-dix-sept après sa défaite controversée à l'âge de quarante-huit ans contre Shannon Briggs, de vingt-trois ans son cadet. Il avait aussitôt renoué avec la vie d'homme d'affaires et surtout d'évangéliste qu'il avait embrassée en

---

12 - Lors de la cérémonie officielle, le texte original « Je jure solennellement de remplir fidèlement les fonctions de président des États-Unis » avait été remplacé par « Je jure solennellement de remplir les fonctions de président des États-Unis fidèlement », ce qui avait fait hésiter le nouveau président.

mil neuf cent soixante-dix-sept, année où il avait surpris le public en accrochant les gants pour la première fois. L'athlète avait alors à peine vingt-huit ans. S'il avait cette fois tenu sa promesse de ne plus jamais revenir, sa double reconversion retrouvée n'empêchait pas les mordus du noble art, dont Peter Connelly, de continuer à lui servir du « champion » ou du « Big George ». Il s'en accommodait volontiers, conscient qu'on ne pouvait totalement se défaire d'un passé aussi retentissant que celui qu'il traînait derrière lui.

— Le cinéaste, on n'est pas loin de toucher le fond. Ce n'est pas toi, l'intellectuel qui fait copain copain avec des vampires notoires de Wall Street, qui vas me contredire. Si ?

— Il ne faut pas exagérer, Big George…

— Exagérer ? L'Irak, l'Afghanistan, le désastre des prêts hypothécaires à risque… A-t-on besoin d'exagérer ? Ton pauvre gars va cogner le mur, c'est couru d'avance et tu le sais très bien.

— Évidemment, si c'est tout ce que vous lui souhaitez…

— Le cinéaste, sauf blasphème… le fils de Dieu lui-même reviendrait parmi nous, se verrait confier cette maudite tâche qu'il irait droit dans le mur !

— À t'entendre plaindre Obama, on dirait Mohamed Ali. Vous êtes-vous passé le mot ?

— Pour une fois qu'on pense la même chose sur un sujet politique. Comme quoi la vieillesse peut faire des miracles, non ? Mais bon, de là à lui emboîter le pas pour nourrir les journalistes avides de la petite phrase qui fera le tour du pays…

Il but une gorgée de jus de mangue, caressa son large crâne dégarni et poursuivit :

— N'empêche que même affaibli par cette putain de maladie qui est loin de lui simplifier la vie, Mohamed Ali reste Mohamed Ali. Y a rien à faire.

— Si on pouvait se refaire à soixante-sept balais, ça se saurait, enchaîna Connelly.

— Il reste le mouton noir qu'il a toujours voulu être. Prêt à botter le derrière au premier emmerdeur qui s'aviserait de lui prescrire le langage mielleux des politicards. Mais si tu veux mon avis, il n'a rien contre le président élu, sinon il n'aurait pas répondu à son invitation à cette cérémonie.

Les deux hommes avaient en mémoire le commentaire sibyllin que l'ancien champion du monde avait émis quelques semaines plus tôt lors d'une entrevue accordée à une radio de La Nouvelle-Orléans :

« Quand tout sent la merde, après que ceux qui ont festoyé se sont évanouis dans la nature, devinez qui donc se porte volontaire pour tirer la chasse. Eh bien, le même qui faisait le sale job avant, pendant et après la guerre de Sécession. Mais bon, il fallait bien quelqu'un pour rendre ce pays vivable, n'est-ce pas ? »

— Aucun de ses amis ne lui demanderait de se censurer. On l'aime comme il est.

— Et il me semble que tu sois bien parti pour le lui prouver, lança Foreman.

— Il s'agit de remporter un pari qui pourrait effectivement lui démontrer que l'Amérique ne l'a pas encore rangé aux oubliettes, loin s'en faut.

— C'est tout à ton honneur.

— Oh ! j'apporte ma modeste contribution à la survivance d'un bout de l'Histoire cher à beaucoup de mes compatriotes. Histoire dont Ali et toi êtes les principales figures.

— Quand il en verra le résultat, je l'entends d'ici s'exclamer : «Toujours en avance d'une idée, ce bâtard de Connelly!»

— Et il ajoutera avec cette mauvaise foi qu'il aime bien cultiver : « Surtout s'il y a quelques millions à se faire sur la tronche des autres! »

— Ah! tu ne crois pas si bien dire. Tu ne crois pas si bien dire.

— Heureusement qu'il n'y a pas que l'argent dans la vie de Peter Connelly.

— Non, il y a aussi les honneurs, évidemment.

Le New-Yorkais sourit, mais éluda la pique.

— En fait, l'idée de départ était de lui offrir ce cadeau pour ses soixante-cinq ans… Mais que veux-tu? Tu peux me prêter tous les privilèges que tu veux, Big George, je ne peux pas tout accomplir au rythme que je désire.

— Parce que tu penses que Mohamed Ali boudera son plaisir pour un supposé retard d'un projet qu'il ignore de A à Z?

Entre les deux anciens adversaires emblématiques, les rivalités et les invectives avaient fini par rejoindre les souvenirs poussiéreux du beau vieux temps. Ali et Foreman n'avaient plus grand-chose à voir avec les deux jeunes issus des milieux pauvres du Kentucky et du Texas lesquels, des décennies auparavant, s'étaient promis de décrocher la lune par la seule force du poignet. Au printemps de leurs vies respectives, ils avaient réussi à se rendre maîtres des forteresses que l'Amérique ségrégationniste des pères fondateurs avait érigées sur les chemins menant à la réussite et à la reconnaissance. Ils avaient pavé la voie à des générations entières. Ce sentiment, ponctué par l'indolence de la marche du temps, leur avait apporté, à l'un comme à l'autre, un certain apaisement. Avec l'âge, loin des feux de la rampe, traînant chacun une progéniture nombreuse, les deux anciens champions avaient fini par avouer l'immense respect mutuel qu'ils se vouaient. Sans calcul, sans atermoiements. À quelques occasions, devant les micros ou loin des caméras, on les avait vus s'afficher dans une cordialité non feinte qui conjuguait humour et autodérision.

Quoi de plus normal, dès lors, que l'écrivain et réalisateur ait demandé à George Foreman de rester un jour de plus à New York où l'ancien boxeur était monté pour un séminaire évangélique, afin de l'aider à faire le point sur la surprise qu'il projetait d'offrir à son ancien meilleur adversaire, en guise de cadeau d'anniversaire. Maintenant que ce projet qu'il avait baptisé *Fighting Him Changed My Life*[13] était enfin arrivé à terme, Peter Connelly avait, en effet, jugé utile que celui qui incarnait dans l'imaginaire collectif les années les plus mémorables de la légende Mohamed Ali, s'en imprègne et lui fasse profiter de ses observations. Au nom d'une relation amicale qu'ils avaient tissée vers la fin de la carrière de Foreman, il savait qu'il pouvait compter sur le Texan.

En fait d'œuvre, celle-ci se résumait en un film documentaire et reposait sur une idée à la fois originale et simple. Originale en ce qu'elle procurait l'avantage de resservir au public le talent inégalé d'Ali sans que l'on ne retombe sur ce qui avait déjà été maintes fois présenté, notamment au moyen du documentaire très remarqué *When We Were Kings*

---

13 - L'affronter a changé le cours de ma vie.

(« Quand nous étions rois »), retraçant le *combat du siècle* qui s'était déroulé le 30 octobre 1974. Il s'agissait cette fois de donner la parole à dix anciens boxeurs toujours en vie qui avaient naguère affronté Mohamed Ali, afin que ces vieilles gloires ayant en partage le privilège d'avoir tenu le monde en haleine disent en quoi ces rendez-vous épiques avaient pu influencer la suite de leurs carrières respectives. Voire leurs vies. On n'aurait pas besoin de réentendre Angelo Dundee, Bundini Brown et toute l'équipe de la légendaire « *Ali Army* » décrire les coulisses de tel ou tel combat. On allait écouter exclusivement ceux qui s'étaient mesurés au Maître raconter en détail, avec le recul du temps, leurs expériences intimes ; bref, ce qui selon eux faisait de l'ancien disciple de Malcom X un adversaire d'exception.

Simple, l'idée l'était en ce qu'elle faisait reposer partiellement le travail sur une masse critique d'archives sonores, dont certaines jamais exploitées à des fins cinématographiques ou télévisuelles. Grâce à un réseau de contacts bien tissé aux quatre coins du pays, Connelly et son équipe savaient qu'ils pouvaient y accéder à un coût raisonnable.

L'évangéliste et l'écrivain-réalisateur avaient quitté le *Day Licious* et se trouvaient dans le bureau de Connelly, dans son domicile de la 66ᵉ Rue.

Sur la chaîne CNN, bien calé au fond d'un fauteuil roulant, Richard Bruce « Dick » Cheney, le vice-président sortant qui avait laissé sur les fronts afghan et irakien sa popularité comme un coq téméraire laisse ses plumes dans un combat trop inégal, tentait d'échapper à deux journalistes décidés de le prendre en sandwich. Il fut sauvé par l'arrivée du général à la retraite et ancien secrétaire d'État, Colin Luther Powell.

Le maître des lieux arrêta la retransmission de la cérémonie officielle, lança le film dans sa version inachevée, désactiva le son et se tourna vers Foreman :

— Je résume ce que tu viens de me dire ce soir : de George Chuvalo à Joe Frazier, tout est parfait. Par contre, tu proposes que l'on retire les quarante-cinq dernières secondes de Larry Holmes et qu'il y ait davantage d'éclairage dans la scène où… ?

— Celle où, dans les vestiaires du stade de Kinshasa, on voit Ali discuter avec Bundini du choix du peignoir, avant que n'intervienne l'éminence grise du dictateur africain.

Connelly fit défiler les séquences en accéléré jusqu'à la scène évoquée par son hôte.

— Techniquement, je doute que ça soit faisable… Pour cette séquence, je reprends des images d'archives, vieilles de trente-quatre ans. Qu'elles soient aussi bonnes relève déjà de l'aubaine, Big George.

— D'accord, d'accord. Parlons plutôt musique. Il y a un truc qui me chiffonne.

L'écrivain-réalisateur rétablit le son.

— Sais-tu ce qu'il avait dit en écoutant la bande de son de *When We Were Kings* en mil neuf cent quatre-vingt-seize ? demanda l'ancien champion du monde.

— Non.

— « Fabuleux. Authentique. On se croirait au Zaïre. »

— Rappelle-moi… C'était quoi, déjà ?

— O.K. Jazz. Un groupe de là-bas. Il aimait beaucoup leur musique. Tu le connais, il fonctionne à l'affect. Ce combat en Afrique lui a laissé quelque chose d'indélébile, il ne l'a jamais caché.

— Bon, on ne va quand même pas remettre le même truc. Et puis, mon projet couvre l'ensemble de sa carrière sportive. Le seul combat qui se soit déroulé en Afrique, de toute sa vie, c'est *Rumble in the Jungle*.

— Hey! Tu conviendras que je connais quand même un peu notre homme. Ton film sera un succès, c'est garanti. O. K.? Et pas seulement aux yeux de vieux briscards nostalgiques de la rengaine «*Ali, boma yé!*». Qu'on l'aime ou le haïsse, ce mec-là sera toujours associé à la grandeur de ce pays, car c'est ainsi que Dieu l'a voulu. Tu trouves le support musical qui va avec et tu tapes dans le ventre de l'Amérique comme jamais auparavant.

— Ce qui vaut pour Ali vaut pour toi, champion. C'est pourquoi j'ai tenu à ce que ton témoignage soit au centre du film. Je t'écoute…

— Eh bien, ça ne change rien au fait que le projet est dédié à Mohamed Ali. Alors, pense à ce qu'il va aimer, *lui*. O. K.?

— Je ne sais même pas s'ils savent à quoi ressemble un téléphone, tes gens de K.O. Jazz. L'ex-Zaïre est un pays en guerre, le savais-tu? On ne va pas débarquer là-bas entre deux cessez-le-feu pour négocier un contrat. Même flanqués de Bono!

— D'abord, ce n'est pas K.O. Jazz, mais O.K. Jazz. Et personne ne te demande d'aller au Congo ou d'embaucher Bono, Clooney ou je ne sais quel faux cul, le cinéaste! Ce que je veux que tu entres dans ta tête, pour l'amour de Dieu, c'est que si tu veux que ça soit un cadeau que l'intéressé va adorer pour ses soixante-sept ans, tu changes ta musique. Ton rap de MTV, il s'en tape comme de son premier dentier, le gars !

Abandonnant Foreman à la contemplation d'une statue d'Abraham Lincoln ciselée dans une défense d'éléphant, Connelly se dirigea vers sa discothèque et revint avec une pile de cédéroms. Foreman les passa en revue et éclata de rire :

— Mais pourquoi es-tu persuadé que Mohamed Ali adore le hip-hop ? Trouve-lui quelque chose d'exotique, nom de Dieu !

— Si tu as une idée, pourquoi ne la partages-tu pas ?

— Bien, tantôt, dans la voiture, je pensais à un truc que j'ai écouté ici même à New York, sur les ondes de... C'est quoi déjà... ?

Il fut interrompu par la sonnerie du téléphone. Connelly chaussa ses lunettes, se pencha au-dessus de l'écran avant de prendre l'appareil, puis s'excusa en s'éloignant de nouveau vers la bibliothèque. À son retour, il affichait un air contrarié qui se changea rapidement en sourire devant son célèbre invité :

— Rien de grave ?

— Non... En fait, je vieillis mal, Big George. J'avais oublié de confirmer un rendez-vous assez important, toujours lié à notre projet. Mon homme m'appelait de Los Angeles sur la côte Ouest pour savoir si ça tenait toujours.

— Pour le projet ? Tant que ce n'est pas Frazier qui se rétracte...

— Frazier doit avoir dépensé la totalité de l'avance que je lui ai refilée ; ça m'étonnerait qu'il fasse marche arrière, sauf s'il s'est fait la Réserve fédérale.

— Il y a un âge pour ce genre d'embrouilles.

— Alors, une idée à me proposer, à part l'étalage de ta détestation du hip-hop ?

— Ça me revient… Avant ton coup de fil, j'étais en train de te dire que j'avais écouté un truc intéressant sur la station Black Destiny – tu sais, la radio sur Broadway qui aurait lancé depuis quelques années un concours pour jeunes talents…

— Ah, je vois que les pasteurs de l'ère Facebook vivent avec leur temps ! Tout le monde à New York City connaît BD-FM et son concours *Ebony Lyrics,* Big George. M'exclurais-tu parce que je suis un vieux blond croulant aux yeux verts, par hasard ?

— Tu devrais me laisser finir au lieu de me sortir tes blagues pseudo-racistes à la con. Si je n'écoute pas la même chose que le peuple égaré de Dieu, comment saurai-je toucher son cœur dans mes prêches ?

— Continue, s'il te plaît. Et tu écoutais quoi au juste ? Un gospel africain ?

— Ne sois pas bête.

— Allez !

— J'écoutais le morceau qui a remporté la dernière édition du fameux concours. Un texte absolument magnifique sur une musique à vous couper le souffle.

— Eh bien, pasteur !

— Un mélange très réussi de jazz, de country et de je ne sais quoi d'autre, sur fond de percussions. Absolument envoûtant !

— Tu viens de dire « envoûtant », pasteur ?

— Attends, le cinéaste, attends…

— J'attends toujours de savoir pourquoi cette musique-là serait comme par enchantement la bonne musique pour *mon* film.

— Parce qu'elle a un cachet unique qui n'a pas dû échapper aux auditeurs qui l'ont plébiscitée. Un tempo qui combine à merveille les sons d'ici et d'un ailleurs qui parlera aux souvenirs de Mohamed Ali, je n'en ai pas le moindre doute. Si cela ne suffit pas pour que tu t'y intéresses un peu...

— Tu veux dire que c'est une chanson du Congo ? Chantée en dialecte africain ? Non, mais... Big George... ?

— Est-ce que tu m'as entendu parler d'un dialecte africain ? Parce que tu penses que ces mecs d'*Ebony Lyrics* ont une seconde à consacrer aux œuvres d'artistes qui bossent en Afrique ?

L'écrivain-réalisateur sortit un paquet de Rothmans de la poche de sa veste, se souvint que son vis-à-vis ne fumait pas et l'expédia d'un jet sur l'accoudoir de la chaise longue aux pieds de la cheminée.

— Big George, excuse-moi si j'accorde un intérêt proche de zéro à *Ebony Lyrics*, *American Idol* et toutes ces salades bonnes à endormir une jeunesse désemparée...

— Mais tu ne la connais pas, cette « jeunesse désemparée » ! De quoi tu parles ? Regarde où tu crèches, Monsieur Pulitzer ! Dans un nid en or massif au cœur de Manhattan. La « jeunesse désemparée », tu ne lui parles que par tes films interposés, vu que tes bouquins coûtent la peau du derrière pour la majorité d'entre eux ! On s'entend là-dessus ?

— O. K., champion. On parlait de *ta* chanson.

— Mais bordel ! C'est mission impossible de chercher à convaincre un intellectuel new-yorkais droit dans ses bottes que la musique, comme la boxe, ne doit son charme qu'à sa capacité à brouiller les pistes des pseudo-experts !

— Je jette l'éponge...

— Heureusement que l'intello qui a conseillé le jeune homme à participer à ce concours ne te ressemblait pas.

— L'intello… ?

— Je t'ai dit que ça se passait à la radio, O. K. ? Tu connais la station, tu connais l'émission, donc tu sais de quoi je parle. C'est déjà ça.

— D'accord.

George Foreman laissa passer quelques secondes de silence puis, d'une voix plus apaisée :

— On passe la chanson. Une perle, que je te dis. Enfin, selon moi et selon les auditeurs qui ont voté pour elle. C'était eux, les experts. O. K. ? À la fin, l'animateur accorde une interview au jeune artiste auteur de l'œuvre.

— Oui, il lui accorde une interview…

— Le jeune homme dit que l'idée d'envoyer sa chanson à ce concours qui a permis de la faire connaître lui a été soufflée par son parrain qui est professeur de journalisme à l'Université… de Chicago. Donc, un intello comme toi.

— À ma connaissance, il n'y a pas de département de journalisme à l'Université de Chicago, champion.

— Je peux me tromper, mais il parlait bien d'un professeur de journalisme qui enseigne à Chicago. De ça, je me souviens très exactement.

L'incrédulité se lisait sur le visage de Peter Connelly. Tout en se frottant les mains d'un geste machinal, il se dirigea vers la chaîne hi-fi incrustée dans le mur derrière le poste de télé.

— L'émission dont tu parles passe tous les vendredis entre 9 et 11 heures du matin, et il y a une rediffusion le mardi suivant entre 7 et 9 heures du soir. Nous sommes mardi, non ? Donc, si je mets mon poste à 99.05 sur la bande FM, dans… sept minutes exactement, nous devrions écouter la chanson qui t'a «envoûté».

— Tu vois, avec un petit effort, tu finis par trouver où ranger ton entêtement d'intellectuel-qui-sait-tout.

En moins de six minutes, le temps que dura *Dream As A Legacy*[14], George Foreman vit Peter Connelly passer du froncement de sourcils au sourire radieux d'adolescent subjugué. Preuve qu'il avait fini par tomber sous le charme de ce qu'il écoutait, quelque part vers la deuxième minute, le sexagénaire s'était mis à accompagner frénétiquement le rythme endiablé des percussions des tapotements réguliers de son index sur l'acajou du bureau, tandis que sa jambe droite martelait le bois sous ses pieds. Lui tournant le dos, son hôte jouait à celui qui ne remarquait rien, mais ne se félicitait pas moins de son coup de cœur. Il ne pouvait imaginer un seul instant que cette musique-là laisse de marbre quiconque aimait bouger un tant soit peu, qu'importe l'âge ou la couleur de peau.

Ils eurent droit à l'interview qui succédait à une brève pause-publicité où furent vantés tour à tour les services d'une firme d'avocats spécialisée dans «le divorce sans douleur», le savoir-faire d'un roi de la chirurgie esthétique et les cinq raisons de signer la pétition en faveur d'un accès plus facile aux armes de poing dans l'État de New York :

— *Bonjour ModN' Ron. D'abord, ce surnom... d'où vient-il?*

— *Mon vrai nom est Ron Christopher Modéro Jr, le nom que m'a donné mon père à qui je dédie la chanson qu'on vient*

---

14 - Le rêve en héritage.

d'écouter. ModN' Ron est une trouvaille de mon parrain qui est professeur de journalisme à l'Université Loyola de Chicago. Monsieur Baxter – pour ne pas le nommer – est la personne qui m'a convaincu de passer outre à mes hésitations et de soumettre ma chanson à votre concours.

— On doit dire que votre parrain a l'oreille du connaisseur, vu le succès que votre morceau connaît en seulement deux mois. Je rappelle d'ailleurs qu'en l'espace de trois semaines, la vidéo que vous en avez faite a été vue plus de deux millions de fois sur YouTube. Dites-nous : pourquoi avoir intitulé cette chanson « Dream As A Legacy » ?

— Pour une raison simple : je voulais rendre hommage à mon père qui en a écrit en partie les paroles. Modéro Zangamoyo – c'est son nom – est arrivé sur le sol de l'Amérique en mil neuf cent soixante-quinze, ne parlant pas un mot d'anglais, avec le rêve fou d'y faire carrière en musique.

— Il venait du Zaïre, c'est bien cela ?

— Oui. La République démocratique du Congo, où il a passé plus de la moitié de sa vie, s'appelait Zaïre à l'époque. Il débarquait ici le corps et l'esprit pétris de ce rêve, alors même qu'il n'avait pas réussi à le concrétiser dans son propre pays dont il parlait la langue.

— Parlant des rêves, après le concours, il a été entendu ici et là que votre chanson était un clin d'œil au livre Dreams from My Father[15] écrit par celui qui allait devenir le 44e président des États-Unis d'Amérique, monsieur Barack Obama. Pouvez-vous le confirmer à nos auditeurs ?

— Même si le titre pourrait le laisser croire, et même si j'admets que céder à une certaine forme de récupération pourrait m'apporter quelques avantages par les temps qui courent, je dois vous dire qu'il n'en est rien. En fait, je devrais commencer par

15 - Les rêves de mon père : L'histoire d'un héritage en noir et blanc, Paris, Presses de la Cité, 2008, 453 p. Titre original en anglais : Dreams from My Father : A Story of Race and Inheritance (parution originale en 1995).

confesser que je n'ai pas lu le livre du président élu, donc je ne sais pas quels étaient les rêves de son défunt père en quittant le Kenya pour l'Amérique. Peut-être le président Obama les a-t-il réalisés en forçant, en quelque sorte, les grilles du Sénat de l'Illinois, les portes du Congrès des États-Unis d'Amérique et enfin les verrous de la Maison-Blanche. C'est une hypothèse. Quant au rêve de mon père Modéro, il n'a pour moi aucun secret, puisqu'il tient de la passion qui l'a toujours habité : la musique.

— Et qu'a-t-il fait de ce rêve… je veux dire à part vous le transmettre ?

— Il a commencé comme professeur de danse africaine à Brooklyn, à la fin des années mil neuf cent soixante-dix ; puis son ami, monsieur Baxter, l'a encouragé à sortir un album. Ça s'appelait « Does Love Make Sense[16] ? » Des reprises de quelques morceaux qu'il avait composés jadis dans son pays, quand il était jeune. De la rumba congolaise authentique qui n'entrait pas vraiment dans les canons du marché américain. Résultat : échec et mat. Monsieur Baxter lui a fortement conseillé « d'épurer un peu son truc », de le rapprocher du jazz ou du country. Car les deux aimaient écouter Louis Armstrong et Bonnie Brown. Il a dit niet. « Ça serait trahir la rumba », qu'il faisait valoir à chaque fois. C'est son côté puriste. Avec le recul, cela me semble d'autant plus regrettable que lui-même aime à dire, à la suite d'un grand écrivain et homme politique africain aujourd'hui disparu, que « Danser, c'est découvrir et recréer. C'est le meilleur mode de connaissance qui puisse exister ». Ce qui est absolument valable pour la musique en général. Un conseil qu'il aurait dû suivre, selon moi.

— Un échec qui a dû vous inspirer plus tard…

— Pas tant que ça. Moi, je suis né ici. J'étudie la musique, donc j'ai l'avantage de cerner à la fois les tendances et les contextes. Et puis, n'ayant jamais subi directement l'influence

---

16 - L'Amour, à quoi ça rime ? ou *Bolingo, Tina Nini ?* en lingala.

de la rumba congolaise, j'ai la distance nécessaire pour utiliser ce genre musical comme n'importe quel matériau qui me tombe sous la main, avec pour seuls filtres mon oreille et mes sens. Je peux donc m'autoriser tous les métissages possibles, à l'image de ma propre identité culturelle mi-africaine, mi-américaine.

— ModN' Ron, sachez que dans Dream As A Legacy, le métissage que vous nous servez a des allures de «feu d'artifice auditif», pour reprendre la belle formule du magazine Spin qui vous a consacré un encadré de deux paragraphes cette semaine.

— Merci à vous encore une fois et un gros merci à Spin.

— Et lorsque vous entendez nul autre que le président élu déclarer devant des millions de téléspectateurs que votre chanson fait partie des morceaux qu'il écoute dans son iPod, quel effet cela vous fait-il, à vous qui êtes âgé de vingt-deux ans à peine et qui n'avez encore produit aucun album?

— Moi, ça me laisse sans voix. Mais l'ancien majordome de l'ambassadeur du Congo devenu citoyen des États-Unis d'Amérique, ça l'empêche de dormir la nuit. Il est si fier, le paternel. Tellement fier. Si j'ai quelque succès un jour et si Dieu le garde en vie pour en être le témoin, alors son rêve se sera en quelque sorte réalisé.

— Votre...

Connelly coupa le son. George Foreman se tourna vers le réalisateur:

— Alors, le cinéaste, dis-moi: à quel point tu détestes ce qu'on vient d'entendre?

— Big George, tu as tapé dans le mille, mon gaillard. Je veux pour mon film une version retravaillée de Dream As A Legacy. Avec davantage de percussions. Plus punchy encore. Tu vois ce que je veux dire? Un truc qui colle comme un gant aux coups de poing du champion et qui donne la pêche au téléspectateur qui traîne une gueule de bois de trois jours.

— Ah ?

— Le petit est capable de nous balancer ça, il n'y a aucun doute là-dessus. Je me charge d'entrer en contact avec Baxter. Je me demande même comment j'ai fait pour ne pas penser à lui tout au long du projet, alors que j'ai ici même une biographie de Mohamed Ali dont il est l'auteur.

— De mieux en mieux, hein ?

— Pour le *Chicago Chronicle* dont il fut grand reporter pendant de longues années, le type a roulé sa bosse partout où il était question de boxe, de Las Vegas à Manille aux Philippines en passant par Kinshasa où il a dû couvrir votre combat. J'avais vaguement ouï dire qu'il avait choisi pour ses vieux jours la tranquillité des amphithéâtres universitaires sur les bords du lac Michigan. Il est à l'École des communications de l'Université Loyola à Chicago.

— Ça ne devrait pas être bien compliqué de le sortir de son trou, je suppose. Puisque tu t'assignes cette tâche, dois-je en déduire que tu préfères le morceau de ce jeune homme à tous tes CD de hip-hop réunis ?

— Tu plaisantes, Big George ? Mais c'est de la dynamite, ce morceau ! Ça va faire mal, très mal ! Bordel ! Tu as bien fait d'insister, mon bon pasteur qui semble connaître la musique du monde aussi bien que les cantiques bibliques du roi Salomon.

— Le bon pasteur n'a pas besoin de connaître toute la musique du monde pour te dire que ton putain de film va faire un malheur, O. K.? Quant à ce jeune homme qui transpire la sagesse, ce sera pour lui – retiens-le – une rampe de lancement d'enfer, foi de George Edward Foreman !

Connelly s'approcha et le saisit au poignet :

— Tu viens de me prouver qu'il valait mieux suivre ton instinct, alors je veux bien acheter ta double prédiction.

Il fit semblant de s'éloigner, puis revint sur ses pas :

— Mais tu sais quoi, Big George ? Pour un ministre de Dieu, mettre « putain », « enfer » et « foi » dans une même phrase, même pour prophétiser le bonheur sur terre, c'est carrément se foutre de la gueule du Bon Dieu.

— Sans le Bon Dieu, sache que j'arrangerais bien ton portrait de vieux rentier alcoolique, juste pour le plaisir de pisser sur le *Dow Jones*.

Ils se donnèrent l'accolade dans un grand rire. Un rire tonitruant qui exprimait, mieux que tous les mots qu'ils auraient pu trouver, la satisfaction d'avoir mis le doigt sur le dernier morceau du puzzle qui les avait réunis. Au crépuscule de cette journée hivernale où les États-Unis d'Amérique célébraient une nouvelle page de leur histoire mouvementée, ils se quittèrent avec le sentiment à peine avoué d'avoir pris rendez-vous avec l'avenir.

∞

Six mois plus tard, *Fighting Him Changed My Life* fut lancé et connut un succès monstre au guichet. Mohamed Ali, qui ne fut associé au projet qu'à la toute fin, salua l'œuvre comme « le plus bel hommage qui ne m'avait jamais été rendu » depuis sa retraite sportive.

La prophétie de George Foreman ne fut guère démentie : révélé au reste du pays par le film documentaire produit pour les soixante-sept ans du plus grand boxeur de tous les temps, Ron Modéro Jr, alias ModN' Ron, rejoignit le club des nouvelles étoiles américaines du rhythm and blues. Il fut nommé trois fois dans le style R&B à la 52e cérémonie des Grammy Awards, le 31 janvier 2010, au Staples Center de Los Angeles.

Loin du village de Banza où vécut son arrière-grand-père le féticheur Zangomoyo Batulampaka; loin du Zaïre redevenu Congo après le sabordage de la révolution de l'authenticité; loin de l'Afrique où se trouvait la tombe de l'ancien poète et chantre de la négritude à qui s'était vainement mesuré le Guide du Zaïre avant de sombrer dans les abysses de la folie des grandeurs, le jeune étudiant de vingt-deux ans avait donné vie au rêve fou de son père. Il le devait à Mohamed Ali. Il le devait surtout à l'homme d'affaires et évangéliste le plus atypique du sud des États-Unis d'Amérique, George Edward Foreman, cet ancien champion taiseux que son père aimait, là-bas, au pays de la rumba. Avec la désinvolture qu'on lui connaît, le hasard avait ainsi remis à l'endroit la veste de la trahison et envoyé un « poing final » à la gueule du destin.

Notes de l'auteur

La scène décrite dans le prologue s'inspire en partie d'informations factuelles contenues dans l'ouvrage consacré par Norman Mailer au «combat du siècle» ayant opposé George Foreman à Mohamed Ali (*The fight,* Boston, Little, Brown & Co., 1975, 239 p.). En avoir connu l'existence, j'aurais certainement consulté le livre d'Aloys Kabanda, *Ali/Foreman: le combat du siècle à Kinshasa, 29-30 octobre 1974; introduit par une étude sur la République du Zaïre* (Coll. «Pour tous», n° 1, Sherbrooke, Naaman, 1977, 102 p.). Les Éditions Naaman n'existent plus depuis 1986, à la suite de la mort de l'éditeur Antoine Naaman, et les livres sont éparpillés, mais on en trouve des exemplaires en se tournant vers Internet.

Peu importe, ce récit est avant tout une fiction; bien qu'il faille préciser que je me suis donné la pleine liberté de mêler événements historiques – les rendez-vous sportifs internationaux, entre autres – et scénarii puisés au fond de ma propre imagination, tout en m'efforçant d'ancrer la narration dans la «réalité» socio-politique du Zaïre de mil neuf cent soixante-quatorze. Si certains personnages cités dans ce roman ont bel et bien existé, à de rares exceptions près – relevées dans le texte –, les propos et les dialogues attribués aux uns et aux autres sont loin de relever de la réalité. Quant aux noms des pays, je les ai gardés tels quels, indépendamment des changements ultérieurs, afin de préserver le contexte historique de l'époque revisitée.

Tant qu'à finir par une vérité de La Palice que le lecteur voudra bien me pardonner, je m'en vais affirmer que l'exaltante aventure d'un premier roman est tout sauf une randonnée solitaire. Je terminerai donc ces lignes en disant merci à ceux qui, à force d'insister au fil du temps, m'ont «convaincu» de franchir le Rubicon de la publication. Outre mes parents, il s'agit notamment de: Ibrahima Koné mon frère; ma complice Pascale Castonguay qui, sur les routes de l'Ontario, du Michigan, de l'Indiana et de l'Illinois, s'est bien amusée à l'apparition du personnage de Mod'N Ron Jr, le dernier à monter à bord de ce vol littéraire vers le passé; ma première lectrice, Eilis Pourbaix, qui y croyait avec une ferveur telle qu'elle en devint contagieuse. La même gratitude s'adresse à ma complice en écriture Caroline Mathias, dont l'indéfectible amitié continue de défier les fuseaux horaires transatlantiques. Les bons conseils et encouragements d'Elena De Blaere, Maud Cucchi, Mumani Simeti, Didier Mutamba, Lambert Landa, Cornelia Schrecker, Rahman Diallo, Isabelle Plante, Cécile Leblanc, Florence Ngué-No, Guillaume St-Pierre et Marie D. entre autres, me furent précieux. Un grand merci à l'équipe des Éditions L'Interligne, laquelle, en pariant sur ce roman, m'a fait passer «de l'autre côté du livre», dans une expérience des plus passionnantes. *Last but not least*, merci à toi, cher Dany Laferrière: sans avoir lu la première phrase de ce récit, tu me donnais rendez-vous en librairie. L'«écrivain en pyjama» a pris ce défi plein de sollicitude pour ce qu'il fut: une marque de confiance dont il fallait se montrer digne. J'aurai essayé.

B. N.
Ottawa, juin 2014

TABLE DES MATIÈRES

Les Éditions L'Interligne
261, chemin de Montréal, bureau 310
Ottawa (Ontario) K1L 8C7
Tél.: 613 748-0850 / Téléc.: 613 748-0852
Adresse courriel: commercialisation@interligne.ca
www.interligne.ca

Directeur de collection: Michel-Rémi Lafond

Photo de la page couverture: Étienne Ranger
Design de la couverture: Melissa Casavant-Nadon
Graphisme: Estelle de la Chevrotière Bova
Correction des épreuves: Jacques Côté
Distribution: Diffusion Prologue inc.

Les Éditions L'Interligne bénéficient de l'appui financier du Conseil des Arts du Canada, de la Ville d'Ottawa, du Conseil des arts de l'Ontario et de la Fondation Trillium de l'Ontario. Nous reconnaissons l'aide financière du gouvernement du Canada par l'entremise du Fonds du livre du Canada (FLC) pour nos activités d'édition.

Les Éditions L'Interligne sont membres du Regroupement des éditeurs canadiens-français (RECF).

artsVest Ontario est géré par Les affaires pour les arts avec le soutien du gouvernement de l'Ontario, de la Fondation Trillium de l'Ontario et de Patrimoine Canada.

MARQUIS

Québec, Canada

RECYCLÉ
Papier fait à partir
de matériaux recyclés
FSC® C103567

Imprimé sur du papier Enviro 100% postconsommation
traité sans chlore, accrédité ÉcoLogo et fait à partir de biogaz.

*Ce livre est publié aux Éditions L'Interligne à Ottawa
(Ontario), Canada. Il est composé en caractères Adobe Caslon
Pro, corps douze, et a été achevé d'imprimer sur du papier
Enviro 100% recyclé par les presses de Marquis imprimeur
(Québec), 2016.*